Livre de l'élève

Reflets

走遍法国

（法）Guy Capelle / Noëlle Gidon 著
胡 瑜 吴云凤 编译

1上

外语教学与研究出版社
北 京

京权图字: 01-2005-5786

图书在版编目(CIP)数据

走遍法国 = Reflets : 学生用书. 1. 上 / (法) 卡佩勒 (Capelle, Guy), (法) 吉东 (Gidon, Noılle) 著 ; 胡瑜, 吴云凤编译. — 北京 : 外语教学与研究出版社, 2005.12 (2014.2 重印)
(走遍法国 = Reflets)
ISBN 978-7-5600-5319-6

Ⅰ. 走… Ⅱ. ①卡… ②吉… ③胡… ④吴… Ⅲ. 法语—教材 Ⅳ. H32

中国版本图书馆 CIP 数据核字 (2005) 第 153902 号

出 版 人: 蔡剑峰
责任编辑: 李 莉
封面设计: 高 鹏
版式设计: 牛茜茜
出版发行: 外语教学与研究出版社
社 址: 北京市西三环北路 19 号 (100089)
网 址: http://www.fltrp.com
印 刷: 北京华联印刷有限公司
开 本: 889×1194 1/16
印 张: 12
版 次: 2006 年 1 月第 1 版 2014 年 2 月第 17 次印刷
书 号: ISBN 978-7-5600-5319-6
定 价: 39.90 元 (附赠 MP3 光盘 1 张)
* * *
购书咨询: (010)88819929 电子邮箱: club@fltrp.com
外研书店: http://www.fltrpstore.com
凡印刷、装订质量问题, 请联系我社印制部
联系电话: (010)61207896 电子邮箱: zhijian@fltrp.com
凡侵权、盗版书籍线索, 请联系我社法律事务部
举报电话: (010)88817519 电子邮箱: banquan@fltrp.com
法律顾问: 立方律师事务所 刘旭东律师
中咨律师事务所 殷 斌律师
物料号: 153190001

出版说明

《走遍法国》(*Reflets*) 系我社从法国阿歇特图书出版集团 (Hachette Livre) 引进的一套以视听内容为基础的法语教材。原版教材承载科学的积极教学法，内容生动，结构安排合理，融语言和文化于一体，已博得了国内法语界广大师生的厚爱，亨有较高的知名度。为了使更多的学习者受益，我社将陆续分册出版该套教材。它的出版将在引进版法语教材和以视听内容为基础的法语教材两个方面填补国内法语教材市场上的空白。

随着中国人对法国和法语国家关注度日益提高，通过各种途径学习法语的人也越来越多，其中包括大量的自学者。为了使这套教材适应不同类型的法语学习者的需求，我们特请北京第二外国语大学的胡瑜和吴云凤老师对这套教材进行了改编。对学生用书的改编主要有：翻译题目，增加语音讲解、课文注释和词汇表，编译语法和交际讲解等。配套用书和材料也有相应的改动。

《走遍法国》(1上) 包括学生用书、教师用书和练习册各一本，学生用书含MP3光盘一张，教师用书含DVD光盘一张。

外语教学与研究出版社

综合语种事业部 法语工作室

2005年11月

前 言

《走遍法国》系外语教学与研究出版社从法国阿歇特图书出版集团引进的一套法语教材。该套教材以视听内容为基础，语法结构安排合理，融语言和文化于一体，以积极互动的教学法有效培养学生的听说能力。原书共有三个水平等级分册。根据中国人学习外语的特点，我们把原书的第一册分成两部分，并对第一部分进行了改编，使之更适合于法语初学者。

改编后的学生用书（1上）包括语音、课文（第0-12课）和附录三大部分：

- 语音部分主要介绍一些基本的语音概念，根据法语音素的特点分组介绍三十五个元音音素和辅音音素的发音特点，并结合常用词汇和句型讲解主要读音规则。
- 课文部分除第0课为入门课外，第1-12课以三个主人公工作和生活中的故事为主线展示当代法国人的日常生活。每两课又构成一个独立、完整的单元。
  - ★ 每课主要分为情景学习、剧情理解、语法学习和语言交际四大板块。一个单元内的前一课课后有阅读及词汇扩展练习，后一课课后有文化点滴，介绍法国或法语国家的文化。
  - ★ 每课的词汇表包括两部分单词：不带星号（*）的为对话中必须掌握的单词，带星号（*）的为旁白中的一部分单词。此外，前几课的词汇表都给出了动词的原形及课文里出现的人称变位，系统的动词变位规则将在后面课程中讲解。
  - ★ 附录部分包括课后练习的录音材料、语法概要、动词变位表、总词汇表及MP3录音内容摘要。

情景学习板块主要通过观看录像，使学生熟悉剧情，并让学生对剧情作假设。

剧情理解板块分为观察剧情和人物对话与观察人物行为两个步骤。学生重看录像核实在情景学习时对剧情作的假设，通过将事件排序和辨认人物的言语行为，可以对剧情发展有更清楚的理解。观察人物行为一方面要求理解人物面部表情、手势、姿态等所表达的意思，另一方面要求理解人物言语的交际含义。

在语法学习板块，本套教材摆脱传统的“讲解—练习”的思路，而是先提出问题，通过相关练习来开发学习者的积极主动性，然后在方框中作讲解。

语言交际板块培养学生的口语表达能力。学生通过情景对话练习使用不同的表达方式，通过听录音训练获取关键信息的技巧，通过角色扮演训练各方面的语言交际能力。

除了以上四个主要板块的内容外，每单元还有辅助性内容：阅读板块主要培养学生的阅读技巧、发现问题和解决问题的技能，并设有写作小练习；词汇扩展板块不是必须学习的部分，学生可在教师的指导下根据兴趣自学；文化点滴板块的语言程度较难，只要求学生理解录像的大致内容，并进行简单的跨文化比较。另外，该部分的文章已译成中文，编入练习册，因此可不必占用太多的教学时间。

本册书的学时安排建议：语音部分10课时；每课的学习时间在10至12课时。全书共计140学时。

在本册改编过程中，我们更新了某些信息以便正确反映法国社会现状。但原版教材对话部分出现的法国法郎，因在括号里标明了等值的欧元，且不便修改，故予以保留。

我们希望通过改编可以使语法讲解更清楚明了，并帮助学习者克服使用本册教材时因语言障碍造成的理解上的困难。改编引进版教材对我们来说是一次新鲜的尝试，其改编是否合理、有效，还有待实践的印证，也欢迎使用者批评指正。

胡瑜 吴云凤

2005年11月

CARTE DE FRANCE

法国地图

审图号：GS (2006) 583号

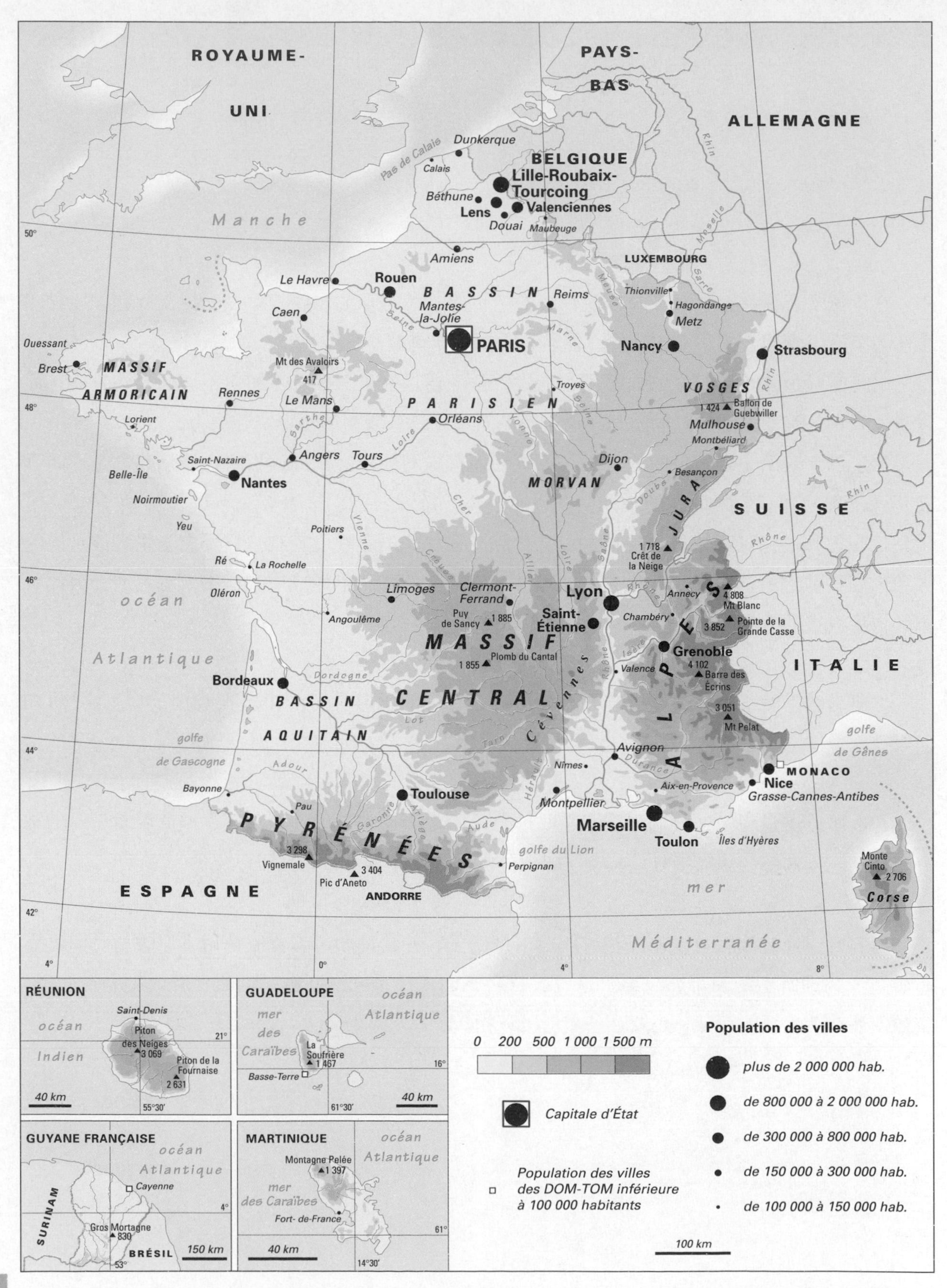

Liste des abréviations
略语表

adj. = adjectif	形容词
adj.indéf. = adjectif indéfini	泛指形容词
adj.interr. = adjectif interrogatif	疑问形容词
adj.num. = adjectif numéral	数词
adv. = adverbe	副词
adv.exclam. = adverbe exclamatif	感叹副词
adv.interr. = adverbe interrogatif	疑问副词
conj. = conjonction	连词
f. = féminin	阴性
inf. = infinitif	不定式动词
interj. = interjection	叹词
loc. = locution	短语
m. = masculin	阳性
n. = nom	名词
n.pr. = nom propre	专有名词
pl. = pluriel	复数
prép. = préposition	介词
pron. = pronom	代词
pron.dém. = pronom démonstratif	指示代词
pron.indéf. = pronom indéfini	泛指代词
pron.interr. = pronom interrogatif	疑问代词
v. = verbe	动词
v.i. = verbe intransitif	不及物动词
v.impers. = verbe impersonnel	无人称动词
v.pr. = verbe pronominal	代词式动词
v.t. = verbe transitif	及物动词
v.t.ind. = verbe transitif indirect	间接及物动词

Liste de termes grammaticaux
语法术语简表

adjectif démonstratif	指示形容词
adjectif possessif	主有形容词
article contracté	缩合冠词
article défini	定冠词
article indéfini	不定冠词
complément d'objet direct	直接宾语
complément d'objet indirect	间接宾语
conjugaison	动词变位
futur proche	最近将来时
futur simple	简单将来时
impératif	命令式
indicatif	直陈式
infinitif	不定式
interrogation partielle	特殊疑问句
interrogation totale	一般疑问句
participe passé	过去分词
passé composé	复合过去时
phrase exclamative	感叹句
phrase interrogative	疑问句
phrase négative	否定句
phrase simple	简单句
prédicat	谓语
présent	现在时
pronom personnel	人称代词
pronom tonique	重读人称代词
sujet	主语
verbe auxiliaire	助动词
verbe impersonnel	无人称动词
verbe intransitif	不及物动词
verbe pronominal	代词式动词
verbe transitif	及物动词

TABLE DES MATIÈRES

目录

PHONÉTIQUE 语音……(1)

- 法语字母表
- 音素的概念
- 法语音素
- 发音与拼写
- 音节
- 省音
- 联诵、连音
- 哑音h、嘘音h

DOSSIER 0 Vous êtes français ? 您是法国人吗？……(17)

COMMUNICATION	GRAMMAIRE
拼读 使用数字	国籍形容词 Être、s'appeler单数人称的直陈式现在时 C'est

DOSSIER 1

Épisode 1 Le nouveau locataire 新房客……(24)

Épisode 2 On visite l'appartement 参观公寓……(34)

COMMUNICATION	GRAMMAIRE	SONS ET LETTRES
询问姓名 询问职业 表达同意或异议 表达时间 表达所属关系 表达年龄 介绍他人 道歉	单数人称代词及重读人称代词 动词être c'est, il/elle est 疑问句 不定冠词与定冠词 Il est ＋ 时间 动词avoir 主有形容词mon/ma, ton/ta, son/sa, votre	语调：陈述与疑问
ÉCRIT	**VOCABULAIRE**	**CIVILISATION**
L'image et la fonction des textes 画面与文字功能 ——Documents divers 多样的材料	L'immeuble et l'appartement 楼房和公寓	La francophonie

DOSSIER 2	Épisode 3 Une cliente difficile 挑剔的顾客……(44) Épisode 4 Joyeux anniversaire ! 生日快乐！……(54)	
COMMUNICATION	**GRAMMAIRE**	**SONS ET LETTRES**
● 表达对象或目的 ● 询问付款方式 ● 要求解释 ● 建议用“你”称呼彼此 ● 拒绝与接受 ● 赞美	● 第一组动词单数人称的直陈式现在时 ● 命令式 ● 就人和物提问 ● 介词pour ● Est-ce que ● 名词、形容词和冠词的复数 ● 感叹形容词quel ● 否定句“ne+ 动词+pas” ● 形容词的阴阳性和位置 ● 动词变位：复数人称的直陈式现在时	● 重音 ● 单数和复数
ÉCRIT	**VOCABULAIRE**	**CIVILISATION**
● L'image et la fonction des textes 画面与文字功能 ——L'euro 欧元	● Le temps 时间	● C'est la fête ! ● Fêtes officielles et jours fériés

DOSSIER 3	Épisode 5 C'est pour une enquête 您好，问卷调查！……(66) Épisode 6 On fête nos créations 庆祝我们的新款设计……(76)	
COMMUNICATION	**GRAMMAIRE**	**SONS ET LETTRES**
● 询问和提供信息 ● 拒绝并找个借口 ● 对他人的身体状况表示担心 ● 表达愿望	● 动词faire ● 动词jouer ● 缩合冠词 ● 不规则动词aller、lire和dire ● 动词venir的直陈式现在时 ● 地点前的介词——à，en，de ● 国籍形容词的阴性形式 ● 主有形容词 ● 动词finir的直陈式现在时	● 联诵 ● 单数和复数
ÉCRIT	**VOCABULAIRE**	**CIVILISATION**
● Repérer des informations 获取关键信息——Le couple et la famille 夫妇和家庭	● La famille et la description de personnes 家庭成员和人物的外貌特征	● Artisanat et métiers d'art

DOSSIER 4	Épisode 7 Jour de grève ! 罢工日 ……(88) Épisode 8 Au centre culturel 在文化中心……(98)	
COMMUNICATION	**GRAMMAIRE**	**SONS ET LETTRES**
● 引起注意 ● 使他人放心 ● 表达喜欢 ● 表达不喜欢 ● 表现诚意，让对方放心	● Il y a, il n'y a pas ● 条件从句：si + 直陈式现在时 ● 动词mettre和prendre的直陈式现在时 ● 间接疑问句 ● 复合过去时 ● 频率副词 ● 最近将来时"aller+ 动词不定式" ● 否定疑问句的肯定回答——si	● 连音 ● 联诵与连音
ÉCRIT	**VOCABULAIRE**	**CIVILISATION**
● Les genres de textes 文章的体裁——Les transports 交通	● En ville et sur la route 在城市里，在公路上	● Les transports urbains ● Prenez le bateau

DOSSIER 5	Épisode 9 Ravi de faire votre connaissance 很高兴认识您…(108) Épisode 10 Un visiteur de marque 高级客户……(118)	
COMMUNICATION	**GRAMMAIRE**	**SONS ET LETTRES**
● 询问原因、意图和目的 ● 赞美他人的衣着 ● 提醒他人要做的事情 ● 平息他人的好奇心 ● 请求/给予/拒绝许可 ● 询问价格 ● 说明预订了餐位	● 用être做助动词的复合过去时 ● 代词式动词 ● pourquoi ● 动词pouvoir ● 动词savoir和connaître ● 简单将来时 ● 指示形容词 ● 频率表达法	● 复数词尾的发音 ● [s]音的拼写形式 ● 辨别相近的音 ● 辨别不发音的字母
ÉCRIT	**VOCABULAIRE**	**CIVILISATION**
● La lecture plurielle 多样化的阅读——Après la pluie, le beau temps 雨过天晴	● Une journée bien remplie 繁忙的一天	● Les parcs naturels ● Les Français et leur jardin

<table>
<tr><td>DOSSIER 6</td><td colspan="2">Épisode 11 Le stage de vente 销售培训……(130)
Épisode 12 Julie fait ses preuves Julie 展露才华……(140)</td></tr>
<tr><td>COMMUNICATION</td><td>GRAMMAIRE</td><td>SONS ET LETTRES</td></tr>
<tr><td>● 表达必须
● 表达赞赏
● 问路
● 准许或拒绝他人的请求
● 征求意见
● 让他人稍候</td><td>● 动词vouloir和pouvoir
● 直接宾语人称代词
● Il faut, on doit
● 过去分词和直接宾语人称代词的配合
● 间接宾语人称代词
● 表达方向的介词(短语)和副词(短语)</td><td>● 区分[e]和[ɛ], [ø]和[œ], [o]和[ɔ]
● 强调重音</td></tr>
<tr><td>ÉCRIT</td><td>VOCABULAIRE</td><td>CIVILISATION</td></tr>
<tr><td>● Les articulations du paragraphe et du texte 文章和段落的结构——Une cible privilégiée : les plus de 50 ans 目标消费群：50岁以上的老人</td><td>● Orientez-vous dans la ville 在城市里辨别方向</td><td>● La fièvre acheteuse
● Les champions du petit prix</td></tr>
</table>

Transcriptions des documents audio 录音材料……(150)
Mémento grammatical 语法概要……(156)
Tableaux de conjugaison 动词变位表……(160)
Lexique 总词汇表……(164)
Contenu du MP3 MP3录音内容摘要……(173)

PHONÉTIQUE

语音

- ★ l'alphabet français
- ★ les phonèmes français
- ★ la prononciation et l'orthographe
- ★ la syllabe
- ★ la liaison et l'enchaînement
- ★ l'élision

- ★ 法语字母表
- ★ 音素
- ★ 发音与拼写
- ★ 音节
- ★ 联诵与连音
- ★ 省音

ALPHABET FRANÇAIS

法语字母表

A a	A a	[a]	N n	N n	[ɛn]
B b	B b	[be]	O o	O o	[o]
C c	C c	[se]	P p	P p	[pe]
D d	D d	[de]	Q q	Q q	[ky]
E e	E e	[ə]	R r	R r	[ɛːr]
F f	F f	[ɛf]	S s	S s	[ɛs]
G g	G g	[ʒe]	T t	T t	[te]
H h	H h	[aʃ]	U u	U u	[y]
I i	I i	[i]	V v	V v	[ve]
J j	J j	[ʒi]	W w	W w	[dubləve]
K k	K k	[ka]	X x	X x	[iks]
L l	L l	[ɛl]	Y y	Y y	[igrɛk]
M m	M m	[ɛm]	Z z	Z z	[zɛd]

- 法语共有26个字母，其中a, e, i, o, u, y是元音字母，其他字母是辅音字母。

PHONÈMES FRANÇAIS

法语音素

音素是最小的语音单位，用国际音标标注。音标写在方括号内，每一个音标代表一个音素。

! 音素与字母是两个不同的概念。前者属于语音的范畴，而后者则属于书面文字的范畴。同一个音素可以有不同的字母拼写方式，同时，同一个字母在不同情况下又可以有不同的发音。字母与发音之间有一定的规律可循。

音素分为元音音素和辅音音素，简称“元音”和“辅音”。

- **元音**：通过声带振动且不受其他发音器官阻碍而发出的音。
- **辅音**：气流受到发音器官部分或完全阻碍而发出的音。

法语音素共有35个，其中包括

- 15个元音（voyelles）[i] [e] [ɛ] [a] [u] [o] [ɔ] [y] [ø] [ə] [œ] [ɛ̃] [œ̃] [ɑ̃] [ɔ̃]
- 17个辅音（consonnes）[p] [b] [t] [d] [k] [g] [f] [v] [s] [z] [ʃ] [ʒ] [l] [m] [n] [ɲ] [r]
- 3个半元音（semi-voyelles）[j] [ɥ] [w]

本书不计后元音[ɑ]。该元音与[a]之间唯一的差别就是发音点不同，[a]靠前，[ɑ]靠后。由于在意义上不会造成混淆，现在后者已逐渐被前者取代。

元音中[ɛ̃] [œ̃] [ɑ̃] [ɔ̃]为鼻化元音，发音时气流同时从口腔和鼻腔中冲出。

辅音可分为清辅音和浊辅音。

- 发音时，声带不振动的叫“清辅音”，如：[p] [t] [k] [f] [s] [ʃ]；
- 声带振动的叫“浊辅音”，如：[b] [d] [g] [v] [z] [ʒ]等。

[i] [e] [ɛ] [a]

[i] 口腔开口度极小，舌尖紧抵下齿，唇型扁平，嘴角要用力向两边拉。与汉语拼音中的i相似，但口腔部位的肌肉更加紧张。

常见拼写方式	例词
i	il, si, lire, riz
î	île, dîner
ï	naïf, maïs, égoïste
y	type, style, cycle

[e] 舌尖紧抵下齿，唇型扁平，开口度略大于[i]，嘴角略向两边拉。发音与汉语拼音中的ei相似，但开口度更小，并且口型保持不变（注意：法语音素中的元音都遵循这一特点）。

常见拼写方式	例词
é	été, désolé, bébé
er 在词末	aller, répéter, préférer（但在少数词如hiver、hier等中读[ɛr]）
ez 在词末	téléphonez, lisez, nez
es 在少数单音节词中	les, des, mes（但tu es [ty-ɛ]）
ed 或eds在词末	pied, assieds
e在词首的desc-, dess-, ess-和eff-中	descendre, dessin, essai, effort

[ɛ] 开口度大于[e]，舌位稍高于[e]，舌尖平抵下齿，舌前部略微隆起。注意保持口型稳定，尤其不要与汉语拼音的ai混淆。

常见拼写方式	例词
è	mère, père, frère
ê	être, tête, bête
ë	Noël, Maëlle, Israël（但在aiguë中不发音）
e在闭音节中	merci, sel, veste, belle, messe
ai, aî	aimer, faire, mais, maître, plaît（但j'ai [ʒe]、gai [ge]）
ei	Seine, seize
et, êt, ect在词末	paquet, ticket, forêt, aspect, respect

[a] 舌头平放，嘴自然张开，口型略微紧张。与汉语拼音中的a相似，但发音时舌位靠前。

常见拼写方式	例词
a	papa, date, ma, ami
à	à, là
â	Pâques, pâte, gâteau
“e+mm或nn”在词中	femme, évidemment, solennel
oi, oî 读[wa]	noir, boire, moi, Benoît, boîte
oy 读[waj]	voyager, foyer, loyer

◉ **比较 [i] – [e] – [ɛ] – [a]**

lit – les – lait – là
mi – mes – mais – ma
si – ces – c'est – ça
qui – gai – caisse – cadeau
file – fée – fête – femme

◉ **常用句型**

Le français est difficile.
Quel est le prix du riz ?

Vous buvez du thé ? du café ?
Vous pourriez répéter ?
Je suis désolé.

Je voudrais une baguette, s'il vous plaît.
Tu aimes faire du sport ?
En mai, fais ce qu'il te plaît.
Si les jeunes savaient, si les vieux pouvaient.

Au revoir, Madame.
Nathalie est une camarade de classe à moi.
À Pâques, tu vas voyager ?
Marilyn Monroe est une femme fatale.

[p] [b] [t] [d] [k] [g]

[p] 双唇紧闭形成阻塞，气流突然从口腔冲出，形成爆破音。声带不振动，类似于汉语拼音中的b。在元音前不送气，在音节末或与l、r构成辅音群时送气，此时发音同英语中的p (people)。

常见拼写方式	例词
p	pas, paix, étape, place
pp	appel, nappe, grippe

[b] 发音方式基本同[p]，但发音时声带振动并只有极少量的气流冲出口腔。

常见拼写方式	例词
b	belle, bas, bébé
bb	abbé

[t] 舌尖抵上齿形成阻塞，气流突然从口腔冲出，形成爆破音。声带不振动，类似于汉语拼音中的d。在元音前不送气，在音节末或与l、r构成辅音群时送气，此时发音同英语中的t (tea)。

常用拼写方式	例词
t	tête, table, type, maître
tt	atterrir, dette, patte
th	thé
t在少数词的词末	net, direct
d在联诵时	quand il [kɑ̃til]

[d] 发音方式与[t]相同，但声带必须振动并只有极少量的气流冲出口腔。

常见拼写方式	例词
d	date, madame, drame
dd	addition
dh	adhérer
d在少数词的词末	Madrid, Alfred, David

[k] 舌面抬起抵硬腭后部形成阻塞，气流突然从口腔冲出，形成爆破音。声带不振动，类似于汉语拼音中的g。在元音前不送气，在音节末或与l、r构成辅音群时送气，此时发音同英语中的k (cake)。

常见拼写方式	例词
c或cc在a, o, u之前	café, caisse, coco, Cuba occasion, accord, occupé
c在辅音字母之前	clé, cravate, strict
k, ck	kaki, kilo, ticket
qu	qui, quel, disque
c或q在词末	sac, lac, parc, coq, cinq
ch - 在某些希腊文外来词中 - 在r或n前 - 在某些专有名词中	 chaos, archaïque christ, technique Munich, Michel-Ange
cc在e, i前读[ks]	succès, accent, accident
x读[ks]	taxi, texte, excuser, index, Félix

[g] 发音方式同[k]，但声带必须振动并只有极少量的气流冲出口腔。

常见拼写方式	例词
g在a, o, u或辅音字母之前	gare, goutte, figure, sigle
g在少数词的词末	zigzag
gu在e, i, y之前	guerre, guide, Guy
c在少数词中	second
ex +元音在词首读 [ɛgz] inex +元音在词首读 [inɛgz]	examen, exercice inexact

比较 [p] – [b]、[t] – [d]、[k] – [g]

pas – bas　pile – bile　puce – bus　poule – boule

tête – dette　thé – dé　tout – doux　tôt – dos

car – gare　coût – goût　cadeau – gâteau　quitte – guide

比较下列几组单词，感受清辅音和浊辅音发音的不同。

poisson – boisson　pierre – bière

prune – brune　poire – boire

trois – droit　cycle – sigle

trame – drame　classe – glace

小窍门：

你可以借助一张小纸片来体验清辅音和浊辅音的区别。把纸片放在嘴的前方，发清辅音时应能吹动纸片，而发浊辅音时则不能。

比较送气和不送气的 [p]、[t]、[k]

souper – soupe　palace – place　parti – pratique

fêter – fête　tasse – trace　tour – trou

sac à dos – sac　cou – clou　carte – cravate

朗读：

Des milliers et des milliers d'années

Ne sauraient suffire

Pour dire

La petite seconde d'éternité

Où tu m'as embrassé

Où je t'ai embrassée

...

Jacques Prévert, Le Jardin

[u] [o] [ɔ]

[u] 舌尽量后缩，双唇突出呈圆形，口型紧缩。与汉语拼音中的u相似，但唇部肌肉更加紧张。

常见拼写方式	例词
ou, où, oû	vous, où, goût
aou, aoû	août, saoul
个别外来语中	foot, clown

[o] 舌略向后缩，双唇突出，口型很圆，开口度非常小。

常见拼写方式	例词
o在词末开音节中	métro, vélo, mot
o在[z]前	rose, chose, oser
ô	allô, drôle, côté
eau	beau, cadeau, bureau
au	aussi, autre, chaud

[ɔ] 舌略向后缩，双唇突出基本呈圆形，开口度较大。

常见拼写方式	例词
o在多数词中（词末开音节和[z]音前除外）	robe, porte, comme, d'accord, économie, votre, chocolat
um 在词末读[ɔm]（parfum除外）	forum, album
au在[r]前及少数词中	aurore, aurai, Laure

◉ 比较 [u] – [o] – [ɔ]

couple – côté – comme
poupée – paume – poste
chouchou – chaud – choc
boulette – beaucoup – bossu
voûte – veau – vote

◉ 常用句型

Notre professeur porte un beau costume.
On se téléphone ? D'accord !
Je ne connais pas ce mot.
Vous avez beaucoup de cours tous les jours ?
Julie et Benoît cherchent un nouveau locataire.

[y] 舌位、开口度和肌肉紧张度与元音[i]相近，但双唇突出，绷紧成圆形。发音与汉语拼音中的ü相似，但唇部肌肉更加紧张。

常见拼写方式	例词
u, û	Lucie, tu, but, flûte, dû

[ø] 舌位和开口度与元音[e]相同，双唇突出成圆形，肌肉较紧张。

常用拼写方式	例词
eu, œu 在词末开音节中	jeu, feu, deux, vœu, nœud, bœufs
eu 在[z]、[t]、[d]音前	serveuse, neutre, jeudi
eû	jeûne

[ə] 舌位和开口度与元音[ɛ]相近，肌肉比较放松，双唇突出成圆形。该音只出现在非重读音节中，发音时无需用力。

! 不要将这个圆唇音与汉语拼音中的e混淆。将嘴角肌肉往中间缩可帮助避免这一错误。

常见拼写方式	例词
e在少数单音节词词末	le, te, de
两个辅音+e+辅音	mercredi, gouvernement, entreprise
e在词首开音节中	Benoît, demi, menu
ai在faire的某些词形变化中	faisons, satisfaisant
on在个别词中	monsieur

[œ] 舌位和开口度与元音[ɛ]相同，只是双唇突出成圆形，肌肉较轻松。

常见拼写方式	例词
eu, œu在多数情况中	leur, fleur, seuil, sœur, cœur, bœuf
œ在个别词中	œil
ueil在c或g后读[œj]	accueil, orgueil
在个别外来语中	club, t-shirt

比较 [y] – [ø] – [ə] – [œ]

su – ceux – ce – sœur
tu – honteux – tenir – acteur
lu – bleu – le – leur
nu – nœud – ne – neuf
prune – lépreux – premier – preuve

朗读：

À mesure que je vis, je dévie
À mesure que je pense, je dépense
À mesure que je meurs, je demeure
Jean Tardieu

Il pleure dans mon cœur
Comme il pleut sur la ville ;
Quelle est cette langueur
Qui pénètre mon cœur ?
...
Paul Verlaine, Il pleure dans mon cœur

[f] [v] [s] [z] [ʃ] [ʒ]

[f] 上门齿顶住下唇内侧，气流通过唇齿之间的缝隙擦出，形成摩擦音。

常见拼写方式	例词
f	fille, faire, frère, flame
ff	effet, difficile, offre
f在多数词的词末	vif, chef, sauf
ph	physique, photo, philosophe

[v] 发音方式基本同[f]，但声带振动，并且气流在唇齿之间需稍微停留后再擦出。

! 不要把[v]发成汉语拼音中的u。注意找到这个唇齿音的发音点，并且发音时要有气流冲出。

常见拼写方式	例词
v	voir, veste, vivre
w在少数词中	wagon
f在联诵时	neuf heures

[s] 舌尖抵下齿，上下齿靠近，舌面前部与上腭间形成缝隙，气流通过缝隙时发生摩擦。

常见拼写方式	例词
s不在两个元音字母之间	si, penser, veste, Seine
ss	poisson, classe, messe
c或 sc 在i, e, y前	cinéma, Cécile, cycle science, descendre
ç	français, leçon, déçu
t在tion和tie中	attention, national, patient, diplomatie
x在少数词中	dix, six, soixante, Bruxelles

[z] 发音方式基本同[s]，但声带振动。注意不要发成汉语拼音中的z（自）。

常见拼写方式	例词
z	gaz, douze, zéro
s在两个元音字母之间	bise, cousine, visage
s在联诵时	les amis
x在联诵时	dix ans
x在个别词中	deuxième, dixième

[ʃ] 舌尖抬向上齿龈稍后的部分，与上腭之间形成缝隙，双唇略向前突出呈圆形，气流通过牙缝时形成摩擦。

常见拼写方式	例词
ch	Chine, chaise, sachet
sh	shampoing
sch	schéma

[ʒ] 发音方式基本同[ʃ]，但声带振动。不要发成汉语拼音中的r（日），注意在振动声带的同时发好摩擦音。

常见拼写方式	例词
j	je, joli, jour
g 在 i, e, y 前	gilet, geste, gymnase
ge 在 a, o 前	mangeais, mangeons, Georges

◉ **比较 [f] – [v]、[s] – [z]、[ʃ] – [ʒ]、[s] – [ʃ]**

face – vase　　faire – vers　　vif – vive　　fou – vous

poisson – poison　　dessert – désert　　basse – base　　sel – zèle

char – jarre　　chez – j'ai　　chou – joue　　cache – cage

sac – chaque　　sec – chèque　　ces – chez　　sous – chou

◉ **绕口令**

Chasseurs qui chassez bien
Sachez chasser sans chien.

Les six chemises de l'archiduchesse
Sont sèches et archi-sèches.

Si six scies scient six cigares
Six cents scies scieront six cents cigares.

[j] [ɥ] [w]

[j] 发音部位和开口度与[i]基本相同，但发音短促，肌肉更紧张，气流通道狭窄，气流通过时产生摩擦。

常见拼写方式	例词
i或ï在元音前	hier, pied, vieux, faïence
“元音+il”在词末	travail, conseil, fenouil, fauteuil, cercueil, œil
元音+ill+元音字母	travailler, bouteille, bouillie, feuille, accueillir, œillet
“辅音+ill+元音”读[i:j]	gentille, famille, fille（但在ville、mille、Lille等词中读[il]）
“辅音群+i+元音”读[i:j]	crier, pliable, oublier
y在词首，且后面跟元音	yeux, yaourt
“辅音+y+元音”读[i:j]	Lyon
“ay, ey+元音字母”读[ɛj]	paye, crayon, asseyez-vous（但payer [peje]）
“oy+元音”读[waj]	voyelle, moyen
“uy+元音”读[ɥij]	appuyer, tuyau, ennuyer
(以上字母组合中y相当于i+i)	

[ɥ] 发音部位和开口度与[y]基本相同，但发音短促，肌肉更紧张，气流通道狭窄，气流通过时产生摩擦。

常见拼写方式	例词
u+元音	huit, suave, juin

[w] 发音部位和开口度与[u]基本相同，但发音短促，肌肉更紧张，气流通道狭窄，气流通过时产生摩擦。

常见拼写方式	例词
ou+元音	louer, oui, douane
w在外来语中	week-end, tramway
oi, oî, oy读[wa]	moi, toi, boîte, Leroy
oe, oê读[wa]	moelle, poêle
oin读[wɛ̃]	point, moins, soin

鼻化元音由元音字母加n或m构成。一般情况下，鼻化元音后面不能有元音字母，也不能有字母m或n。由元音字母加m构成的鼻化元音一般出现在字母p、b前或在词末，由元音字母加n构成的鼻化元音一般出现在其他辅音字母前或词末。

[ɛ̃]

发音部位与[ɛ]相同，但气流从口腔和鼻腔冲出，构成鼻音。

常见拼写方式	例词
in, im	vin, impossible, immangeable, immanquable
yn, ym	syndicat, sympathique
ain, aim	pain, faim
ein, eim	plein, Reims
“i, y或é + en”在词末	bien, moyen, européen
en在某些拉丁文和外来词中	examen, agenda, mémento, pentagone

[œ̃]

发音部位与[œ]相同，但气流从口腔和鼻腔冲出，构成鼻音。

常见拼写方式	例词
un	aucun, brun, lundi
um	humble
um在少数词的词末	parfum
eun在个别词中	à jeun

[ɑ̃]

发音部位与[a]相近，但舌略向后缩，开口度稍大，气流从口腔和鼻腔冲出，构成鼻音。

常见拼写方式	例词
an, am	dans, chanter, lampe, chambre, Adam
en, em	enfant, lent, temps, ensemble
“en + n”在词首	enneiger, ennoblir, ennuyer（但ennemi [enmi]）
“en + 元音”在少数词的词首	enorgueillir, enivrer
“em + m”在词首	emménager, emmener
aon, aen	paon, Caen
(i)en(t)在名词或形容词中	Orient, patient

[ɔ̃]

舌尖离开下齿，舌略向后缩，口型与[o]相同，气流从口腔和鼻腔冲出，构成鼻音。

常见拼写方式	例词
on	mon, ton, bonjour
om	tomber, pompe, nom
un, um 在某些拉丁文外来语中	secundo, lumbago

◉ 比较 [ɛ̃]-[œ̃]-[ɑ̃]-[ɔ̃]

faim – parfum – fantaisie – fond
pain – punk – paon – pont
empreinte – emprunt – prendre – prompte
bain – tribun – bambou – bonbon
main – commun – maman – monter

◉ 常用句型

Les bons comptes font les bons amis.
Bonjour, enchanté de vous rencontrer.
Les enfants adorent les bonbons.
Pendant les vacances, il y a plein d'Européens qui vont à la campagne et à la montagne.

[l] [m] [n] [ɲ] [r]

[l] 舌尖抵上齿龈形成阻塞。发音时声带振动，气流从抬起的舌尖两侧出来，同时放下舌尖。

常见拼写方式	例词
l, ll	lire, plaît, ville, mille
l在词末	il, fil

[m] 双唇紧闭，软腭下降形成阻塞，气流从紧闭的双唇中冲出。

常见拼写方式	例词
m, mm	madame, mère, pomme, immobile

[n] 舌尖抵上齿龈，软腭下降形成阻塞。气流同时从鼻腔和口腔冲出，同时放下舌尖。

常见拼写方式	例词
n, nn	nous, niveau, année
mn	automne, condamner

[ɲ] 舌尖抵上齿龈，软腭下降，舌面抬起，紧贴硬腭形成阻塞。

常见拼写方式	例词
gn	Agnès, montagne, campagne

[r] 舌尖抵下齿，舌后部略抬起，气流通过时小舌颤动，声带也振动。发音时关键要放松喉部，让气流通过时产生小舌振动。

常见拼写方式	例词
r, rr, rh	rue, verre, rhinocéros
r在词末	voir, finir

音节(la syllabe)

法语单词由音节构成，音节的核心是元音。一般来说，一个单词有几个元音也就有几个音节。例如：il [il] 有一个音节，repas [rə-pa] 有两个音节。

音节的划分

- 两个元音相连，音节从它们中间分开，如：thé-â-tre[te-a-tr]；
- 两个元音之间的单辅音属于下一个音节，如：aimer [ɛ-me]；
- 两个相连的辅音分属前后两个音节，如：service [sɛr-vis]；
- 三个辅音相连时，前两个辅音属于前一个音节，第三个则属于下一个音节，如：abstenir [abs-tə-nir]。
- 辅音和[l]或[r]组合成不可分割的辅音群。在词首和词中，辅音群与后面的元音构成一个音节，如：classe [klas], tableau [ta-blo]；在词末则自成一个音节，如：maigre [mɛ-gr]。

以元音结尾的音节称为**开音节**，如：lait [lɛ] ；以辅音结尾的音节称为**闭音节**，如：rose [roz]。

移行

书写时，经常一个词未写完便须移行。在此种情况下单词的拆分不可随意，须保持音节的完整性，上一行行末须加连字符“-”。

- 在元音后分开，如：ta-bleau，organi-sation；
- 相连的两个辅音字母之间分开，如：met-tre；但辅音字母加l或r构成辅音群时，两个辅音字母则不能分开，从前面的元音字母后移行，如：théâ-tre，ta-bleau

省音(l'élision)

少数以元音字母结尾的单音节词，常和下一词的词首元音（包括哑音h后面的元音）合读成一个音节，而省去词末的元音字母，这种现象被称为省音。省去的元音字母用省文撇“'”代替，如：

ce + est -> c'est

九个以e结尾的单音节词ce、de、je、le、me、ne、que、se、te都遵循这一规则。此外，la、si、jusque、lorsque、presque、puisque等词也有省音现象，如：

la + étudiante -> l'étudiante

si + il -> s'il

jusque + aujourd'hui -> jusqu'aujourd'hui

! Si 只与il和ils省音，与elle和on等其他词不省音。

联诵(la liaison)&连音(l'enchaînement)

在同一节奏组中，如果前一个词的词末是不发音的辅音字母，而后面一个词以元音字母或哑音h开头，一般来说前一词的词末辅音字母要与后一词的词首元音合成一个音节，这种现象称为联诵。如：

les **E**tats-**U**nis [le-ze-ta-zy-ni]，u**n ho**mme[œ̃-nɔm]

前一个单词的词尾辅音或元音与后一个单词的词首元音连在一起读，这种现象称为连音。如：

I**l est** grand. Il v**a à** Alger.

字母h

法语字母h在单词中不发音。但h在词首时有哑音h（h muet）和嘘音h（h aspiré）之分。

当词首是哑音h时，前面的词和它之间可以有省音或联诵，如：

l'heure [lœr]，nous habitons [nu-za-bi-tɔ̃]

当词首是嘘音h时，前面的词和它之间不可以有省音或联诵，如：

le héros [lə-e-ro]，trois héros [trwa-e-ro]

在词典中，凡是以嘘音h开头的词条前均标有星号“*”。

音符(les accents)

法语有四种音符，只出现在元音字母上面：

- 闭音符（accent aigu）是最常见的音符，只出现在字母e上面，如：téléphoner，écrire。
- 开音符（accent grave）出现在字母a、e、u上面，如：là，mère，achète，où。
  开音符可以区分：
  - a（动词avoir的变位）和à（介词）；
  - la（冠词）和là（副词）；
  - ou（连词）和où（疑问副词）。
- 长音符（accent circonflexe）出现在除y外的其他元音字母上面，如：âge，être，connaître，pôle，sûr。
- 分音符（tréma）用于分开相连的两个元音字母，表示它们分别发音，如：naïf，Noël。

另外，还有一种书写符号，即出现在字母c下面的软音符（cédille）。ç在字母a、o和u前的读[s]，如：français，garçon。

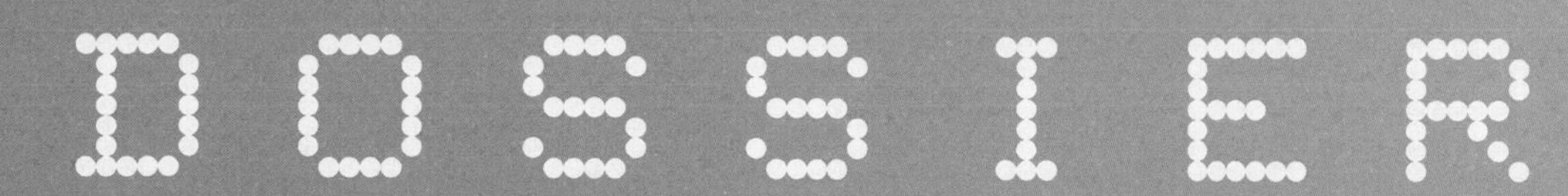

① VOUS ÊTES FRANÇAIS ?
您是法国人吗？

VOUS ALLEZ APPRENDRE À :

- saluer quelqu'un
- demander et dire le nom et le prénom
- indiquer la nationalité
- compter
- épeler

本单元中，你将学会：

- 问候
- 询问姓名，说出姓名
- 指明国籍
- 数数
- 拼读

VOUS ALLEZ UTILISER :

- les verbes *être* et *s'appeler* au présent (formes du singulier)
- *un*/*une*, articles indéfinis
- des adjectifs de nationalité au masculin et au féminin

你将使用：

- 动词*être*和*s'appeler*的直陈式现在时单数人称的变位形式
- 不定冠词*un*，*une*
- 国籍形容词的阴阳性

...US ÊTES FRANÇAIS ?

...法国人吗？

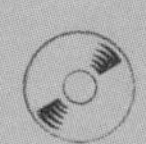

Bonjour.
Je m'appelle Émilie Larue.
Je suis canadienne.
Je suis journaliste.
Je suis à Cannes.

– Tu t'appelles comment ?
– Moi, je m'appelle Marisa. Et toi ?
– Moi, c'est Victor.
– Salut[1], Victor.
– Salut, Marisa. Tu es française ?
– Non, je suis italienne. Et toi ?
– Moi, je suis canadien.

动词 être（是）

Je suis acteur.	我是演员。
Tu es français(e).	你是法国人。
Il est italien.	他是意大利人。
Elle est actrice.	她是演员。
Vous êtes espagnol(e).	您是西班牙人。

! **Vous**在这儿相当于中文的"您"，是第二人称单数的尊称。

Qui est-ce ?	这是谁？
C'est Gérard Depardieu.	这是Gérard Depardieu。
C'est **un** acteur.	这是一名（男）演员。
C'est Victoria Abril.	这是Victoria Abril。
C'est **une** actrice.	这是一名（女）演员。

s'appeler（叫……名字）

Je m'appelle Auguste.	我叫Auguste。
Tu t'appelles comment ?	你叫什么名字？
Il s'appelle Gérard Depardieu.	他叫Gérard Depardieu。
Elle s'appelle Victoria Abril.	她叫Victoria Abril。
Vous vous appelez comment ?	您叫什么名字？

国籍形容词

	男	女
西班牙人	espagnol	espagnole
希腊人	grec	grecque
德国人	allemand	allemande
法国人	français	française
中国人	chinois	chinoise
加拿大人	canadien	canadienne
意大利人	italien	italienne
日本人	japonais	japonaise
美国人	américain	américaine

! Il est français. 他是法国人。
C'est un Français. 这是一个法国人。
第一个句子中，français是形容词，第一个字母小写；第二个句子中，Français为名词，第一个字母大写。

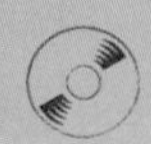

– Qui c'est ?
– C'est Gérard Depardieu. C'est un acteur français.
– Il est célèbre ?
– Oui, il est célèbre.

– Bonjour, Madame. Vous vous appelez comment ?
– Je m'appelle Victoria Abril.
– Vous êtes française ?
– Non, je suis espagnole.

– Elle, qui c'est ?
– C'est une actrice. Elle est espagnole. Elle s'appelle Victoria Abril.

NOTES 课文注释

1 Et toi ? 那你呢？相当于英语的And you?

2 Salut : 你好。与bonjour不同，salut用于熟悉的朋友或年轻人之间，而且即可以表示“你好”，也可以表示“再见”。

VOCABULAIRE 词汇表

à	*prép.* 在（某个地方）
acteur, trice	*n.* 演员
***adresse**	*n.f.* 地址
***âge**	*n.m.* 年龄
***agent**	*n.m.* 代理人，经纪人
***ami, e**	*n.* 朋友
***an**	*n.m.* 年；岁；年龄
***animateur, trice**	*n.* 组织者；主持人
***artiste**	*n.* 艺术家，艺术工作者
bonjour	*n.m.* 你好，早上好
Cannes	*n.pr.* 戛纳（法国城市）
célèbre	*adj.* 著名的
***centre**	*n.m.* 中心
comment	*adv.interr.* 怎么样
***étudiant, e**	*n.* 学生
***jeune**	*n.* 年轻人，青年
journaliste	*n.* 记者
madame	*n.f.* (*pl.* mesdames) 夫人，女士
moi	*pron.* 我（重读人称代词）
***nom**	*n.m.* 姓
non	*adv.* 不，不是，没有
***numéro**	*n.m.* 号码
oui	*adv.* 是的
***prénom**	*n.m.* 名字
***profession**	*n.f.* 职业
qui	*pron.interr.* 谁
***représentant, e**	*n.* 代表
salut	*interj.* 你好
***sans**	*prép.* 无，没有
***secrétaire**	*n.* 秘书
***stagiaire**	*n.* 实习生
***téléphone**	*n.m.* 电话
toi	*pron.* 你（重读人称代词）
***voyage**	*n.m.* 旅游

注：该单元词汇表中凡前面加星号(*)的单词均为该单元“影片人物介绍”中出现的生词。

1. Salut ! 你好！

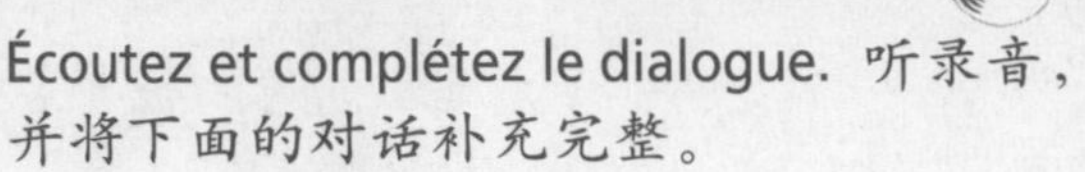

Écoutez et complétez le dialogue. 听录音，并将下面的对话补充完整。

– Salut. ... t'appelles comment ?
– Pablo.
– Moi, ... m'appelle Alain.
– Tu ... français ?
– Oui. Toi, tu es espagnol ?
– Oui, je ... espagnol.

2. Elle est française. 她是法国人。

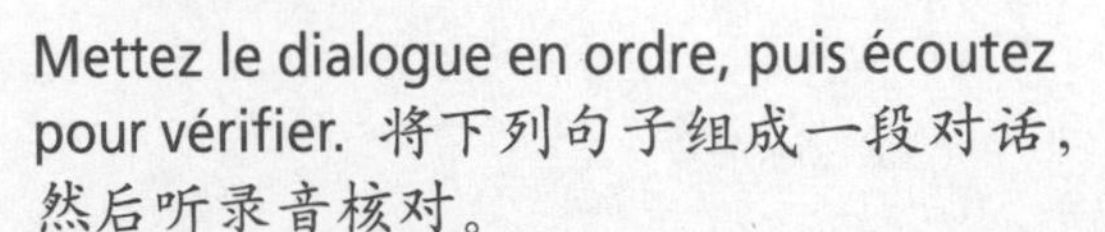

Mettez le dialogue en ordre, puis écoutez pour vérifier. 将下列句子组成一段对话，然后听录音核对。

a Moi, je suis française.
b Je m'appelle Claudia.
c Bonjour. Tu t'appelles comment ?
d Non, je suis italienne. Et toi ?
e Tu es espagnole ?

3. Tu es français ? 你是法国人吗？

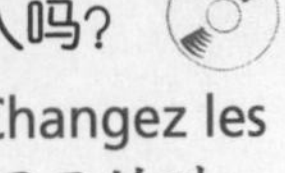

Écoutez, puis jouez le dialogue. Changez les mots soulignés. 听录音，表演下面的对话。然后替换划线部分词语，继续表演。

– Salut, je m'appelle <u>Alexakis</u>.
– Moi, je m'appelle <u>Franz</u>.
– Tu es <u>français</u> ?
– Non, je suis <u>allemand</u>.
– Moi, je suis <u>grec</u>.

4. Vous vous appelez comment ? 您叫什么名字？

Écoutez. Répondez aux questions. 听录音，并回答下列问题。

1) Pilar est française ?
2) Lucien Bontemps est italien ?

5. Présentez-vous. 自我介绍。

Saluez votre voisin(e) et présentez-vous. 问候你的同桌并介绍你自己。

Je m'appelle... Et toi ?/Et vous ?
Moi, je...
Tu es... ?/Vous êtes... ?

SACHEZ ÉPELEZ
学会拼读

1. Comment ça s'écrit ? 怎么写？

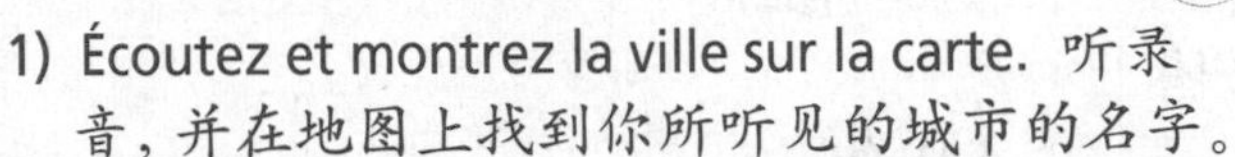

1) Écoutez et montrez la ville sur la carte. 听录音，并在地图上找到你所听见的城市的名字。
2) Épelez le nom des villes. 拼读城市名。

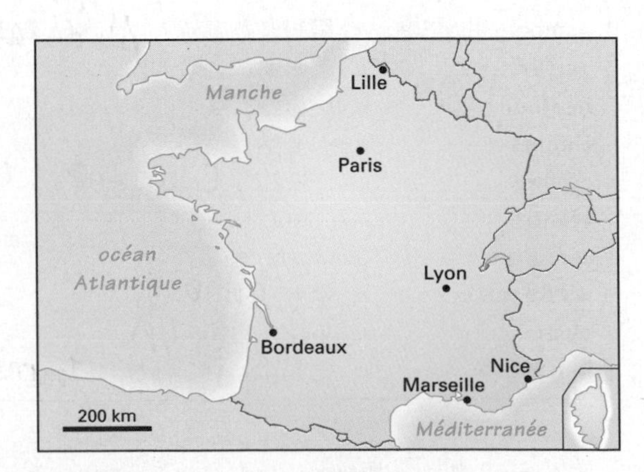

2. Épelez. 拼读。

1) Épelez votre nom et votre prénom. 拼读你的姓名。
2) Épelez les mots *France* et *Français*. 拼读单词France和Français。

3. Épelez votre nom, s'il vous plaît. 请拼读一下您的姓名。

Écoutez, puis jouez le dialogue avec votre voisin(e). Changez de rôle et épelez les noms. 听录音，然后与你的同桌表演对话。交换角色表演。

COMPTEZ !

学会使用数字！

1. Ne vous endormez pas !

别睡着了！

Comptez les moutons avec le petit bonhomme.

与画面上的人一起来数羊吧！

2. Par écrit. 用法语写数字。

Écrivez en lettres les nombres suivants.

将下列数字用字母写出。

a 27	**f** 93	**k** 982
b 41	**g** 118	**l** 1999
c 68	**h** 174	**m** 2033
d 79	**i** 329	**n** 3054
e 85	**j** 572	

3. Quel est le bon numéro ?

哪个电话号码是正确的？

Écoutez et choisissez le bon numéro de téléphone.

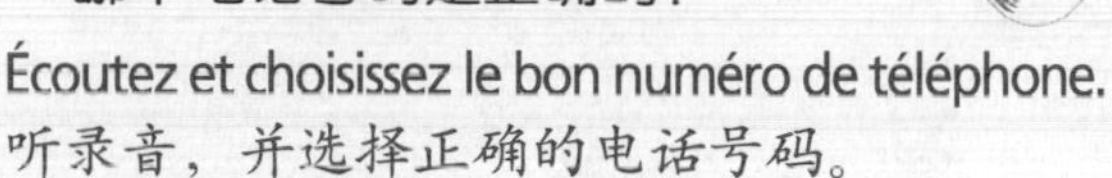

听录音，并选择正确的电话号码。

1) **a** 01 45 48 52 53 **b** 01 45 48 53 52

2) **a** 04 93 77 05 37 **b** 04 93 77 07 35

4. L'égalité syllabique.

音节等量原则。

Écoutez et répétez. 听录音并跟读。

1, 2, 3	A B C	Elle est là.
1, 2, 3, 4	A B C D	Elle est célèbre.
1, 2, 3, 4, 5	A B C D E	Elle est espagnole.

5. Remplissez la grille.

数字游戏。

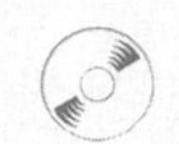

1) Dessinez une grille de seize cases sur une feuille de papier. 在纸上画一张16格的表格。
2) Écrivez des nombres de 10 à 60 dans les cases. 从10到60选择数字并将表格填满。
3) Écoutez l'enregistrement des nombres. 听录音里面的数字。
4) Barrez sur la grille les nombres entendus. 如果你的表格里有听到的数字，就将其划掉。

Le premier qui barre toutes les cases a gagné ! 第一个划完所有数字的人将成为本游戏的胜利者！

数字和数目

0	1	2	3	4	5	6	7	8	9
zéro	un	deux	trois	quatre	cinq	six	sept	huit	neuf
10	11	12	13	14	15	16	17	18	19
dix	onze	douze	treize	quatorze	quinze	seize	dix-sept	dix-huit	dix-neuf

vingt (20) vingt et un (21) vingt-deux (22)…

trente (30) trente et un (31) trente-deux (32)…

quarante (40)

cinquante (50)

soixante (60)

soixante-dix (70) soixante **et onze** (71) soixante-**douze** (72) soixante-treize (73)…

quatre-vingts (80) **quatre-vingt-un** (81) quatre-vingt-deux (82)…

quatre-vingt-dix (90) quatre-vingt-onze (91) quatre-vingt-douze (92)…

cent (100) **cent un** (101)… cent soixante-dix-huit (178)…

mille… (1000) mille soixante et un (1061)…

deux mille (2000)…

! 注意et和连字符的使用。

! 在quatre-vingts中，vingts用复数形式，但后面有其他数词时则不用复数形式，如：quatre-vingt-un。

! 如果cent后面还有其他数词，则不用复数形式，如：deux cents，但 deux cent un。

! mille没有复数形式。

PRÉSENTATIONS
影片人物介绍

Voici les trois personnages principaux du film. 下面就是影片的三位主人公。

Nom :	Lefèvre	Prévost	Royer
Prénom :	Pascal	Julie	Benoît
Âge :	24 ans	23 ans	26 ans
Adresse :	4, rue du Cardinal-Mercier 75009 Paris	4, rue du Cardinal-Mercier 75009 Paris	4, rue du Cardinal-Mercier 75009 Paris
Profession :	sans profession	représentante	agent de voyages

et vous allez faire la connaissance de :

此外，你还会认识以下人物：

Pierre-Henri de Latour, l'étudiant
Nicole, la secrétaire
Laurent, le stagiaire
Claudia, l'amie de Julie
Violaine, l'artiste
Isabelle, l'animatrice du centre de jeunes
M. Ikeda, le Japonais
et de beaucoup d'autres...

Rédigez votre fiche. 编写自己的信息卡片。

Recopiez et remplissez la fiche. 填写下表。

Nom :
Prénom :
Âge :
Adresse :
Profession :
Numéro de téléphone :

DOSSIER 1

ÉPISODE 1

LE NOUVEAU LOCATAIRE

新房客

ÉPISODE 2

ON VISITE L'APPARTEMENT

参观公寓

VOUS ALLEZ APPRENDRE À :

- saluer et employer des formules de politesse
- identifier quelqu'un
- présenter quelqu'un
- indiquer une adresse
- exprimer l'appartenance
- demander et donner son accord

VOUS ALLEZ UTILISER :

- les pronoms personnels sujets et les pronoms toniques
- le verbe *avoir* au présent
- les articles définis et indéfinis
- les adjectifs possessifs des trois personnes du singulier
- *c'est, il/elle* est
- des mots interrogatifs : *qui, où, comment, quel*
- la notion de genre : le masculin et le féminin

本单元中，你将学会：

- 和别人打招呼并使用一些礼貌用语
- 确定某人的身份
- 介绍某人
- 指示地址
- 表达所属关系
- 询问和表示同意

你将使用：

- 主语人称代词和重读人称代词
- 动词*avoir*的现在时
- 定冠词和不定冠词
- 三个单数人称的主有形容词
- *c'est*和*il/elle est*
- 疑问词*qui*，*où*，*comment*，*quel*
- 词性的概念：阳性和阴性

LE NOUVEAU LOCATAIRE

新房客

Découvrez les situations 情景学习

1. Regardez les images. 看画面学单词。

Visionnez l'épisode sans le son. Quels objets vous voyez ? 关掉声音看影片。你看见了哪些东西？

un chien

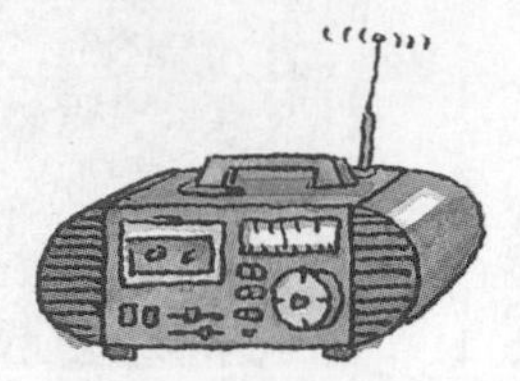

une radiocassette

2. Faites des hypothèses. 对剧情作假设。

Répondez aux questions. 回答问题。

1) Est-ce que Benoît et Julie sont nouveaux dans l'appartement ?

2) Qu'est-ce qu'ils font ?

a Ils voient des amis.

b Ils cherchent un locataire.

des cartons

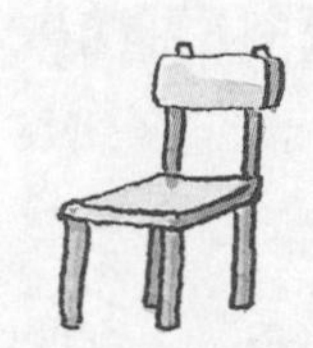

une chaise

un magazine

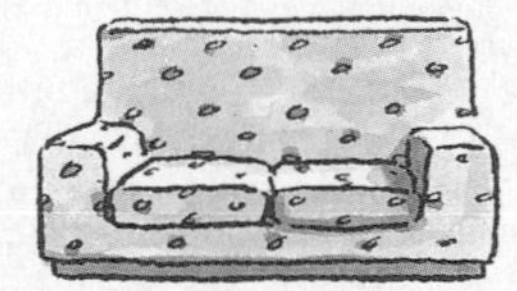

un canapé

Rue du Cardinal-Mercier, dans le 9e arrondissement[1] de Paris. Un jeune homme entre dans un immeuble[2]. Il sonne à une porte.

Julie	Bonjour.
P.-H. de Latour	Bonjour, Mademoiselle.
Julie	Vous êtes monsieur… ?
P.-H. de Latour	Je m'appelle Pierre-Henri de Latour.
Benoît	Enchanté. Moi, je suis Benoît Royer.
P.-H. de Latour	Enchanté, M. Royer.

P.-H. de Latour[3] entre.

Dans le salon. Julie, Benoît et P.-H. de Latour sont assis[4].

Benoît	Vous êtes étudiant, Monsieur de Latour ?
P.-H. de Latour	Oui, je suis étudiant. Et vous, Monsieur Royer, quelle est votre profession ?
Benoît	Je suis employé dans une agence de voyages.
P.-H. de Latour	Ah, vous êtes agent de voyages… Comme c'est amusant…[5]

Julie et Benoît se regardent…

Julie et Benoît   Au revoir, Monsieur de Latour.

Un jeune homme, Thierry Mercier, parle à Julie.

T. Mercier   C'est quoi, ton nom ?
Julie   Mon nom ?
T. Mercier   Ben oui, comment tu t'appelles ?
Julie   Prévost. Enfin… mon prénom, c'est Julie et mon nom, c'est Prévost.
T. Mercier   Tu es étudiante ?
Julie   Non… Et vous… euh… et toi ?
T. Mercier   Moi, je suis stagiaire.
Julie   Stagiaire ?
T. Mercier   Ben, oui…

Thierry Mercier montre Benoît.

T. Mercier   Et lui, c'est qui ?
Julie   Lui, c'est Benoît Royer.
Benoît   Oui, Benoît Royer, c'est moi. Je suis français. Je suis agent de voyages et j'habite ici, au 4 rue du Cardinal-Mercier. C'est chez moi, ici. Et maintenant, salut[6] !

Benoît raccompagne Thierry Mercier à la porte.

Julie et Benoît sont assis dans le salon. On voit quatre garçons et filles, une jeune femme avec un grand chien, un jeune homme au crâne rasé, une jeune femme avec un magazine, un jeune homme avec une radiocassette.

Julie et Benoît   Au revoir.
Le garçon à la radiocassette   Quoi ?

Benoît pose des questions à Ingrid.

Benoît   C'est un joli prénom, Ingrid. Quelle est votre nationalité ?
Ingrid   Je suis allemande.
Benoît   Vous êtes allemande… et vous êtes étudiante ?
Ingrid   Oui. Je suis étudiante… et je travaille aussi.
Benoît   Ah bon ! Vous êtes mannequin, je suis sûr ?
Ingrid   C'est vrai ! Je suis mannequin.

Julie n'est pas contente…

Un peu plus tard, Benoît entre.

Julie   Ah ! C'est Benoît.
Julie   Benoît Royer. Pascal Lefèvre, le nouveau locataire.
Benoît   Mais…
Julie   Il est très sympa. Vraiment…
Benoît   Oui… mais…
Julie   Tu es d'accord ?
Benoît   Oui… je suis d'accord.

Benoît et Pascal se saluent. Les trois personnages sourient.

NOTES 课文注释

1 巴黎市区有20个行政区（arrondissement），九区地处巴黎的中北部。从二十世纪初到二十世纪七十年代，十三区逐渐形成华人的聚居区，华人主要来自中国的福建和广东、越南、柬埔寨以及泰国。另外，在三区、十一区和十九区也有较具规模、特色各异的华人区。Rue du Cardinal-Mercier 位于两大繁华街区之间：一个是由圣拉扎尔火车站（la gare Saint-Lazare）和著名商场拉法耶特（les Galeries Lafayette）及巴黎春天（le Printemps）组成的商业活动中心地带，另一个是拥有众多文化娱乐设施的大众生活区 la place Clichy。

2 主人公们居住的公寓是典型的十九世纪末建成的奥斯曼式建筑，为当年资产阶级的居所。这种建筑风格的主要特色是：以石为材，天花板镂有有规则的几何线条和图案，客厅里砌有用大理石制成的火炉，等等。

3 一般情况下，如果姓氏前冠以de，就表示这个姓氏是一个贵族姓氏。De Latour即是如此。你可能已注意到，影片中这个人物说话时故作高雅、语调矫揉造作。

4 合租是颇受未婚年轻人青睐的一种生活方式，因为它既解决了高位租金和年轻人经济不宽裕之间的矛盾，同时又保证了每个人生活的独立性和私密性。这一集影片展示的就是招新合租人的面试过程。

5 Comme c'est amusant... 真是太有趣了！Comme这里是感叹副词，在句首引导感叹句。

6 Salut : 用于熟人之间，这里的意思是“再见”。

VOCABULAIRE 词汇表

accord	*n.m.*	同意
d'accord	*loc.adv.*	同意
agence	*n.f.*	代理处
agence de voyages		旅行社
amusant, e	*adj.*	有趣的
***arrondissement**	*n.m*	行政区；（法国大城市的）区
***assis, e**	*adj.*	坐着的
aussi	*adv.*	还，此外
bon	*interj.*	好
Ah bon!		真的！（表示惊奇）
chanteur, se	*n.*	歌手，歌唱家
chez	*prép.*	在……家，在……那儿
comme	*adv.exclam.*	真是太……了；多么
***content, e**	*adj.*	高兴的
dans	*prép.*	在……里面
de	*prép.*	表示所属关系或引导名词补语
employé, e	*n.*	职员
enchanté, e	*adj.*	荣幸的，高兴的
enfin	*adv.*	最后；终于；其实（用于明确或更正前面讲的话）
***entrer**	*v.i.*	进入（il entre）
***fille**	*n.f.*	女孩
***garçon**	*n.m.*	男孩
habiter	*v.t.*	居住（j'habite）
ici	*adv.*	这儿
***immeuble**	*n.m.*	楼房
joli, e	*adj.*	漂亮的
locataire	*n.*	房屋承租人
mademoiselle	*n.f.*	（*pl.* mesdemoiselles）小姐
maintenant	*adv.*	现在
mais	*adv.*	但是
mannequin	*n.m.*	模特儿
monsieur	*n.m.*	（*pl.* messieurs）先生（缩写为M.）
***montrer**	*v.t.*	指示（人或物）（il montre）
nationalité	*n.f.*	国籍
nom	*n.m.*	姓
nouveau, nouvelle	*adj.*	（*pl.* nouveaux）新的
***parler**	*v.i.*	说话（il parle）
***personnage**	*n.m.*	（故事或影片中的）人物
***porte**	*n.f.*	门
***poser**	*v.t.*	提出（il pose）
prénom	*n.m.*	名字
quel, le	*adj. interr.*	哪一类的；什么样的
***question**	*n.f.*	问题
quoi	*pron. interr.*	什么（que的重读形式）
***raccompagner**	*v.t.*	送（某人）到（il raccompagne）
***(se) regarder**	*v.pr.*	互相看（ils se regardent）
revoir	*v.t.*	再次看见
Au revoir.		再见。（礼貌用语，用于告别）
***salon**	*n.m.*	客厅
***(se) saluer**	*v.pr.*	互相问候，互相打招呼（ils se saluent）
***sonner**	*v.i.*	按门铃（il sonne）
***sourire**	*v.i.*	微笑（ils sourient）
sûr, e	*adj.*	肯定的
sympa	*adj.*	好相处的，热情的（sympathique的缩写）
travailler	*v.i.*	工作，劳动（je travaille）
vrai, e	*adj.*	真实的
vraiment	*adv.*	真正地

剧情理解

Observez l'action et les répliques
观察剧情和人物对话

1. Dans quel ordre vous voyez les personnages ? 剧中人物是以什么顺序出场的?

Visionnez l'épisode avec le son et choisissez la bonne réponse. 观看影片，选择正确答案。

1) Julie Prévost, la femme au chien, Benoît Royer, Pierre-Henri de Latour, Pascal Lefèvre, le garçon à la radiocassette.
2) Pierre-Henri de Latour, Julie Prévost, Benoît Royer, la jeune femme au chien, le jeune homme à la radiocassette, Pascal Lefèvre.

2. Qui dit quoi ? 谁说了什么?

Qui dit les phrases suivantes ? 下面的话是谁说的?

1) Vous êtes monsieur...?
   a Julie. **b** Benoît.
2) Je suis employé dans une agence de voyages.
   a P.-H. de Latour. **b** Benoît.
3) Comment tu t'appelles ?
   a Julie. **b** Thierry Mercier.
4) C'est chez moi, ici.
   a Benoît. **b** Julie.
5) Quelle est votre nationalité ?
   a Benoît. **b** Ingrid.

3. Qui est-ce ? Qu'est-ce qu'ils disent ? 这几位是谁? 他们在说什么?

Pour chaque photo, dites qui parle et ce qu'il/elle dit. 看下面的剧照，说出谁在说话，说了些什么。

Observez les comportements
观察人物行为

4. Qu'est-ce que ça veut dire ? 这是什么意思?

Choisissez la bonne réponse. 选择正确答案。

1) Benoît pose des questions à Ingrid. Il sourit.
   a Il est heureux. **b** Il est triste.
2) Julie n'est pas d'accord pour Ingrid.
   a Elle sourit. **b** Elle tourne la tête.
3) Benoît entre dans l'appartement. Il voit Julie et Pascal.
   a Il est heureux. **b** Il est surpris.

5. Ils le disent comment ? 他们是如何表达的?

Réunissez la phrase et sa fonction. 找出与每句话相对应的交际功能。

1) Tu es d'accord ?
2) Comment tu t'appelles ?
3) J'habite au 4 rue du Cardinal-Mercier.
4) Au revoir, Monsieur de Latour.
5) Quelle est votre profession ?

a Saluer pour prendre congé.
b Dire où on habite.
c Demander la profession.
d Demander le nom de quelqu'un.
e Demander un accord.

DÉCOUVREZ LA GRAMMAIRE

语法学习

1. Quel pronom personnel ? 该用哪个人称代词?

Complétez les phrases avec des pronoms personnels. 用正确的人称代词填空。

1) … es secrétaire ?
2) … êtes française ?
3) … suis étudiant.
4) … est agent de voyages.
5) … est étudiante.
6) … es stagiaire ?
7) … suis allemande.
8) … est mannequin.

2. Qui est-ce ? 这是谁?

Répondez aux questions affirmativement. 肯定回答下列问题。

> ***Exemple :*** P.-H. de Latour, c'est lui ?
> ☞ **Oui, c'est lui.**

1) C'est toi, Pascal ?
2) Benoît, c'est lui ?
3) Qui est-ce ? C'est Julie ?
4) Qui est-ce ? C'est Pascal ?
5) Julie, c'est vous ?
6) C'est chez toi, ici ?

3. Présentations. 介绍他人和自己。

Complétez le dialogue. Puis, jouez les dialogue avec votre voisin(e). 补充下面的对话，然后与你的同桌一起表演。

– Moi, je … étudiant(e). Et toi, tu … étudiant(e) ?
– Non, moi, je … agent de voyages.
– Et Erica, elle … allemande ?
– Oui, elle … allemande.
– Et elle … étudiante ?
– Non, elle … mannequin.

人称代词(pronoms personnels)

主语人称代词 (pronoms personnels sujet)

一般放在谓语动词前作主语，用来指代已知的或上文已提及的人或物。本课学到的 je, tu, il, elle, vous（我，你，他，她，您）都是单数主语人称代词。

! **Vous** 在本课意为“您”，是第二人称单数的尊称形式。以后还会学到 **vous** 的其他用法。

重读人称代词 (pronoms toniques)

- 放在句首作主语的同位语，用来强调主语，如：
  Lui, il s'appelle Pascal.
- 放在c'est 后面作表语，如：
  – C'est Benoît ? – Oui, c'est lui.
- 放在介词后面，如：
  Il est chez lui et il est avec elle.
- 用于无动词的省略句中，如：
  Je suis chinois, et vous ?

动词être

法语动词的基本形式叫“不定式”(verbe infinitif)。具体使用时，动词应根据主语人称（la personne）、时态（le temps）和语式（le mode）的变化而变化，这叫动词变位（la conjugaison）。初始阶段接触到的动词都是直陈式现在时的变位形式。本课中需要掌握动词être的直陈式现在时单数人称的变位，其复数人称的变位参见第4课：

(Moi,) je **suis** agent de voyages.
(Toi), tu **es** étudiant(e).
(Lui), il **est** français.
(Elle), elle **est** allemande.
(Vous), vous **êtes** agent de voyages ?

4. C'est une enquête. “身份调查”。

Répondez affirmativement aux questions. Variez les réponses. Employez *c'est* ou *il/elle est*. 用c'est或il/elle est 的句式对下列问题做出肯定回答。

> ***Exemple :*** C'est un locataire ?
> ☞ **Oui, il est locataire.**

1) C'est un Français ?
2) C'est Pascal ?
3) C'est une actrice ?
4) Hum... Son amie, c'est une femme sympathique ?
5) C'est une étudiante ?
6) Son appartement est grand ?

5. Conversation. 对话。

Complétez les phrases. Utilisez les mots suivants : 用下列词语将句子补充完整：

m'appelle – mon – quel – comment – d'accord – suis – est – es – êtes – c'est.

1) – Vous vous appelez ... ? – Je ... Benoît.
2) – ... est votre nom ? – ... nom, c'est Prévost.
3) – Quelle ... votre nationalité ? – Je ... allemande.
4) – Vous ... étudiant ? – ... ça.
5) – Tu ... d'accord ? – Oui, je suis ... .

6. Quelle est leur profession ? 他们的职业是什么？

Jouez avec votre voisin(e).Changez les noms et les professions des deux dialogues et ajoutez des informations. 和你的同桌用给出的人名和职业名词改编并表演下面两个对话，并适当增加其他信息。

– Je m'appelle Aurélie Moreau, et toi ?
– Moi, c'est Denise Ledoux.
– Tu es agent de voyages ?
– Non, je suis étudiante.

– Vous vous appelez comment ?
– Je m'appelle Henri Dumas, et vous ?
– Moi, je m'appelle Bernard Potier.
– Vous êtes professeur ?
– Non, je suis dentiste.

Gérard Delarue, employé de banque
Louise Dufour, journaliste
Henri Dumas, dentiste
Françoise Dupuis, médecin

c'est 和 il/elle est

C'est 意为“这是”，后面可以跟

- 专有名词或重读人称代词，如：
  C'est Benoît. C'est lui.
- 带限定词的名词，如：
  C'est un acteur célèbre. C'est son salon.

Il/elle est 意为“他(她)是”，后面可以跟

- 形容词，如：
  Il est amusant. Elle est allemande.
- 职业名词，如：
  Il est agent de voyages. Elle est médecin.

! 主语人称代词 **il/elle** 可以用来指代由 **c'est** 引导的人或物，如：
C'est un homme sympathique. Il travaille dans une agence de voyages.

7. Posez des questions. 提问。

Ajoutez les mots interrogatifs. 用疑问词填空。

1) – Vous vous appelez ... ?
   – (Je m'appelle) Alain Fauchois.
2) – Vous habitez ... ?
   – (J'habite) rue du Cardinal-Mercier.
3) – ... est votre profession ?
   – (Je suis) dentiste.
4) – ... est votre locataire ?
   – Benoît Royer.
5) – La profession de Benoît, c'est ... ?
   – (Il est) agent de voyages.

提问

一般疑问句(interrogation totale)

对整个句子提问的，叫一般疑问句，用 oui (是)和non (不是) 回答，提问时一般句末语调上升。例如：

Vous êtes étudiants ?

特殊疑问句(interrogation partielle)

用疑问词对句子的某一部分具体信息提问的，叫特殊疑问句。常见的疑问词有qui, que(quoi), où, quand, comment, quel(le) 等。疑问词在句首时，语调一般不上升，但疑问词在句末时语调要上升。例如：

– **Qui** est-ce ? – C'est Julie.
Ton nom, c'est **quoi** ?
Tu t'appelles **comment** ?
Tu habites **où** ?
Quel est ton nom ?
Quelle est votre adresse ?

SONS ET LETTRES

音与字母

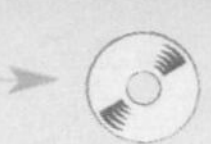

1. Écoutez, puis répétez. 听录音并跟读。

Lisez les noms de villes et les prénoms suivants. Mettez l'accent sur la dernière syllabe. 读出下列城市名和人名，将重音放在最后一个音节上。

1) Athènes, Pékin, Lisbonne, Tokyo, Mexico, Panama, Bogota.
2) Marie, Pascal, Aurélie, Alex, Justine, Coralie, Laurent, Olivier, Jacqueline.

2. Écoutez et ordonnez les sigles.
根据录音给下列简称排序。

a CGT　　c BNP　　e ANPE
b SNCF　　d TGV

COMMUNIQUEZ

语言交际

1. Visionnez les variations. 看录像，学习下列言语行为的不同表达方式。

询问姓名

1) – Votre nom, Monsieur ?
   – Pierre-Henri de Latour.
2) – Quel est votre nom, s'il vous plaît ?
   – Monsieur de Latour.
3) – Vous vous appelez comment, Monsieur ?
   – De Latour.

询问职业

1) – Quelle est votre profession ?
   – Je suis agent de voyages.
2) – Qu'est-ce que vous faites ?
3) – Quel est votre métier ?

Demandez le nom, la nationalité, la profession, l'adresse de votre voisin(e) chacun à votre tour. Utilisez *tu* ou *vous* et changez les formules. 同桌之间用tu或vous相互询问对方的姓名、国籍、职业和地址，注意变换表达方式。

表示同意或异议

1) – C'est d'accord ?
   – Oui, d'accord.
2) – C'est d'accord ?
   – Ah, non ! Pas d'accord.
3) – Pas de problème ?
   – Non.
4) – Pas de problème ?
   – Ah, si !

2. Qui parle ? 谁在说话?

Écoutez les présentations. Puis, faites correspondre les présentations avec les dessins. 听录音中的介绍，并在下图中找到相应的人物。

3. À vous de jouer ! 该你了！

Jouez à deux. L'un choisit un personnage de l'exercice précédent, l'autre l'interviewe. Complétez la présentation.

两人一组，一人选择扮演上一个练习中的某一个人物，一人扮演记者采访他（她）。对上一个练习中听到的介绍做适当的补充。

4. Retenez l'essentiel.

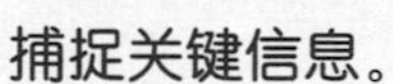
捕捉关键信息。

Une enquête par téléphone.
Écoutez la conversation téléphonique et écrivez la fiche de l'homme.

你将听到一个电话调查。根据听到的内容填写下面这张个人信息表。

Nom : ...
Prénom : ...
Adresse : ...
Profession : ...

5. Qu'est-ce qu'ils disent ? 他们在说什么?

Imaginez les dialogues et jouez les dialogues avec votre voisin(e). 和你的同桌一起，根据下面的图片想象并表演对话。

6. Jeu de rôles. 角色扮演。

Vous aussi, vous cherchez un locataire. Choisissez un des quatre personnages muets (la jeune femme avec le chien, le jeune homme au crâne rasé, la jeune femme au magazine, le jeune homme avec la radiocassette) et posez des questions au personnage. Jouez à trois. Dites si vous êtes d'accord ou pas d'accord.

你也在寻找“房客”。从影片里的四个群众演员中选择一个（牵狗的女子、秃头男子、看画报的年轻女人和听录音机的小伙子），向他（她）提问，最后说出你是否同意与他（她）合租。三人一起表演。

Documents divers 多样的材料

1. Qu'est-ce que c'est ? 这是什么?

Donnez le numéro du document correspondant. 给下列文字材料找到相应的编号。

1) Une carte d'identité.
2) Un extrait d'horaire de trains.
3) Un extrait de programme de télévision.
4) Un permis de conduire.

Notes à consulter		1	2	3 TGV	4 TGV	5 TGV
Paris-Gare-de-Lyon	D					
Dijon-Ville	D	12.17				
Chalon-sur-Saône	D	12.53				
Mâcon-Ville	D	13.23				
Satolas-TGV	D	|		15.14	15.14	15.14
Lyon-Part-Dieu	D	14.09		|	|	|
Lyon-Perrache	D	|		|	|	|
Valence-Ville	D	15.06		15.44	15.44	15.44
Avignon	D	16.08	16.25	16.38	16.42	16.42
Tarascon-sur-Rhône	A	16.21	16.57		|	|
Nîmes	A	16.37			17.07	17.07
Montpellier	A	17.10			17.33	17.33
Sète	A	17.29				17.53
Agde	A	17.45				18.07
Béziers	A	17.59				18.20

© SNCF
1. Circule : les 10, 17 et 25 juin;à partir du 24 oct : tous les jour
2. Circule : tous les jours sauf les dim et fêtes- 2e CL- AUTOCA
3.
4. Circule : les 10, 17, 22, 24, 25 juin, 6, 13, 20 et 27 nov-

TF1
19.05 Le bigdil Jeu. Présentation : Lagaf'.
20.00 Journal

France 2
19.51 Tirage du Loto En stéréo.
20.00 Journal
20.45 Tirage du Loto En stéréo.

France 3
18.55 Journal
20.05 Le kadox Jeu.
20.35 Tout le sport Présentation : Henri Sannier. En direct.

© Télérama

RÉPUBLIQUE FRANÇAISE
CARTE NATIONALE D'IDENTITÉ N° : 900892301170 Nationalité Française
Nom : CARLIER
Prénom(s) : ALAIN, HENRI
Sexe : M Né(e) le : 27.04.1972
à : VÉLIZY-VILLACOUBLAY (78)
Taille : 1m77
Signature du titulaire :
IDFRACARLIER<<<<<<<<<<<<<<<<<<<<<<<<
9008923011708ALAIN<HENRI<JA7204276F9

2. Quelle est la situation d'écrit ? 什么样的书写语境?

Observez la lettre. 观察下面这封信。

1) Qui écrit ?
   a Un homme. b Une femme.
2) À qui ?
   a À un(e) ami(e). b À un directeur de banque.
3) Quel est l'objet de la lettre ?

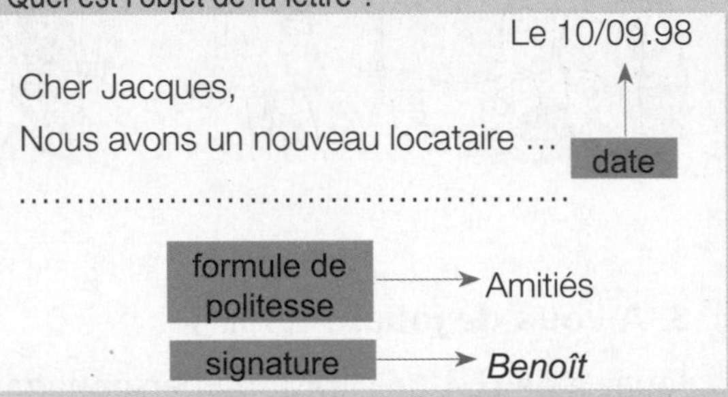
Le 10/09.98 ← date

Cher Jacques,

Nous avons un nouveau locataire …

……………………………………………

formule de politesse → Amitiés

signature → *Benoît*

3. Réunissez le texte et sa fonction. 找出下列文字材料相应的交功能。

1) Un horaire de trains.
2) Un programme de télévision.
3) Un menu.
4) Une page de dictionnaire.

a Donner la liste des plats d'un restaurant et leur prix.
b Donner la définition des mots.
c Donner l'heure de départ des trains.
d Donner la liste et les horaires des émissions.

4. Créez votre carte de visite professionnelle. 设计你自己的职业名片。

Sur le modèle de la carte de visite de M. Rouland, créez ou imaginez votre carte de visite professionnelle. 按照下面名片的格式，设计一张你自己的名片。

IMAX

Bernard Rouland
Directeur commercial

avenue des Fleurs
06330 Roquefort les Pins
Tél : 04 93 76 25 31

DES MOTS POUR LE DIRE

丰富你的词汇

L'immeuble et l'appartement 楼房和公寓

1. Renseignez-vous. 打听消息。

Répondz aux questions. 回答下列问题。

1) À quel étage habite le médecin ?
2) Quel est le nom du dentiste ?
3) Le 4e étage à droite, c'est chez M. Lachaud ?
4) Où est le notaire ?
5) Où est l'avocat ?

M. et Mme Laval,
4e droite
M. et Mme Lachaud,
4e gauche
Dr. Colomb, dentiste,
3e droite
Dr. Larue, médecin,
3e gauche
Me. Dumont, notaire,
2e droite
Me. Dantec, avocat,
2e gauche
M. Poirier, éditeur,
1er étage

2. Formez des paires. 配对。

Mettez ensemble des mots complémentaires.
给有相互补充意义的词语配对。

Exemple : le fauteuil et la chaise
l'escalier et l'ascenseur

3. Créez votre annonce. 设计你自己的启事。

Vous vendez ou vous louez un appartement ou une maison. Vous envoyez le texte de votre annonce à un journal. 你要转让或出租一所房子或一套公寓，写一则启事寄给报社。

BELLE MAISON À LOUER
Au rez-de-chaussée : une belle entrée, un grand salon (50 m²) avec une cheminée, une salle à manger, une cuisine, des toilettes, une chambre et une salle de bains.
Au premier étage : un bureau, deux chambres et une salle de bains.
Un grand jardin, un garage.
À 15 minutes du centre ville.

PETIT STUDIO DE 25 m²
une cuisine américaine, une douche et WC et un balcon de 4 m².
Près du centre ville.

ON VISITE L'APPARTEMENT
参观公寓

Découvrez les situations 情景学习

1. Interprétez les photos. 看剧照回答问题。

1) Qui sont les personnages ?

2) Où sont-ils sur la photo n° 4 ?

a Dans la cuisine. **b** Au salon.

c Dans la chambre de Julie.

3) Que fait Pascal ? **a** Il lit. **b** Il repasse.

2. Regardez les images. 看画面学单词。

Quels meubles est-ce que vous voyez ? 你看到了什么家具？

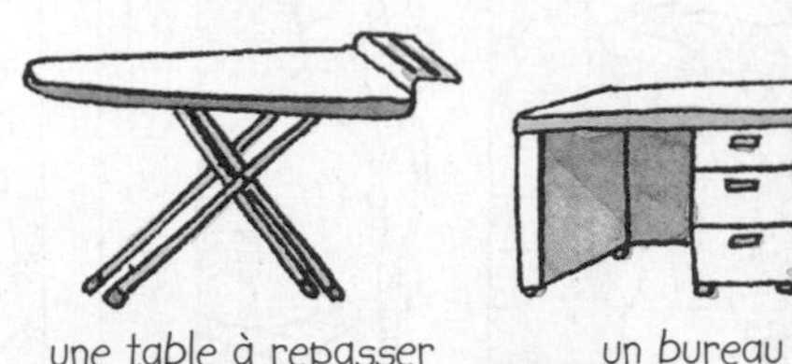

une table à repasser un bureau

un réfrigérateur une armoire un lit

3. Où sont-ils ? 他们在哪儿？

Visionnez sans le son. Classez les pièces de l'appartement dans l'ordre d'apparition.

关掉声音看影片，按照在影片中出现的顺序排列套房的各个部分。

a La chambre de Julie. **d** La cuisine.

b Le couloir. **e** Le salon.

c L'entrée de l'appartement. **f** La chambre de Pascal.

Les parents de Julie, M. et Mme Prévost, entrent dans l'appartement.

Mme Prévost	Tu es seule ?
Julie	Oui. Benoît travaille. Il est à l'agence de voyages.
M. Prévost	Mais... c'est samedi aujourd'hui !
Julie	Oui, il travaille aussi le samedi. C'est un garçon sérieux.

Il est 6 heures. Une porte s'ouvre.

Julie	Tiens ![1] C'est sûrement lui. Il est six heures.

Benoît entre dans le salon et embrasse[2] Julie.

Julie	Salut, Benoît. Ça va ?
Benoît	Oui, ça va bien. Et toi ?
Julie	(à Benoît) Oui, moi aussi. (à ses parents) Papa, Maman, je vous présente Benoît Royer. (à Benoît) Benoît, je te présente[3] ma mère...
Mme Prévost	Bonjour Benoît. Je suis heureuse de vous connaître.
Julie	Et mon père...
Benoît	Bonjour, Monsieur.
M. Prévost	Bonjour, Benoît.

Benoît Enchanté. Excusez-moi.

Benoît part dans sa chambre. Julie reste seule avec ses parents.

M. Prévost Il a l'air très gentil. Et le nouveau locataire, alors... c'est Pascal, son prénom ?
Julie Oui, c'est ça. Il s'appelle Pascal Lefèvre.
M. Prévost Et il travaille ?
Julie Il est comme moi, il cherche du[4] travail[5].
M. Prévost Eh oui, hein, c'est difficile... Il a quel âge ?
Julie Il a 23 ans.
Venez[6]. On visite l'appartement ?

Julie et ses parents sont dans le couloir.
Julie ouvre la porte de sa chambre. Ses parents regardent.

Julie Voilà ma chambre !
M. Prévost Elle est grande... et bien rangée. C'est toi la femme de ménage, ici ?
Julie Sûrement pas ! Pour ma chambre, d'accord, mais pour le reste...
M. Prévost Et pour les repas ? C'est toi la cuisinière en chef ?
Julie Arrête, Papa ! La cuisine, c'est comme le ménage : chacun son tour.
Mme Prévost Elle a raison. Homme ou femme, c'est la même chose !
M. Prévost Oui... peut-être... oui.

Mme Prévost a un regard amusé. Elle montre une porte.

Julie Ici, c'est la chambre de Benoît.

Mme Prévost montre une autre porte.

Mme Prévost Et là, c'est la chambre de Pascal ?
Julie Oui, c'est sa chambre.

Julie ouvre la porte. Pascal repasse. Elle est surprise.

Julie Oh ! Tu es là, Pascal. Excuse-moi !
Julie Papa, Maman, je vous présente Pascal.
Mme Prévost Bonjour, Pascal. Je suis heureuse de vous connaître.
Pascal Bonjour Madame, bonjour Monsieur. Enchanté.
M. Prévost Bonjour, Monsieur. Excusez-nous. Continuez votre travail.

Julie et ses parents partent. Julie fait un geste amical à Pascal.

Julie et ses parents sont dans la cuisine.

M. Prévost Ah, la cuisine !
Mme Prévost Ah ! Toi, tu as faim !
M. Prévost Eh oui, j'ai faim. C'est l'heure...
Julie Moi aussi, j'ai faim... et j'ai soif !
Julie On mange ici ? Papa, c'est toi le cuisinier en chef, aujourd'hui ?
M. Prévost Euh... oui.

Julie et sa mère sourient. Monsieur Prévost ouvre le réfrigérateur. Il regarde à l'intérieur et referme la porte.

M. Prévost Il y a[7] un bon restaurant dans ton quartier ?

Rires de Julie et de sa mère...

NOTES 课文注释

1 Tiens ! 语气词，引起对方的注意。
2 法国人亲朋好友之间见面和告别时行贴面礼。一般来说，男性之间握手，女性之间及女性和男性之间行贴面礼。贴面礼最普通的是两下：右一下，左一下。但是在不同的地区规矩不一样，有时是一下，有时是三下，在南部某些地区甚至多达四下。
3 法国人在介绍他人时，通常遵循一定的顺序。一般是先将客人介绍给主人，把年轻的介绍给年长的，把男士介绍给女士，以表示对主人、年长者和女士的尊重。
4 du为部分冠词，意思是"一些、一点"。
5 2005 年，法国失业率已达到劳动人口的10%，失业人数近300万，在欧盟成员国中位居前列。失业问题已经成为法国社会的一大痼疾，青年人失业问题尤为严重。影片中的两位主人公也正在苦苦地寻找工作。
6 Venez : 来。它与下文的Arrête、Continuez都是命令式的用法，第3课将具体讲解。
7 Il y a : 有。参见第7课。

VOCABULAIRE 词汇表

âge *n.m.* 年龄
air *n.m.* 神情
  avoir l'air 看起来，好像
alors *adv.* 那么
***amical, e** *adj.* （*pl.* amicaux）友好的
***amusé, e** *adj.* 兴致勃勃的
an *n.m.* 年；岁，年龄
appartement *n.m.* 公寓
arrêter *v.i.* 停止，停下
aujourd'hui *adv.* 今天
aussi *adv.* 也，同样
***autre** *adj.* 另外的，别的
bien *adv.* 好
bon, ne *adj.* 好的
ça *pron.dém.* 这个，那个
  Ça va ? 你好吗？
  C'est ça. 是这样。
chacun, e *pron. indéf.* 每个人
chambre *n.f.* 房间
chercher *v.t.* 寻找（il cherche）
chose *n.f.* 事物，东西
comme *conj.* 像……一样
connaître *v.t.* 认识
continuer *v.t.* 继续（vous continuez）
***couloir** *n.m.* 走廊
cuisine *n.f.* 厨房；烹饪
cuisinier, ère *n.* 厨师
  cuisinier en chef 厨师长
difficile *adj.* 困难的
***embrasser** *v.t.* 吻，拥吻（il embrasse）
excuser *v.t.* 原谅
  Excuse(z)-moi. 请你（您）原谅我。
faim *n.f.* 饥饿
  avoir faim 饿
femme *n.f.* 女人；妻子
garçon *n.m.* 男孩
gentil, le *adj.* 亲切的，客气的
***geste** *n.m.* 手势
grand, e *adj.* 大的，宽的
hein *interj.* 嗯
heure *n.f.* 小时；点钟；时间
heureux, se *adj.* 幸福的
  être heureux de + *inf.* 很高兴做某事
homme *n.m.* 男人，男子
***intérieur** *n.m.* 里面
là *adv.* 那里；这里
maman *n.f.* 妈妈
manger *v.t.* 吃（on mange）
même *adj.indéf.* 相同的，一样的
ménage *n.m.* 家务
  femme de ménage 女佣
mère *n.f.* 母亲
ou *conj.* 或者，还是
***ouvrir** *v.t.* 打开（il ouvre）
***(s') ouvrir** *v.pr.* 被打开（il s'ouvre）
papa *n.m.* 爸爸
***parents** *n.m.pl.* 父母
***partir** *v.i.* 出发，离开（il part, ils partent）
père *n.m.* 父亲
peut-être *adv.* 或许，可能
pour *prép.* 至于
présenter *v.t.* 介绍（je présente）
quartier *n.m.* 街区，一带
raison *n.f.* 道理，情理
  avoir raison 有道理
rangé, e *adj.* 整齐的，井井有条的
repas *n.m.* 饮食，餐
***refermer** *v.t.* 再关上（il referme）
***repasser** *v.t.* 熨，烫（il repasse）
restaurant *n.m.* 餐馆
reste *n.m.* 其他
***rester** *v.i.* 待，停留（il reste）
***rire** *n.m.* 笑
samedi *n.m.* 星期六
sérieux, se *adj.* 认真的
seul, e *adj.* 单独的
soif *n.f.* 渴
  avoir soif 口渴
sûrement *adv.* 肯定地
***surpris, e** *adj.* 吃惊的，惊讶的
tour *n.m.* 轮流，轮班
travail *n.m.* 工作
très *adv.* 非常
venir *v.i.* 来（vous venez）
visiter *v.t.* 参观（on visite）
voilà *prép.* 这是，这就是

ORGANISER VOTRE COMPRÉHENSION

剧情理解

Observez l'action et les répliques
观察剧情和人物对话

1. Qu'est-ce qu'ils disent ? 他们说些什么？

Visionnez avec le son. Puis, pour chaque photo, dites qui parle et ce qu'il/elle dit. 观看影片，说出每幅剧照中谁在说话、说些什么。

2. Quelle est la réplique ? 回答了什么？

Reliez les deux phrases. 找出每句话对应的回答。

1) Mais c'est samedi aujourd'hui !
2) C'est Pascal, son prénom ?
3) Et là, c'est la chambre de Pascal ?
4) Papa, Maman, je vous présente Pascal.
5) C'est toi la cuisinière en chef ?

a Oui, c'est sa chambre.
b Bonjour, Pascal, je suis heureuse de vous connaître.
c Oui, il travaille aussi le samedi.
d Arrête, Papa.
e Oui, c'est ça.

3. Qu'est-ce qui se passe ? 发生了什么事？

Mettez les événements dans l'ordre de l'épisode. 把下列片断按照剧情的先后排序。

1) Julie montre sa chambre à ses parents.
2) Julie et ses parents sont dans la cuisine et M. Prévost a faim.
3) Mme Prévost interroge sa fille sur Benoît et sur Pascal.
4) Julie présente Benoît à ses parents.
5) Julie entre dans la chambre de Pascal.

Observez les comportements
观察人物行为

Elle est énervée.

Elle a peur.

4. Qu'est-ce que ça veut dire ? 这种表情表示什么意思？

1) Julie est :	a surprise ;	b énervée.
2) M. Prévost :	a n'est pas d'accord ;	b est vraiment d'accord.
3) Julie :	a est surprise ;	b a peur.
4) Julie et sa mère sont :	a amusées ;	b tristes.

5 Qu'est-ce qu'ils veulent dire ? 他们表达了什么意思？

Associez les actes de parole et leur fonction. 把下列言语行为及其对应的交际功能连接起来。

1) Je vous présente Benoît Royer.	a Montrer.
2) Enchanté.	b Confirmer.
3) Voilà ma chambre !	c Dire l'heure.
4) Oui, c'est ça.	d Présenter quelqu'un.
5) Il est six heures.	e Répondre à une présentation.

DÉCOUVREZ LA GRAMMAIRE

语法学习

1. Présentez et définissez. 介绍和确指。

Complétez avec des articles. La première phrase présente. La deuxième précise et définit. 用冠词填空。不定冠词用在第一次出现的名词前，如下列每组句子中的第一句。定冠词用在已确指的名词前，如下列每组句子中的第二句。

> ***Exemple :*** Voilà une chambre. C'est … chambre de Pascal.
> ☞ **C'est la chambre de Pascal.**

1) Benoît travaille dans … agence. C'est … agence Europe Voyages.
2) Voilà … chien. Ah, c'est … chien de la jeune femme.
3) P.-H. de Latour est dans … appartement. C'est … appartement de Julie et Benoît.
4) Je vous présente Pascal. C'est … nouveau locataire.
5) Voilà … table à repasser. C'est … table à repasser de Pascal.

2. Il manque les articles ! 缺少冠词！

Complétez avec des articles. 用冠词填空。

1) Benoît est … garçon courageux. Il travaille aussi … samedi.
2) Il a … profession intéressante dans … agence de voyages.
3) … mère de Julie visite … appartement.
4) Voilà … salon, … cuisine et … salle de bains.
5) Il y a … bon restaurant dans … quartier ?

3. Homme ou femme ? 是男是女？

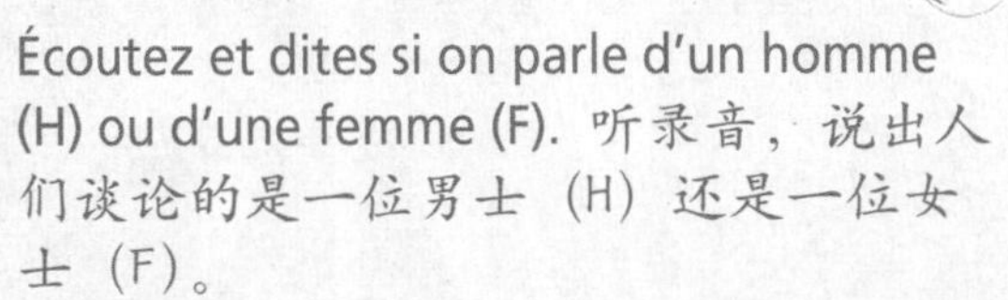

Écoutez et dites si on parle d'un homme (H) ou d'une femme (F). 听录音，说出人们谈论的是一位男士（H）还是一位女士（F）。

4. Quelle heure est-il ? 现在是几点？

Quand il est midi à Paris, il est quelle heure :
巴黎中午12点的时候，下列城市是几点？

1) à New York (– 5 heures) ?
2) à Londres (– 1 heure) ?
3) à Moscou (+ 2 heures) ?

不定冠词（articles indéfinis）与定冠词（articles définis）

冠词用在名词前，可以标示名词的性（阴性或阳性）。本课主要介绍单数定冠词和单数不定冠词，复数冠词将在第4课讲解。

冠词的形式

	不定冠词	定冠词
阳性	**un** locataire	**le** locataire de l'appartement
阴性	**une** chambre	**la** chambre de Pascal
	une agence	l'agence de Benoît

! 在以元音字母或哑音h开头的单词前，定冠词**le，la**变为**l'**，如：**l'adresse, l'étudiant, l'immeuble, l'université，l'histoire**。

不定冠词 un, une 的用法

不定冠词un，une表示众多同类人或事物中的一个，用在首次出现的名词前，如：une chaise。

定冠词le，la，l'的用法

- 大家已经熟知的人或事物前，如：
  Pascal, c'est **le** nouveau locataire.
- 已限定、确指的事物前，如：
  C'est **la** chambre de Pascal.
- 独一无二的事物前，如：
  le Soleil

表达时间

询问时间可以用：

Quelle heure est-il ?

回答用句式 **Il est +** 时间，如：

Il est sept heures.

5. *Être* ou *avoir* ? Être 还是 avoir ?

Ajoutez le verbe. 用动词的正确变位形式填空。

1) – Vous … une profession intéressante ?
   – Oui, je … journaliste.
2) – Tu … étudiante ? – Oui, je … étudiante.
3) – Elle … un grand appartement ?
   – Oui, il … grand.
4) – Vous … soif ? – Oui, j' … soif et j'… faim.
5) – Tu … quel âge ? – J'… 24 ans.

7. Qu'est-ce qu'ils ont ? 他们有什么?

Vous connaissez bien Julie, Pascal et Benoît. Posez des questions. Votre voisin(e) répond. Dites ce qu'ils ont (parents, âge, profession, chambre...). 你对Julie，Pascal和Benoît已经很熟悉了。向你的同桌询问这些人的情况。说出他们的大致情况（如父母、年龄、职业、房间等）。

Benoît a 26 ans. Il a une profession…

8. Choisissez bien ! 选择正确答案。

1) La dame là-bas, c'est sa :
   a amie ; b mère.
2) Médecin, c'est son :
   a métier ; b profession.
3) Ici, c'est ma :
   a chambre ; b salon.
4) Ça, c'est mon :
   a quartier ; b ville.

9. À qui est-ce ? 是谁的……?

Mettez ensemble les questions et les réponses. 找出与每个问题对应的回答。

1) Pascal, c'est ton nouveau locataire ?
2) Le monsieur, c'est le père de Julie ?
3) C'est ta chambre, ici ?
4) Quelle est sa profession ?
5) C'est ta nouvelle adresse ?

a Oui, j'habite dans ta rue maintenant.
b Il cherche du travail.
c Oui, c'est son père. Et la dame, c'est sa mère.
d Non, ça c'est la chambre de Pascal. Ma chambre est à côté de la salle de bains.
e Oui, c'est mon nouveau locataire.

6. Ils ont quel âge ? 他们多大年纪?

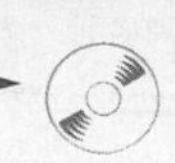

Écoutez et retrouvez l'âge de la personne. 听录音，并找出下面这些人的年龄。

1) Françoise. 2) Frédéric. 3) Isabelle.
4) Coralie. 5) Quentin.

表达所属关系和年龄——动词avoir（有）

表达所属关系：avoir + 其他成分

J'**ai** un copain.
Tu **as** une copine.
Il **a** une profession intéressante.
Elle **a** un appartement.

表达年龄：avoir + 基数词 + an(s)

J'**ai** 20 ans.
Tu **as** 18 ans.
Il **a** 35 ans.
Elle **a** 23 ans.
Vous **avez** quel âge ?

? 为什么*je*在ai前变成*j'*？

表达所属关系

主有形容词表达所属关系

本课主要介绍单数人称的主有形容词（adjectifs possessifs），即"我的，你的，他（她，它）的，您的"，复数人称的主有形容词将在第6课讲解。

在阳性单数名词前用mon, ton, son，如：
mon ami, ton père, son immeuble

在阴性单数名词前用ma, ta, sa，如：
ma chambre, ta cuisine, sa salle de bains

! 在以元音或哑音h开头的阴性单数名词前ma, ta, sa变为mon, ton, son，如：**mon** amie, **ton** enveloppe, **son** université, **mon/ton/son** histoire。

! **Votre appartement** 中的 **votre** 为礼貌用语，意思是"您的"。

? 主有形容词的性数与什么配合？主有者还是所有物？

用介词 de 表达所属关系：定冠词 + 所有物 + de + 主有者

这种表达方式中所有物在de前，主有者在de后，主有者和所有物的顺序与汉语的表达方式不同。例如：

C'est **la** chambre **de** Pascal.
C'est **l'**appartement **de** Julie.

SONS ET LETTRES
音与字母

1. Affirmation ou question ?
肯定句还是疑问句?

Écoutez et dites si c'est une affirmation (A) ou une question (Q). 听录音，并说出每句话是肯定句（A）还是疑问句（Q）。

2. Posez des questions. 提问。

Écoutez et transformez l'affirmation en question. 听录音，并把听到的肯定句转换为疑问句。

语调

- 陈述句的语调：
  如果只有一个节奏组，语调为降调：
  Il est comédien.
  如果有多个节奏组，句中节奏组的末尾为升调，句末节奏组为降调。
  Il fait ses études à l'université.
- 一般疑问句的语调通常为升调。
  Est-ce que c'est Julie ?
- 特殊疑问句语调的最高点通常在句首的疑问词上，句末为降调。
  Qui est-ce ?

COMMUNIQUEZ
语言交际

1. Visionnez les variations. 看录像，学习下列言语行为的不同表达方式。

1) Vous attendez quelqu'un à l'aéroport. Reprenez les dialogues. Changez les noms et les formules. 你在机场接人。变换人物姓名和表达方式重做对话。

Victor Cousin	*Valérie Dubois*
Serge Dumont	*Marine Bresson*
Paul Bastier	*Sylvie Combe*

– Excusez-moi. Vous êtes bien Annie Leclerc ?
– Non. C'est une erreur. Je m'appelle Nadine Marchand.
– Oh, pardon !

2) Vous êtes André Comard. Présentez M. Bertin à Nadine Marchand. Jouez avec votre voisin(e). 你来扮演André Comard，把Bertin先生介绍给Nadine Marchand。和你的同桌一起表演。

介绍别人

1) Papa, Maman, je vous présente Benoît Royer. Benoît, je te présente ma mère et mon père.
2) Papa, Maman, voici Benoît Royer. Benoît, ma mère, mon père.

道歉

1) – Oh, tu es là, Pascal, excuse-moi.
   – Ce n'est rien.
2) – Je suis désolée.
   – Ce n'est pas grave.
3) – Oh, pardon !
   – Ce n'est pas grave.
4) – Excusez-nous, Monsieur, nous sommes vraiment désolés !
   – Mais non. Ça ne fait rien.
5) – Je vous prie de nous excuser.
   – Pas grave.

2. Retenez l'essentiel.
捕捉关键信息。

Écoutez et dites quel est le numéro donné.
听录音，并说出正确的电话号码。

1) par l'homme :
 a 01 41 23 12 37
 b 01 41 13 22 27
2) par la femme :
 a 04 37 28 19 32
 b 04 36 27 19 21

3. Trouvez l'annonce.
找到相对应的租房启事。

Écoutez les trois conversations avec un agent immobilier et dites à quelles annonces elles correspondent. 听三段与房屋中介的对话，找出与对话相对应的租房启事。

Appartement, 2 pièces, cuisine, salle de bains, WC, 12e arrondissement, 3e étage, ascenseur, très clair, à saisir. **a**	**Dans le 12e arrt.** petit appartement avec salon, 1 chambre, 1 salle de bains, cuisine. **b**
Dans 14e arrt. appt. 3 chambres, 2 salles de bains, salon, salle à manger. **c**	**Grd. appt.** avec 2 chambres, salles de bains, salon, grde cuisine, dans beau quartier. **d**

4. Jeu de rôles. 角色扮演。

Avec votre voisin(e), imaginez une situation à partir de l'annonce **d** et jouez la conversation. 根据上题的租房启事d，与你的同桌一起模拟一段情景对话。

La francophonie

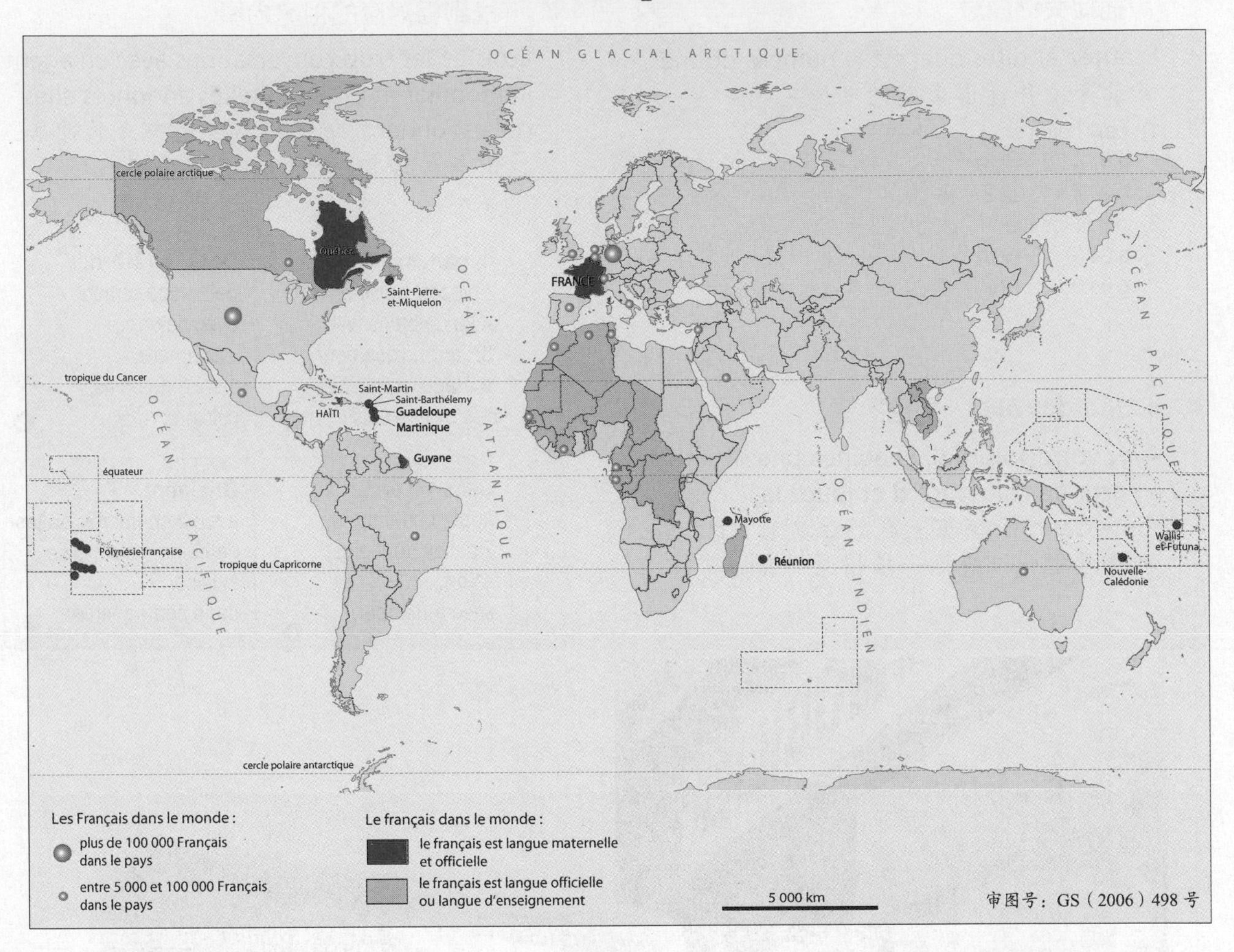

Nous sommes à Hanoï, pour le septième sommet de la francophonie. 49 pays participent au congrès. Ils représentent 200 millions de francophones dans le monde.

Nous voici maintenant en Afrique, en Côte d'Ivoire. Ici, on parle français.

Écoutons ces écoliers dans une classe du Maghreb. Ils parlent et ils chantent déjà très bien en français !

On parle français sur cinq continents : en Europe, en Afrique, en Asie, en Amérique et en Océanie.

En Polynésie aussi on parle français, même sur les marchés.

Au Canada, dans la province de Québec, 7 millions de gens parlent français. À Saint-Boniface, dans le Manitoba, les francophones aiment leur langue. Dans ce collège, on enseigne en français les maths comme la littérature ! Dans les rues, les panneaux de signalisation sont écrits dans les deux langues. Ils disent : *bienvenue à tous les francophones !*

Choisissez la bonne réponse.

1) Dans le film, on voit des images :
a du Viêt-nam ;
b du Canada ;
c du Luxembourg.

2) On parle français sur :
a deux continents ;
b cinq continents.

DOSSIER 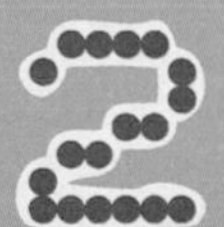

ÉPISODE 3

UNE CLIENTE DIFFICILE
挑剔的顾客

ÉPISODE 4

JOYEUX ANNIVERSAIRE !
生日快乐！

VOUS ALLEZ APPRENDRE À :

- distinguer entre les emplois de *tu* et de *vous*
- interroger sur les personnes et les choses
- accepter ou refuser quelque chose
- demander une explication
- exprimer son appréciation, faire des compliments
- s'informer sur un mode de paiement
- indiquer le but et la destination
- exprimer la surprise
- dire la date

VOUS ALLEZ UTILISER :

- les verbes en *-er* au présent
- le pluriel de *être* et *avoir* au présent
- la négation *ne... pas*
- le pluriel des noms, des adjectifs et des verbes
- le genre et la place des adjectifs
- *c'est pour* + infinitif, *c'est pour* + nom ou pronom tonique
- des questions avec *est-ce que*
- l'exclamatif *quel*

本单元中，你将学会：

- 区别使用 *tu* 和 *vous*
- 就人和物提问
- 表达接受和拒绝
- 寻求别人的解释
- 表达赞赏和恭维之情
- 询问付款方式
- 指出目的和目的地
- 表达惊讶之情
- 日期的表达法

你将使用：

- 以*-er*结尾的第一组动词的现在时
- *être*和 *avoir*的复数人称的现在时变位
- 否定式 *ne...pas*
- 名词、形容词和动词的复数形式
- 形容词的阴阳性和位置
- 句型 *c'est pour* + 动词原形与 *c'est pour* + 名词或重读人称代词
- 用 *est-ce que* 构成的疑问句
- 感叹词 *quel*

UNE CLIENTE DIFFICILE

挑 剔 的 顾 客

Découvrez les situations 情景学习

1. Interpréter les photos. 观察剧照。

Répondez aux questions. 回答下列问题。

1) Benoît entre dans quel immeuble ?
2) Qu'est-ce que Benoît et la femme regardent dans le bureau ?
3) Qu'est-ce que la dame donne au jeune homme dans le bureau ?
   a Un billet d'avion.
   b Un livre.
4) Qu'est-ce que la dame donne à Benoît ?
   a Une carte de crédit.
   b Une photo.
   c Un billet d'avion.

2. Qu'est-ce qu'on voit ? 你看见了什么?

Visionnez l'épisode sans le son et choisissez la bonne réponse. 关掉声音观看影片，选择正确答案。

1) On voit :
   a un bureau ; b une cliente ;
   c une entrée d'immeuble ; d une banque.
2) Quel est le nom de l'agence de voyages ?
   a Francevoyages. b Eurovoyages.

3. Recopiez et complétez la grille. 誊写表格，并将其补充完整。

	Qui ?	Où ?	Quoi ?
1)			Ils sortent ensemble.
2)			Ils regardent dans le bureau.
3)			Un stagiaire a des problèmes.

Julie et Benoît sortent de l'immeuble.

Julie Tu as un rendez-vous[1] ce matin ?
Benoît Oui, je passe à ma banque avant d'aller au bureau.
Julie Elle est où, ta banque ?
Benoît Là-bas.

Chacun part dans sa direction.

Julie Alors, à ce soir[2], Benoît. Passe une bonne journée[3].
Benoît Merci. Toi aussi.

Benoît entre dans l'immeuble de l'agence de voyages. Annie, une collègue, est dans le couloir. Elle regarde dans le bureau de Benoît.

Annie Benoît, regarde. Tu as un remplaçant.
Benoît Quoi ? Comment ça[4], un remplaçant ? Qui est dans mon bureau ?
Annie Chut ! C'est le nouveau stagiaire. Il est avec Mme[5] Desport. C'est une petite plaisanterie, pour souhaiter la bienvenue.

Benoît Mme Desport !

La cliente est énervée.

Mme Desport Écoutez, jeune homme ! Voilà mon billet. Ajoutez une escale à Londres, un point c'est tout[6] ! Je suis pressée !

Laurent Clavel Oui, bien sûr… Vous… vous avez votre passeport[7] ?

Mme Desport Mon passeport ?

Laurent Euh, oui !… ou votre carte d'identité ?

Mme Desport Mais c'est incroyable ! Je suis une bonne cliente de l'agence et vous demandez mon passeport !

Laurent Mais Madame, vous comprenez, une pièce d'identité est obligatoire…

Benoît entre dans son bureau.

Benoît Bonjour, Madame Desport ! Excusez mon retard. Vous avez un problème ?

Mme Desport Ah, Monsieur Royer, enfin[8] ! Aidez-moi, je vous en prie[9], je suis déjà en retard !…

Le stagiaire se lève et Benoît va s'asseoir derrière son bureau.

Benoît Alors… Genève, Londres, Paris, première classe, le 4 avril… 2 780 francs (424 euros environ). Vous payez par chèque ?

Mme Desport Non, je préfère par carte bancaire. Vous êtes d'accord ?

Benoît Pas de problème, Madame. Euh… La machine est dans le bureau d'à côté.

Il sort de la pièce avec la carte à la main. La cliente regarde Laurent d'un air sévère.

Un peu plus tard, Benoît et Laurent parlent ensemble.

Benoît Annie adore plaisanter. Mais c'est une collègue adorable. Quand tu as besoin d'aide, elle est toujours là. À propos, on se tutoie[10] ? Tu es de la maison, maintenant !

Laurent Oui, bien sûr…

Benoît Alors, je t'emmène dans le bureau de Nicole.

Laurent Ah bon !… Pourquoi ?…

Benoît Elle fait un de ces cafés[11] !

Le stagiaire sourit. Benoît frappe à la porte.

NOTES 课文注释

1 法国人做什么事情都讲究预约：去银行办事要预约，修车要预约，找医生看病要预约，甚至连理发也要预约。因公登门要预约，私人拜访更得预约！所以，在法国，无论男女老少，不管是公司老板还是家庭妇女，人手一本备忘录（agenda），上面密密麻麻地记着几月几日几点该去哪儿、办什么事。

2 à ce soir : 晚上见。“à+时间名词”表示“……时间见”，如：à demain（明天见），à mardi（星期二见）。

3 法国人在道别时除了说再见外，还经常会说bonne journée或bonne soirée，意思是“祝你一天或一晚上好心情”。对此不要无动于衷，要记着道谢，还要同样祝愿对方心情好。

4 comment ça : 怎么会这样！

5 Mme : madame的缩写。

NOTES 课文注释

6 un point c'est tout : 就这些，没别的。
7 在法国，护照不仅在出国时使用，在国内同样是证明身份的有效证件，与身份证作用相同。
8 enfin : 总算，终于。该词在本课的意思与第1课的不同。
9 je vous en prie : 请。
10 用“你”还是“您”称呼对方，一般的原则是不熟悉的人之间、下级对上级、年轻人对年长者用“您”，平级的同事之间、朋友之间通常用“你”。但对年长的（50岁及以上）同事还是要先使用尊称，等到对方主动要求用“你”来称呼自己时，才可以这样做。
11 Elle fait un de ces cafés ! 意思是“她咖啡煮得可棒了！”法国人上班时有固定的喝咖啡时间，而且往往是雷打不动的，一般是每天上午十一点和下午四点。或在自动饮料机前，或如本文中在某个办公室里，同事们边喝咖啡边交谈。

VOCABULAIRE 词汇表

adorable	*adj.* 可爱的
adorer	*v.t.* 喜爱
aide	*n.f.* 帮助
aider	*v.t.* 帮助
ajouter	*v.t.* 增加
aller	*v.i.* 去
à propos	*loc.adv.* 对啦，想起来啦
***(s') asseoir**	*v.pr.* 坐下
avant	*prép.* 在……之前
avant de + *inf.*	在做某事之前
avec	*prép.* 和……一起
avril	*n.m.* 四月
bancaire	*adj.* 银行的
banque	*n.f.* 银行
besoin	*n.m.* 需要
avoir besoin de	需要
bien sûr	*loc.adv.* 当然
bienvenue	*n.f.* 欢迎
billet	*n.m.* 机票，火车票
bureau	*n.m.*（*pl.* ~x）办公室；办公桌
café	*n.m.* 咖啡
carte	*n.f.* 卡
chèque	*n.m.* 支票
chut	*interj.* 嘘！
classe	*n.f.* 等级
client, e	*n.* 顾客
collègue	*n.* 同事
comprendre	*v.t.* 理解，明白（vous comprenez）
côté	*n.m.* 旁，侧
à côté	*loc.adv.* 在旁边
déjà	*adv.* 已经
demander	*v.t.* 要求
***derrière**	*prép.* 在……后面
écouter	*v.t.* 听
emmener	*v.t.* 带（人）去（j'emmène）
***énervé, e**	*adj.* 恼火的
***ensemble**	*adv.* 一起
escale	*n.f.*（飞机）中途停靠
euro	*n.m.* 欧元
franc	*n.m.* 法郎
***frapper**	*v.t.ind.* 敲，打
frapper à la porte	敲门
Genève	*n.pr.* 日内瓦
identité	*n.f.* 身份
incroyable	*adj.* 令人难以置信的
jeune	*adj.* 年轻的
journée	*n.f.* 一天
là-bas	*adv.* 那边
***(se) lever**	*v.pr.* 站起来（il se lève）
Londres	*n.pr.* 伦敦
machine	*n.f.* 机器
***main**	*n.f.* 手
maison	*n.f.* 家；公司
matin	*n.m.* 早晨
ce matin	今天早晨
merci	*n.m.* 谢谢
obligatoire	*adj.* 必须的
où	*adv.interr.* 哪里
par	*prép.* 用
passer	*v.i.* 到……去
	v.t. 度过
passeport	*n.m.* 护照
payer	*v.t.* 支付
petit, e	*adj.* 小的
pièce	*n.f.* 证件；房间
plaisanter	*v.i.* 开玩笑
plaisanterie	*n.f.* 玩笑
pour	*prép.* 为了
pourquoi	*adv.interr.* 为什么
préférer	*v.t.* 更喜欢（je préfère）
premier, ère	*adj.* 第一的
pressé, e	*adj.* 匆忙
problème	*n.m.* 问题
quand	*conj.* 当……的时候
remplaçant, e	*n.* 替代者
rendez-vous	*n.m.* 约会
retard	*n.m.* 迟到
être en retard	迟到
soir	*n.m.* 晚上
souhaiter	*v.t.* 祝愿
toujours	*adv.* 一直，总是
(se) tutoyer	*v.pr.* 互相用“你”称呼

ORGANISER VOTRE COMPRÉHENSION

剧情理解

Observez l'action et les répliques
观察剧情和人物对话

1. Quelle est la réplique ? 回答是什么?

Visionnez avec le son. Dites si le personnage dit la réplique a ou b. 观看影片，说出下面人物回答的是a还是b。

1) Julie :
a Je passe à ma banque.
b Passe une bonne journée.

2) Annie :
a Comment ça, un remplaçant ?
b C'est une petite plaisanterie, pour souhaiter la bienvenue.

3) Mme Desport :
a Ajoutez une escale à Londres.
b Vous avez un problème ?

4) Benoît :
a La machine est dans le bureau d'à côté.
b Vous êtes d'accord ?

5) Laurent :
a À propos, on se tutoie ?
b Ah bon !... Pourquoi ?...

2. Vrai ou faux ? 是对是错?

1) Benoît passe à sa banque.
2) Benoît a un remplaçant.
3) Mme Desport n'est pas une cliente de l'agence.
4) Le nouveau stagiaire a des problèmes avec Mme Desport.
5) Benoît et Laurent vont dans le bureau de Nicole.

3. Qu'est-ce qu'ils disent ? 他们在说什么?

Retrouvez les paroles des personnages. 找出下列剧照中人物的台词。

Observez les comportements
观察人物行为

4. Rappelez-vous. 回忆一下剧情，回答下面问题。

1) Qui dit *tu* à Benoît ?
a Mme Desport.
b Julie.
c Annie, sa collègue de bureau.
2) Qui dit *vous* à Benoît ?
3) À qui est-ce que Benoît dit *vous* ?

5. Qu'est-ce qu'ils expriment ? 他们想表达什么?

Mettez ensemble la phrase et ce que le personnage exprime. 找出每句话所表达的意义。

1) Alors, à ce soir. Passe une bonne journée.
2) Quoi ? Comment ça, un remplaçant ?
3) Mais c'est incroyable !
4) Aidez-moi, je vous en prie.
5) C'est une collègue adorable.

a Mme Desport n'est pas contente.
b Benoît aime bien Annie.
c Julie prend congé de Benoît.
d Benoît est étonné.
e Mme Desport demande de l'aide.

DÉCOUVREZ LA GRAMMAIRE

语法学习

1. *Tu* ou *vous* ? *Tu*还是*vous*？

Écoutez et dites si les gens se tutoient ou se vouvoient. 听录音，说出人们用tu还是用vous来彼此称呼。

2. À toutes les personnes ! 用各个人称做练习。

Faites six phrases avec les éléments suivants. Changez chaque fois la personne du verbe. 在右栏中找出与左栏动词合适的搭配，并造句。注意每次使用不同的主语人称代词。

Exemple : J'habite rue du Cardinal-Mercier.

1) Habiter	**a** le bureau de Benoît.
2) Travailler	**b** par chèque.
3) Payer	**c** la France.
4) Chercher	**d** à leurs amis.
5) Visiter	**e** dans une agence de voyages.
6) Parler	**f** rue du Cardinal-Mercier.

3. Soyez polis. 要懂礼貌啊。

Mettez ces phrases au pluriel de politesse (2e personne du pluriel) puis choisissez la bonne formule de politesse (a ou b).
将下列句子改为"您"的语气，并从后面的两个选项中找到适当的礼貌用语。

1) Viens avec moi.	**a** Je vous prie.	**b** Pardon.
2) Assieds-toi.	**a** Excusez-moi.	**b** S'il vous plaît.
3) Arrête.	**a** Je vous prie.	**b** Merci.
4) Sois à l'heure.	**a** Merci.	**b** S'il vous plaît.

Donnez des ordres ou des conseils à votre voisin(e) à tour de rôle. Soyez poli(e) !
向你的同桌发出命令或给他（她）一些建议。注意使用尊称。

4. *Qui est-ce* ou *qu'est-ce que c'est* ? 这是谁？这是什么？

Choisissez une photo et posez des questions à votre voisin(e) sur la personne ou le monument.
选择下面一张照片，就照片中的人或建筑向你的同桌提问。

Céline Dion
Date de naissance : 30 mars 1968, à Québec.
Profession : chanteuse (elle chante en français et en anglais). Sortie de son premier album, *La voix du bon Dieu*, en 1981. Elle habite surtout en France, mais

第一组动词的直陈式现在时

法语中，除了动词aller（去），以-**er**结尾的动词均为第一组动词，如：
aider，demander，habiter，passer，travailler

第一组动词的直陈式现在时的变位有一定的规律，即先去掉原形动词词尾-**er**，然后根据人称分别加上不同的词尾。本课主要学习第一组动词在单数人称主语后的变位形式（复数人称主语后的变位形式见第4课），如：

	demander
je	deman**de**
tu	deman**des**
il/elle	deman**de**

! 三种词尾均不发音。

! 在单数第二人称后的词尾为-**es**，不要忘记最后的"s"。

! 在尊称vous的后面，动词词尾变为-**ez**，与原形动词发音相同。例如：
Vous pass**ez** au bureau ?
Vous pay**ez** par chèque ?

命令式（impératif）

命令式可以用来表达命令或建议。命令式只有三个人称：tu（你）、vous（您、你们）和nous（我们）。本课只涉及tu和vous的命令式现在时。

命令式现在时的构成方式很简单，去掉直陈式现在时的主语即可。例如：

主语为tu时	Entre.	Viens.	Assieds-toi.
	Excuse-moi.	Tiens.	Dépêche-toi.
主语为vous时	Entrez.	Venez.	Asseyez-vous.
	Excusez-moi.	Tenez.	Dépêchez-vous.

! 以-**er**结尾的动词在对tu的命令式中，要去掉词尾的"s"，如：Entre. Excuse-moi.

! être和avoir的命令式形式特殊。
être Sois courageux. Soyez patient.
avoir Aie du courage. Ayez de la patience.

voyage dans le monde entier.

La tour Eiffel
Date de naissance : 31 mars 1889.
Architecte : Gustave Eiffel.
Durée de construction : 2 ans, 2 mois, 5 jours.
Hauteur : 318 mètres.
Nombre de visiteurs : 5 500 000 par an.

Pensez à des personnes ou à des monuments de votre pays et posez des questions. 找一些本国的名人或名胜古迹，并就这些人或物提问。

就人和物提问

就人提问时用代词qui，如：
Qui est-ce ? 这是谁？ C'est pour qui ? 这是给谁的？

就物提问时用代词quoi/que/qu'，如：
Qu'est-ce que c'est ? 这是什么？
C'est pour quoi ? 是为什么事？

! 以上两种提问方式中的动词永远用第三人称单数形式，即使在就多个人或物提问时，同样使用单数形式。例如：
– Qui est-ce ? – Ce sont des amis.
– Qu'est-ce que c'est ? – Ce sont des lettres.

5. C'est pour quoi ? 是为什么事？

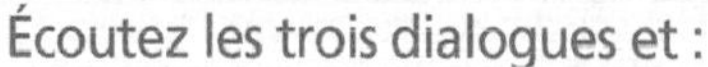

Écoutez les trois dialogues et :
– précisez l'intention : *C'est pour…*;
– dites quel est le problème.
听三段对话的录音，然后说出：
—对话的目的是什么(C'est pour…)；
—出了什么问题。

表达对象或目的——介词pour

表达对象
- pour + 人名
- pour + 代词

就对象提问用pour qui，如：
– C'est **pour qui** ?
– C'est **pour Julie**.
– C'est **pour elle**.

表达目的
- pour + 事物名词
- pour + 代词
- pour + 不定式

就目的提问用pour quoi，如：
– C'est **pour quoi** ?
– C'est **pour un rendez-vous**.
– C'est **pour ça**.
– C'est **pour acheter un billet**.

6. Trouvez les questions. 找到相应的问句。

Utilisez *est-ce que* dans les questions. 在问句中使用est-ce que。

1) – … ? – Oui, je passe à la banque à 9 heures.
2) – … ? – Oui, je paye par chèque.
3) – À quelle heure … ? – J'arrive dans une heure.
4) – Où … ? – J'habite à Paris.
5) – … ? – Oui, c'est le nouveau stagiaire.

7. Votre identité, s'il vous plaît ? 请说明身份。

Jouez avec votre voisin(e). Regardez la fiche ci-dessous, puis l'un(e) de vous pose des questions et l'autre joue le rôle de Patricia Lefort. Variez les formes des interrogations. 观察下面的信息，模仿例句与同桌一问一答，其中一人扮演Patricia Lefort。注意变换提问方式。

Exemple : – C'est pour quoi ?
– C'est pour une inscription au club…

Nom : Lefort Prénom : Patricia
Date de naissance : 5/11/1971
Adresse : 12, rue du Four, 75006 Paris
Numéro de téléphone personnel : 01 45 73 26 85
Profession : secrétaire
Numéro de téléphone professionnel : 01 42 27 34 28
Télécopie : 01 42 27 35 30
Adresse de l'employeur : Crédit Lyonnais, 152 rue de Rennes, 75006 Paris

Est-ce que在疑问句中的位置

- 在一般疑问句中，est-ce que位于句首，如：
  – **Est-ce que** vous êtes déjà client de l'agence ?
  – Oui / Non.
- 在特殊疑问句中，est-ce que放在疑问词后，如：
  – Combien d'argent **est-ce que** vous donnez ?
  – Cent cinquante euros.

SONS ET LETTRES
音与字母

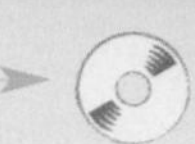

重　音

重音（accent tonique）落在单词或短语的最后一个音节上。下列句子中黑体部分为重音所在位置。

Be**noît !**

Il passe à sa **banque** avant d'aller au bu**reau**.

C'est une bonne **cliente** et il demande son passe**port**.

1. Accentuez la dernière syllabe du groupe de mots. 重读节奏组的最后一个音节。

Écoutez et répétez les expressions suivantes.
听录音并跟读。

2. Sur quelle syllabe porte l'accent ? 重音落在哪个音节上？

Écoutez et repérez les syllabes accentuées.
听录音并找出重读音节。

COMMUNIQUEZ
语言交际

1. Visionnez les variations. 看录像，学习下列言语行为的不同表达方式。

Vous êtes dans une boutique. Dites le prix et demandez à votre voisin(e) comment il/elle paie.
你是一家商店的售货员，说出一种商品的价格，并问你的同桌用哪种方式付款。

Exemple : – Une lampe... quatre-vingt-quinze euros. Vous payez comment ?
– En espèces. Voilà cent euros.
– Merci. Voilà votre monnaie : cinq euros.

要求解释

1) Quoi, comment ça, un remplaçant ?
2) Ça veut dire quoi, un remplaçant ?
3) Un remplaçant ! Qu'est-ce que tu veux dire ?
4) Un remplaçant ! Qu'est-ce que ça signifie ?

询问付款方式

1) – Vous payez par chèque ?
– Non, je préfère par carte bancaire.
2) – Vous faites un chèque ?
– Non, je préfère payer en espèces.
3) – Vous préférez payer par chèque ?
– Non, je paie par carte de crédit.

建议彼此用“你”称呼

1) – À propos, on se tutoie ? Tu es de la maison, maintenant.
– Oui, bien sûr.
2) – Alors, on se dit « tu » ? Nous sommes collègues maintenant.
– Oui, d'accord.
3) – Bon, dis-moi « tu ». On travaille ensemble maintenant.
– Oui, pas de problème.

2. Qu'est-ce qui se passe ? 发生了什么事？

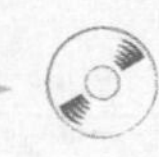

Écoutez les dialogues et choisissez la bonne réponse. 听对话录音，找出正确答案。

Dialogue 1

1) Christian Dupré est :
   a secrétaire ; b stagiaire.
2) Monsieur Levasseur est :
   a en retard ; b en avance.
3) Christian Dupré entre :
   a dans une chambre ; b dans un bureau.

Dialogue 2

1) L'homme passe :
   a dans une agence de voyages ;
   b à sa banque.
2) L'homme va :
   a à Rome ; b à Madrid.
3) Il paie :
   a par carte de crédit ; b en espèces.
4) Il a :
   a son passeport ; b sa carte d'identité.

3. Retenez l'essentiel. 捕捉关键信息。

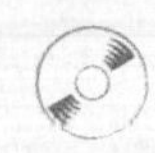

Vous êtes réceptionniste dans un hôtel. Un client téléphone pour réserver une chambre. Écoutez et notez le nom de la personne, le numéro de la chambre, le jour. 你是酒店前台服务员，有顾客打电话预订房间。听录音，记下对方的姓名、预订的房间号和入住日期。

4. Vérifiez l'information. 核实信息。

Vous êtes un(e) nouveau/nouvelle stagiaire. On vous demande de modifier la liste des numéros des postes de téléphone des membres de l'agence. Vous interrogez vos collègues. Jouez le dialogue en changeant le nom, le numéro de poste, et en variant les expressions. 你是新来的实习生，公司要你更改公司职员的分机号码，为此你打电话去询问同事。表演对话，注意每次要变换人名、分机号码，使用不同的表达方式。

Nom	N° de poste
M. Vautier	72-84
Mme Augrain	26-35
M. Colin	91-70
Mme Tardieu	75-14
M. Tissot	80-90

Exemple : – Bonjour. Je suis le nouveau stagiaire.
– Bonjour. C'est pour quoi ?
– Je voudrais le numéro de poste de M. Vautier, s'il vous plaît.
– Oui, M. Vautier est au poste 72-84.
– 72-84. Merci.

L'euro 欧元

L'EURO

1 euro = 6,57 francs.
Pièces et billets d'euros ont une face commune à tous les pays et une face nationale.

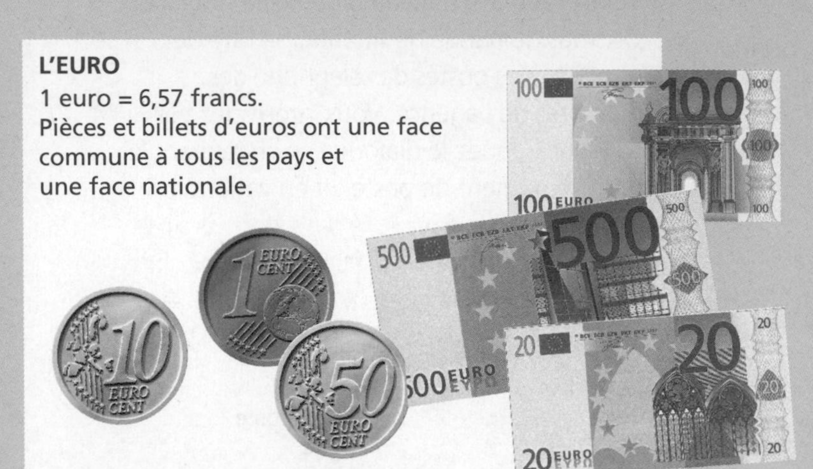

UN ÉVÉNEMENT HISTORIQUE

Des pays européens, différents par la taille, la culture et les traditions, adoptent ensemble une monnaie unique. Dans tous ces pays, on peut payer en euros. À Paris, à Rome, à Madrid, on compose le numéro de sa carte bancaire ou on signe un ticket : c'est le moyen de paiement idéal. On peut avoir un compte bancaire en euros et un chéquier et faire des chèques en euros. Le grand espace économique européen est le complément indispensable du marché unique.

À quand la création du mondo, la monnaie unique universelle ?

LES PRIX EN EUROS

En 2002, prix – d'un pain au chocolat ou d'un litre de lait : un euro ;
– d'un livre de poche : cinq euros ;
– d'un gros roman : vingt euros.

Le SMIC (salaire minimum interprofessionnel de croissance) est à 1 000 euros.
...et vous passez vos journées à faire des multiplications et des divisions par 6,57 !

L'argent ne fait pas le bonheur, dit le proverbe.

1. Quels sont ces documents ? 这是些什么材料?

Associez les documents suivants et leur représentation. 找出与下列材料名称相对应的图片或文字。

1) Un chèque rempli.
2) Un texte sur l'euro.
3) Une carte de crédit.
4) Des pièces et des billets.

2. Vocabulaire technique. 专业词汇。

Relevez dans les textes et les documents les mots concernant l'argent. 找出文章和材料中与“钱”有关的词语。

3. Trouvez l'information dans les documents. 找到下面问题的答案。在所给的材料中找到以下信息。

1) Qu'est-ce que l'euro ?
2) Est-ce que l'euro est une monnaie universelle ou seulement européenne ?
3) Quel est le prix d'un litre de lait et d'un roman en 2002 ?
4) Quel est le taux de conversion d'un euro en francs ?

4. À vos stylos! 练练笔!

Imaginez ! Tous les pays du monde décident d'avoir une monnaie unique, le mondo. Écrivez un court article sur cet événement historique. 世界各国决定使用统一货币le mondo。想象一下，写一篇短文介绍这一历史性事件。

Le temps 时间

Dire la date

Nous sommes le mardi 5 avril.
On est le mardi 5 avril.
Aujourd'hui, c'est le mardi 5 avril.

Mars				**Avril**				**Mai**			
6 h 35 à 17 h 32				5 h 31 à 18 h 19				4 h 33 à 19 h 04			
1	L	Aubin	*9*	1	J	Hugues		1	S	**FÊTE DU TRAVAIL**	
2	M	Charles-le-Bon	○	2	V	Sandrine		2	D	Boris	
3	M	Guénolé		3	S	Richard		3	L	Phil., Jacques	*18*
4	J	Casimir		4	D	**PÂQUES**		4	M	Sylvain	
5	V	Olive		5	L	Irène	*14*	5	M	Judith	
6	S	Colette		6	M	Marcellin		6	J	Prudence	
7	D	Félicité		7	M	J.-B. de la Salle		7	V	Gisèle	
8	L	Jean de Dieu	*10*	8	J	Julie		8	S	**ARMIST. 1945**	☾
9	M	Françoise		9	V	Gautier	☾	9	D	**Fête Jeanne d'Arc**	
10	M	Vivien	☾	10	S	Fulbert		10	L	Solange	*19*
11	J	Rosine		11	D	Stanislas		11	M	Estelle	
12	V	Justine		12	L	Jules	*15*	12	M	Achille	
13	S	Rodrigue		13	M	Ida		13	J	**ASCENSION**	
14	D	Mathilde		14	M	Maxime		14	V	Matthias	
15	L	Louise	*11*	15	J	Paterne		15	S	Denise	⊙
16	M	Bénédicte		16	V	Benoît-Joseph	⊙	16	D	Honoré	
17	M	Patrice	⊙	17	S	Anicet		17	L	Pascal	*20*
18	J	Cyrille		18	D	Parfait		18	M	Eric	
19	V	Joseph		19	L	Emma	*16*	19	M	Yves	
20	S	Herbert		20	M	Odette		20	J	Bernardin	
21	D	PRINTEMPS		21	M	Anselme		21	V	Constantin	
22	L	Léa	*12*	22	J	Alexandre	☽	22	S	Emile	☽
23	M	Victorien		23	V	Georges		23	D	**PENTECÔTE**	
24	M	Cath. de Suède	☽	24	S	Fidèle		24	L	Donatien	*21*
25	J	**Annonciation**		25	D	**Jour du Souvenir**		25	M	Sophie	
26	V	Larissa		26	L	Alida	*17*	26	M	Bérenger	
27	S	Habib		27	M	Zita		27	J	Augustin	
28	D	**Rameaux**		28	M	Valérie		28	V	Germain	
29	L	Gwladys	*13*	29	J	Cath. de Sienne		29	S	Aymard	
30	M	Amédée		30	V	Robert	○	30	D	**Fête des Mères**	○
31	M	Benjamin	○					31	L	Visitation	*22*

Les jours de la semaine

Il y a 7 jours dans **la semaine** et 52 semaines dans **l'année**.

! *Je travaille* ***lundi*** *(= lundi prochain).*
≠ Je travaille ***le lundi*** *(= tous les lundis).*

Les moments de la journée

le matin
de 6 heures à midi

l'après-midi
de midi à 6 heures

le soir/la soirée
de 6 heures à 11 heures

la nuit
de 11 heures à 6 heures du matin

Les douze mois de l'année

janvier	avril	juillet	octobre
février	mai	août	novembre
mars	juin	septembre	décembre

Les quatre saisons

En général, en France,
il fait beau **au** printemps,
il fait chaud **en** été,
il pleut **en** automne,
il fait froid **en** hiver.

1. Complétez. 模仿例子完成下面的练习。

Exemple : Cette semaine.
☞ **La semaine prochaine.**

1) Ce mois-ci. 2) Cette année.

2. Dites les dates surlignées. 说出上图中黄色划线部分的日期。

Exemple : **C'est le vendredi 28 février.**

! C'est le jeudi premier mai.

3. Le rythme des saisons. 四季的更替。

Exemple : **Le printemps commence le 21 mars.**

1) Quand commence l'été ?
2) Quand commence l'automne ?
3) Quand commence l'hiver ?
4) Quels sont les mois d'hiver ?
5) Quels sont les mois d'été ?

Pour un dictionnaire

Philippe Soupault dans son lit
né un lundi
baptisé un mardi
marié un mercredi
malade un jeudi
mort un samedi
enterré un dimanche
c'est la vie de Philippe
Soupault.

PHILIPPE SOUPAULT,
Poésies pour mes amis les enfants,

JOYEUX ANNIVERSAIRE !
生日快乐！

Découvrez les situations 情景学习

1. Imaginez. 想象。

Regardez les photos.
Dites qui sont les personnages, où ils sont, ce qu'ils font. 观察剧照，并说出剧照中的人物分别是谁、在哪儿、在做什么。

2. Faites des hypothèses. 对剧情作假设。

Répondez aux questions. 回答下列问题。

1) Benoît répond au téléphone.
Qui appelle Benoît ?

2) Qui offre des fleurs à Benoît ?

3) Pourquoi ?

a C'est son anniversaire.

b Il est gentil.

3. Regardez les images. 看画面学单词。

Visionnez sans le son et dites si vous voyez les objets suivants. 关掉声音观看影片。你看到下面的事物了吗？

un verre

une assiette avec des gâteaux

une bouteille

une lampe

une cafetière

un bureau

On frappe à la porte du bureau de Nicole et Annie.

Nicole et Annie — Entrez !
Benoît — Bonjour !
Nicole — Bonjour Benoît !
Annie — Nicole, je te présente notre nouveau stagiaire. Il s'appelle Laurent. Laurent, voilà Nicole, la secrétaire de notre service.
Nicole — Bonjour Laurent. Vous n'êtes pas fâché contre Annie, j'espère ? Elle est parfois un peu agaçante, mais elle n'est pas méchante !
Laurent — Non, non, pourquoi ?
Annie — Laurent est très patient. C'est une grande qualité pour un stagiaire. Demande à Mme Desport.
Nicole — Bravo Laurent ! Vous méritez bien votre café.

Benoît se tourne vers Laurent.

Benoît — Nicole et Annie sont inséparables.
Annie — Inséparables ! Nous travaillons dans le même bureau, c'est tout[1].

Annie donne des verres et offre des petits gâteaux.

Benoît — Vous avez des gâteaux ? C'est la fête aujourd'hui !

Annie offre un gâteau à Laurent.

Laurent — Non, merci. Je n'ai pas faim.
Nicole — Mais si ![2] À votre âge, on a besoin de manger. Surtout après une visite de Mme Desport !

Laurent mange un gâteau.

Laurent — Merci. Hum… Ils sont très bons les gâteaux.

Benoît regarde sa montre.

Benoît — Eh oui ! Le café est bon, les gâteaux sont bons, nous avons des collègues charmantes, mais nous n'avons pas le temps. Il est tard, on a encore des gens à voir avant l'heure du déjeuner. Alors, dépêche-toi.
Laurent — D'accord.
Benoît — À plus tard.[3]

Benoît et Laurent partent. Nicole et Annie restent ensemble.

Nicole — Il est sympa, le nouveau stagiaire ?
Annie — Oui, mais il est timide, et il ne parle pas beaucoup.
Nicole — Ce n'est pas très grave. Toi, tu parles pour deux ! Mais, heureusement, c'est Benoît le responsable de son stage.
Annie — Je te remercie ! Mais c'est vrai, Benoît est très gentil, lui !…

Les deux femmes se regardent et sourient.

Annie — Mais, dis donc.[4] C'est bientôt son anniversaire.
Nicole — Tu es sûre ? C'est quand ?
Annie — C'est le 5 avril.

Annie et Nicole sont devant la boutique d'un fleuriste[5]. Elles hésitent à entrer.

Annie — Ils ont des belles fleurs ici. Achetons un bouquet pour Benoît.
Nicole — On n'offre pas de fleurs à un homme !
Annie — Pourquoi pas ? Eux aussi, ils aiment les fleurs ! Viens.[6] Entrons.

Elles entrent dans la boutique.

À l'agence, Benoît est devant son ordinateur. Laurent arrive dans son bureau.

Laurent — Tiens, voilà le courrier.
Benoît — Merci. Pose les lettres sur le bureau.

Le téléphone sonne. Benoît prend l'appareil.

Benoît — Allô ? Laurent ?… Oui… il est là… Dans ton bureau, maintenant, tous les deux ? Bon, d'accord. Nous arrivons.

Benoît fait un signe à Laurent et ils sortent.

Laurent et Benoît entrent dans le bureau de Nicole.

Tous — Joyeux anniversaire !

Il y a un beau bouquet de fleurs avec des verres, des bouteilles et des petits gâteaux. Benoît est gêné. Il découvre les fleurs.

Benoît — Ah, des fleurs ! Elles sont pour moi ? Quelle bonne idée ! Merci à vous tous ![7] Merci !

Tous lèvent leur verre.

Tous — À la tienne ! Santé ![8]

NOTES 课文注释

1 c'est tout : 仅此而已。
2 Mais si ! 当然不！
3 À plus tard. 回头见。
4 dis donc : 喂，我说。
5 在法国，送鲜花是一种非常普遍的社交行为，庆祝生日、婚礼或第一次约会都是送花的好时机。当你被邀请去别人家做客时，千万不要空手而至，一束美丽的鲜花是送给女主人最好的礼物。你也可以用包装精美的糖果或葡萄酒等礼品来代替。应该尽量避免赠送价值昂贵的礼物，因为礼物的意义在于表达你真诚的谢意而不在于它的商品价值，过于贵重的礼物可能会引起主人的尴尬。
6 Viens : 来。它同下文的tiens分别是动词venir和tenir（拿着）的命令式第二人称单数形式。
7 Merci à vous tous ! 谢谢大家！
8 À la tienne ! Santé ! 意思是"祝你健康"，尊称形式为"À la vôtre !"。这是法国人喝酒时最常用的祝词。为了营造同事之间友好融洽的人际关系，法国人经常利用生日、结婚、孩子出生、新同事加盟和老同事离职等各种时机组织小型的庆祝活动，即faire un pot。

VOCABULAIRE 词汇表

acheter	*v.t.* 购买
agaçant, e	*adj.* 让人烦的
aimer	*v.t.* 爱，喜欢
allô	*interj.* 喂
anniversaire	*n.m.* 生日
***appareil**	*n.m.* 电话机
après	*prép.* 在……之后
arriver	*v.i.* 到达
beau, belle	*adj.* （*pl.* beaux）美丽的
beaucoup	*adv.* 很多，非常
bien	*adv.* 的确，确定(用于强调肯定语气)
bientôt	*adv.* 马上，不久
bouquet	*n.m.* (花)束
***boutique**	*n.f.* 店铺
bravo	*interj.* 好！真棒！
bureau	*n.m.* （*pl.* ~x）办公桌
charmant, e	*adj.* 充满魅力的
contre	*prép.* 反对；冲着
courrier	*n.m.* 邮件
***découvrir**	*v.i.* 发现（il découvre）
déjeuner	*n.m.* 午餐
(se) dépêcher	*v.pr.* 赶紧，赶快
encore	*adv.* 还有
entrer	*v.i.* 进来（nous entrons, vous entrez）
espérer	*v.t.* 希望（j'espère）
fâché, e	*adj.* 生气的
fête	*n.f.* 节日
fleur	*n.f.* 花
***fleuriste**	*n.* 花商
gâteau	*n.m.* （*pl.* ~x）蛋糕
***gêné, e**	*adj.* 不好意思的，尴尬的
gens	*n.m.pl.* 人们
grave	*adj.* 严重的
***hésiter**	*v.i.* 犹豫，迟疑
hésiter à + *inf.*	对做某事犹豫不决
heureusement	*adv.* 幸亏
idée	*n.f.* 想法，主意
inséparable	*adj.* 不可分离的
joyeux, se	*adj.* 快乐的
lettre	*n.f.* 信
***lever**	*v.t.* 举起
méchant, e	*adj.* 恶意的
mériter	*v.t.* 配得上
offrir	*v.t.* 赠送，提供（il/elle/on offre）
***ordinateur**	*n.m.* 计算机，电脑
parfois	*adv.* 有时
patient, e	*adj.* 耐心的
poser	*v.t.* 放
***prendre**	*v.t.* 拿（il prend）
qualité	*n.f.* 优点
quand	*adv.interr.* 什么时候
remercier	*v.t.* 感谢
Je te remercie !	谢谢你！
responsable	*n.* 负责人
santé	*n.f.* 健康
secrétaire	*n.* 秘书
service	*n.m.* 部门
stage	*n.m.* 实习
sur	*prép.* 在……上
surtout	*adv.* 尤其
tard	*adv.* 晚，迟
temps	*n.m.* 时间
timide	*adj.* 腼腆的
***(se) tourner**	*v.pr.* (+ vers) 转向
tous	*adj.indéf.pl.* [tu]所有的，一切的 *pron.indéf.pl.* [tus]大家，所有的人
tout	*pron.indéf.* 一切，所有的事情
visite	*n.f.* 来访
voir	*v.t.* 看见；会见

ORGANISER VOTRE COMPRÉHENSION

剧情理解

Observez l'action et les répliques

观察剧情和人物对话

1. Qui dit quoi ? 谁说了什么?

Visionnez l'épisode avec le son.
Quel personnage dit les répliques suivantes ?
À qui ? 观看影片。下面的台词是谁说的？对谁说的？

1) Vous n'êtes pas fâché contre Annie, j'espère ?
2) Bravo, Laurent. Vous méritez bien votre café !
3) Nicole et Annie sont inséparables.
4) Mais il est timide, et il ne parle pas beaucoup.
5) On n'offre pas de fleurs à un homme !

2. Ça se passe comme ça ? 事情的经过是这样的吗?

Mettez dans le bon ordre. 将下列镜头排序。

a Dans le bureau de Nicole, Benoît et Laurent mangent des gâteaux.
b Benoît et Laurent travaillent ensemble.
c Nicole et Annie parlent du nouveau stagiaire et de l'anniversaire de Benoît.
d Les collègues de l'agence souhaitent un bon anniversaire à Benoît.
e Nicole et Annie achètent des fleurs.

Observez les comportements

观察人物行为

3. Qui sont les personnages ? 下面这几个句子分别描写的是谁?

1) Elle est agaçante. Ses plaisanteries ne sont pas gentilles.
2) Il est timide. Il ne parle pas beaucoup.
3) Elle est gentille. Elle fait du bon café.
4) Il est patient. Il répond avec calme à la cliente.

4. Quelle est leur attitude ? 下列表情是什么意思?

1) Il exprime :
a son appréciation ;
b son indifférence.

2) Elle pense :
a Il exagère.
b Je suis d'accord.

3) Ça veut dire :
a Pourquoi pas ?
b Ah, non ! Pas question !

4) Il a l'air :
a gêné ;
b content ;
c agacé.

5. Comment est-ce qu'ils le disent ? 他们是如何表达的?

Mettez ensemble l'acte de parole et sa fonction. 找出与每个交际功能相对应的语言行为。

1) Présenter Laurent à Nicole.
2) Refuser des gâteaux.
3) Faire un compliment.
4) Demander la date d'un anniversaire.
5) Remercier de la fête.

a Non, merci. Je n'ai pas faim.
b C'est quand ?
c Je te présente notre nouveau stagiaire.
d Quelle bonne idée ! Merci à vous tous !
e Ils sont très bons, les gâteaux.

DÉCOUVREZ LA GRAMMAIRE

语法学习

1. Il manque les articles ! 缺少冠词！

Complétez avec des articles. 用正确的冠词填空。

Benoît partage … appartement avec … amis. Il travaille dans … agence de voyages. Il a … collègues sympathiques. Laurent est … nouveau stagiaire. Il aime … gâteaux et … café de Nicole. Benoît et Laurent ont … gens à voir. Annie et Nicole fêtent … anniversaire de Benoît. … collègues de Benoît sont sympathiques.

2. Singulier ou pluriel ? 单数还是复数？

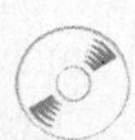

1) Écoutez et dites si le nom est singulier (S) ou pluriel (P). 听录音，说出听到的名词是单数还是复数。

2) Qu'est-ce qui montre qu'un nom est singulier ou pluriel à l'oral ? 在口语中，你怎样听辨名词的单复数？

3. Qu'ils sont beaux ! 他们可真美啊！

Faites des compliments avec les mots suivants : 赞美下列事物：

bureau – armoire – voyage – fête.

Exemple : **Quelle belle bague !**

名词、形容词和冠词的复数

单数	复数
un voisin gentil	**des** voisin**s** gentil**s**
une voisine gentille	**des** voisine**s** gentille**s**
le nouveau bureau	**les** nouveau**x** bureau**x**
la nouvelle collègue	**les** nouvelle**s** collègue**s**

名词和形容词的复数形式

- 大部分名词和形容词单数变复数时在词尾加-s，如：
  les belle**s** fleur**s**，les bon**s** copain**s**
- 如果名词和形容词的单数以-s或-x结尾，变复数时词形不变，如：
  des Chinois heureux
- 如果名词和形容词的单数以-eau结尾，变复数时在词尾加-x，如：
  de beau**x** cadeau**x**
- 如果名词和形容词的单数以-al结尾，变复数时-al变为-aux，如：
  des journ**aux** internation**aux**

以后还会学到其他规则。

! 形容词要与它所修饰的名词进行性数（阴阳性和单复数）配合。

在口语中，由于词尾-s或-x不发音，名词的单复数一般是听辨不出来的。但它的冠词可以显示单复数信息。

! 冠词的复数不区分阴阳性：
des amis，des amies；les amis de Benoît，les amies de Benoît

感叹形容词 quel

Quel可以引导以名词为中心的感叹句。同其他形容词一样，quel要与它所修饰的名词进行性数配合。

	单数	复数
阳性	**Quel** beau bouquet!	**Quels** beaux bouquets!
阴性	**Quelle** jolie fleur!	**Quelles** jolies fleurs!

4. Ce sont des femmes ! 如果他们是女人?

Mettez les phrases au féminin. 把下列句子中的人物变成阴性，并对其修饰成分进行相应的变化。

1) C'est un beau garçon !
2) C'est le nouvel employé ?
3) Non, c'est le nouveau stagiaire.
4) C'est le nouveau secrétaire ?
5) Oui, il est gentil et sympa.
6) Et c'est un joli garçon !

5. C'est la fête ! 过节啦!

Complétez le dialogue. Utilisez, dans l'ordre : 补充对话。按顺序使用下列词语：

être – arriver – avoir – être – acheter – apporter – aimer.

– Nous ... en retard ?
– Mais non, on ..., nous aussi.
– Vous ... des fleurs ?
– Oui, elles ... dans ton bureau.
– Les hommes ... les boissons et nous, nous ... les gâteaux.
– Nous ... beaucoup les fêtes !

6. Il a ou il n'a pas ? 他有吗?

Interrogez votre voisin sur ce qu'il a ou ce qu'il n'a pas, sur ce qu'il aime ou ce qu'il n'aime pas. Inversez les rôles. 问问你的同桌他拥有什么、没有什么，喜欢什么、不喜欢什么。然后交换角色做练习。

Exemple : – Tu as de l'argent ?
– Non, je n'ai pas d'argent.

否定句“ne+动词+pas”

最常见的否定形式是把副词短语ne... pas置于被否定的动词的两边，如：

Il **ne** parle **pas** beaucoup.

! 当ne后面紧跟以元音字母或哑音h开头的动词时，ne要省音。例如：

Elle **n'est** pas méchante !

Je **n'habite** pas ici.

在口语中，否定副词ne经常被省略，但是pas必须保留。最典型的日常用语是：

Je sais pas !

Je comprends pas !

为了表达“零数量”这一概念，可以使用“ne+动词+pas de+名词”，如：

On **n'**offre **pas de** fleurs à un homme.

Sylvie **n'**a **pas de** frère.

Il **n'**y a **pas d'**étudiant dans la classe.

! 在下列情况下，相关名词前不能用de，因为否定的不是数量：

- 相关名词被定冠词或主有形容词所限定，如：
  Les hommes **n'**aiment **pas les** fleurs.
  Ce **n'**est **pas son** anniversaire.
- 相关名词不是动词的直接宾语，如：
  Madame Desport **n'**est **pas une** bonne cliente.

7. Décrivez vos collègues. 描写你的同事。

1) Décrivez vos nouveaux collègues de bureau comme dans l'exemple. Attention aux accords ! 模仿例句描写你办公室的新同事，注意形容词和名词的配合。

Exemple : Collègue – garçon – grand – timide.
☞ **Mon collègue est un grand garçon timide.**

a Secrétaire – femme – grand – jeune – joli.
b Patron – homme – âgé – sérieux.
c Comptable – femme – petit – charmant.
d Secrétaire – comptable – ami – bon – inséparable.
e Stagiaire – homme – jeune – nouveau – sympathique.

2) Quels adjectifs est-ce que vous placez avant le nom ? 哪些形容词应该放在名词的前面？

8. Quelles sont les formes du pluriel des verbes ? 动词复数人称的变位形式是什么？

Lisez les phrases puis répondez aux questions. 读下列句子，然后回答问题。

a J'écoute l'enregistrement.
b Tu parles français.
c Il/elle mange des gâteaux.
d Nous aimons le café.
e Vous achetez des fleurs.
f Ils/elles habitent à Paris.

1) Quelles terminaisons du verbe signalent les trois personnes du pluriel ?
2) Comment se prononce la 3e personne du pluriel ?
3) Quel est l'infinitif des verbes ?
4) Conjuguez le verbe *travailler* à toutes les personnes.

形容词的阴阳性和位置

形容词的阴阳性

阳性	阴性
joli	joli**e**
facile	facile
peti**t**	peti**te**
gran**d**	gran**de**
étrang**er**	étrang**ère**
b**eau**, b**el**	b**elle**
nouv**eau**, nouv**el**	nouv**elle**
sérieu**x**	sérieu**se**
b**on**	b**onne**

一般情况下，阳性形容词词尾加-e变成阴性。
如果阳性形容词：
- 以-e结尾，阴性形式不变；
- 以-er结尾，阴性形式变成-ère；
- 以-eau结尾，阴性形式变成-elle；
- 以-x结尾，阴性形式变成-se。

特殊情况：bon的阴性形式为bonne。

形容词的位置

形容词一般放在所修饰的名词后面，如：
une cliente difficile, un stagiaire patient
但某些常用的形容词（bon, mauvais, jeune, vieux, beau, joli, nouveau等）放在名词的前面，如：
un **beau** garçon
une **jolie** fleur
un **nouveau** locataire

! vieux, beau, nouveau在修饰以元音字母或哑音h开始的单数阳性名词时，词形发生变化。如：
un **nouvel** ami
un **bel** homme
un **vieil** homme

! 有一些形容词既可以放在名词前也可以放在名词后，但它们在这两种情况下的意思不同。如：
un homme grand（一个身材高大的人）
un grand homme（一位伟人）

动词变位：复数人称的直陈式现在时

动词être和avoir的复数人称的变位

être	avoir
Nous **sommes** en retard.	Nous **avons** un stagiaire.
Vous **êtes** étudiants.	Vous **avez** vingt ans.
Ils/elles **sont** jeunes.	Ils/elles **ont** des fleurs.

第一组动词的复数人称的变位

除特例外，第一组动词的三个复数人称变位分别以-ons，-ez和-ent结尾，如：

Nous arriv**ons**.

Vous travaill**ez**.

Ils/elles mang**ent** des gâteaux.

第一组动词中的几种特殊情况：

- 动词原形倒数第二个音节是元音字母e([ə])或é([e])时，在单数人称及第三人称复数变位时，词根的词形发生变化，e读[ɛ]。

	s'app**e**ler	ach**e**ter	préf**é**rer
[ɛ]	je m'appe**lle** tu t'appe**ll**es il/elle s'appe**ll**e	j'ach**è**te tu ach**è**tes il/elle ach**è**te	je préf**è**re tu préf**è**res il/elle préf**è**re
[ə]或[e]	nous nous appe**l**ons vous vous appe**l**ez	nous ach**e**tons vous ach**e**tez	nous préf**é**rons vous préf**é**rez
[ɛ]	ils/elles s'appe**ll**ent	ils/elles ach**è**tent	ils/elles préf**è**rent
同类动词	jeter	lever, emmener	répéter, espérer, s'inquiéter

- 为保持辅音字母发音的一致，以-cer或-ger结尾的动词在第一人称复数变位时分别变为：

ç + ons	**g** + **e** + ons
je commence	je mange
nous commen**çons**	nous man**geons**

泛指人称代词on对动词的特殊要求

代词on可代替各种人称在句中作主语，因此它有多种含义，需视上下文而定。但词义的单复数不影响动词的变位，on作主语时，谓语动词均按第三人称单数变化。如：

En France, **on aime** bien manger. = Les gens aiment manger.

Benoît et moi, **on travaille** à l'agence. = Nous travaillons à l'agence.

SONS ET LETTRES • singulier et pluriel

音与字母 • 单数与复数

1. Quel est le nom pluriel ? 哪一个是名词的复数形式?

Écoutez et dites quel est le nom au pluriel : le premier, le deuxième ou le troisième ? 听录音，并说出每组中的三个名词哪一个是复数?

2. Changez en affirmation. 改成肯定句。

Écoutez et transformez la question en affirmation. 听录音，把疑问句改成肯定句。

3. Singulier ou pluriel ? 单数还是复数?

Écoutez et dites si le groupe du verbe a un sens singulier (S), pluriel (P) ou les deux (S/P). Attention à la forme de politesse qui a un sens singulier. 听录音，说出动词是单数意义(S)、复数意义(P)，还是既有单数意义也有复数意义(S/P)。注意尊称形式的意义是单数。

COMMUNIQUEZ

语言交际

1. Visionnez les variations. 看录像，学习下列言语行为的不同表达方式。

拒绝与接受

“拒绝”与“接受”是两种发生频率很高的言语行为。你可能知道怎样表达“接受”，如：

1) – Un petit gâteau ? – **Oui, avec plaisir.**

2) – Un peu de café ? – **Oui, s'il vous plaît.**

如果你不想接受别人的提议，应该明确拒绝，但别忘了向对方致谢。有时还可加上一些解释使你的回答变得委婉一些。

3) – Un petit gâteau ? – **Non, merci, je n'ai pas faim.**

4) – Un petit gâteau ? – **Non, merci, je ne mange pas de gâteau.**

5) – Un peu de café ? – **Non, merci, je ne bois pas de café.**

赞美

恰到好处的赞美是人际交往中有效的润滑剂。尤其是当你去别人家做客时，不要忘了赞美女主人的厨艺或者她对家居布置的品位。就像影片中看到的一样：

1) Ils sont très bons, vos gâteaux.

2) J'aime beaucoup vos gâteaux.

3) Hum... Délicieux vos gâteaux.

4) Ils sont vraiment excellents, vos gâteaux.

Imaginez la conversation : vous acceptez ou vous refusez. Vous exprimez votre appréciation. Jouez la scène avec votre voisin(e). 看图并构想一个对话：你接受（或拒绝）同桌的提议。别忘了赞美！

2. Retenez l'essentiel.

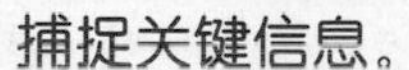

Écoutez la conversation et répondez. 听录音对话并回答下列问题。

1) Quelle est la date de l'anniversaire de sa femme ?
2) La fête a lieu où ? Pourquoi ?
3) Il invite combien de personnes ?

3. Conversations. 对话。

1) Écoutez les deux dialogues. Faites correspondre les dialogues avec les dessins. 找到与两段录音对话相对应的画面。

2) Choisissez l'une des situations, imaginez un dialogue avec votre voisin(e) et jouez la conversation à deux. 选择其中一个情景，与同桌做一个对话。

4. Jeu de rôles. 角色扮演。

Un ami téléphone et vous invite au mariage de sa fille. Vous acceptez l'invitation et vous demandez des précisions :
– nom du marié ;
– jour et heure ;
– adresse ;
– cadeau/fleurs...

一个朋友打电话来邀请你参加他女儿的婚礼。你接受邀请并询问下列信息：
—新郎的姓氏
—时间
—地点
—礼物/花……

Monsieur et Madame Lagrange
sont heureux de vous faire part
du mariage de leur fille
Mélanie Lagrange
avec
Fabrice Gonin.

La cérémonie nuptiale a lieu à
l'église Saint-Nicolas
le samedi 6 juin à 10 h 30.
25, avenue des Fleurs
92160 Antony

C'est la fête !

Bonjour, Père Noël. Nous sommes heureux de te revoir ! Pour Noël, la préparation de la crèche se fait en famille, avec les traditionnels santons de Provence… ou avec ces très belles figurines en cristal ! La famille prépare un grand repas de fête, autour du feu de cheminée.

À la Chandeleur, tout le monde fait des crêpes. C'est une spécialité bretonne. Pour les plus habiles, c'est une joie de faire sauter les crêpes dans la poêle.

Mais la fête des fêtes, c'est le Carnaval. Sa Majesté Carnaval est à la tête de tous les défilés. À Nice, le thème change tous les ans. Cette année, le thème, c'est la musique et les musiciens. Des géants de papier de toutes les couleurs circulent jour et nuit dans la ville pendant deux semaines, pour la grande joie des petits et des grands.

Noël.

Le 14 Juillet.

1. Dans quel ordre ?

Dans quel ordre on voit :

a Sa Majesté Carnaval ;
b le Père Noël ;
c des crêpes ;
d des géants de papier ;
e des santons ?

2. Vrai ou faux ?

1) On décore la crèche de Noël avec des santons.
2) On ne fait pas de crêpes en Bretagne.
3) Le thème du carnaval de Nice est différent tous les ans.
4) On fait toujours un repas de fête pour le carnaval.
5) Le carnaval dure un mois à Nice.

3. Et dans votre pays ?

1) Est-ce qu'on fait des crêpes ?
2) Est-ce qu'on fête Noël ? Sinon, est-ce qu'il y a une fête comparable ?

FÊTES OFFICIELLES ET JOURS FÉRIÉS

- Le 1er janvier est le **jour de l'An**.
- **Pâques** est en mars ou avril.
- La **fête du Travail** est **le 1er Mai**.
- Le **8 Mai** est l'armistice de la seconde guerre mondiale.
- Le **jeudi de l'Ascension** est un jour de fête religieuse.
- La **Pentecôte** est aussi une fête religieuse. Elle a lieu le septième dimanche après Pâques.
- Le **14 Juillet** est le jour de la fête nationale.
- Le **15 août** est aussi une fête religieuse : c'est la sainte Marie.
- La **Toussaint** est la fête de tous les saints. Elle a lieu le 1er novembre.
- Le **11 novembre** est l'armistice de la guerre 1914-1918.
- **Noël** est le 25 décembre. C'est la dernière fête de l'année. On offre des cadeaux. On décore un arbre de Noël pour les enfants.

On ne travaille pas ces jours-là. Ce sont des **jours fériés**.

- Depuis 1982, **la fête de** la **Musique** a lieu tous les 21 juin. Dans toute la France, des groupes de musiciens jouent de la musique dans les rues : c'est une grande fête populaire.

La fête de la Musique.

DOSSIER 3

ÉPISODE 5

C'EST POUR UNE ENQUÊTE

您好，问卷调查！

ÉPISODE 6

ON FÊTE NOS CRÉATIONS

庆祝我们的新款设计

VOUS ALLEZ APPRENDRE À :

- demander et donner des informations personnelles
- dire ce que vous faites ou ce que d'autres font
- demander et dire d'où on vient
- demander et dire la nationalité
- décrire une personne et la désigner
- exprimer des goûts et des préférences
- demander et donner des raisons

VOUS ALLEZ UTILISER :

- le verbe *faire*, substitut d'autres verbes
- les verbes *aller, lire* et *dire*
- des verbes terminés en *-ir* à l'infinitif
- les prépositions *en, à* et *de* + noms de pays
- les contractions de *à* et *de* + article défini : *au, aux, du, des*
- les adjectifs possessifs aux six personnes
- les adjectifs de nationalité
- *depuis* + expression de temps pour exprimer la durée

本单元中，你将学会：

- 交流个人信息
- 谈论工作和日常事务
- 询问和表达"来自何处"
- 询问和表达国籍
- 描写和指称某人
- 表达喜好
- 询问和表达原因

你将使用：

- 多义动词 *faire*
- 动词 *aller*，*lire*和 *dire*
- 以*-ir*结尾的第二组动词的直陈式现在时的变位形式
- 国名前的介词 *en*，*à*，*de*
- 缩合冠词 *au*，*aux*，*du*，*des*
- 主有形容词
- 国籍形容词
- 介词 *depuis*表达动作持续时间

C'EST POUR UNE ENQUÊTE

您好，问卷调查！

Découvrez les situations 情景学习

1. Qu'est-ce qu'ils font ? 他们在做什么?

Mettez ensemble les phrases et les dessins.
给下面每幅图找到与其对应的句子。

a

b

c

d

1) Il fait la cuisine.
2) Elle joue du violon.
3) Ils vont au cinéma.
4) Il fait son jardin.

2. Interprétez les photos. 看剧照回答问题。

1) Où sont les deux jeunes femmes ?
2) Qu'est-ce qu'elles font ?
a Elles parlent à des gens. **b** Elles attendent un taxi.
3) Qu'est-ce qu'elles ont à la main ?
a Un livre. **b** Un journal. **c** Un questionnaire.

3. Faites des hypothèses. 对剧情作假设。

Visionnez l'épisode sans le son et répondez.
关掉声音看影片，并回答下列问题。

1) Julie et Claudia arrêtent des gens dans la rue pour :
a demander l'identité des gens ;
b faire une enquête.
2) Qui répond à l'enquête ? Qui refuse ?
3) Qui est efficace ? **a** Julie. **b** Claudia.

Julie et Claudia font une enquête[1] dans la rue. Une femme passe.

Julie	Excusez-moi, Madame, vous avez cinq minutes ? C'est pour une enquête.
La femme	Qu'est-ce que vous dites ? Vous faites une enquête ? Sur quoi ?
Julie	Sur les activités préférées des Français. Qu'est-ce que vous faites pendant le week-end ?
La femme	Je lis, je regarde la télévision, j'écoute et je joue de la musique. Mais excusez-moi, je suis pressée.

La femme part. Julie est découragée.

Julie	Ce n'est pas facile ! Tu fais des enquêtes tous les jours ?
Claudia	Non. Seulement quand je ne vais pas à la fac.
Julie	Tu fais quoi, comme études ?
Claudia	Je fais du droit.

Claudia voit deux jeunes femmes.

Claudia	(à Julie) Regarde les deux jeunes femmes. Elles ont l'air sympa.

Claudia	(aux jeunes femmes) Excusez-moi, Mesdames, vous faites sûrement des choses passionnantes pendant le week-end ?

Les deux jeunes femmes hésitent à répondre.

La 1re femme	Oui, enfin... je fais du sport.
Claudia	Quel sport est-ce que vous faites ?
La 1re femme	Je joue au tennis, je marche et nous faisons du vélo, mon mari, les enfants et moi.

Claudia parle à la deuxième jeune femme.

Claudia	Et vous, Madame, vous faites aussi du sport ?
La 2e femme	Oh non ! Mon mari fait du judo, mais, moi, je n'aime pas le sport. Je vais au cinéma et je fais de la photo. Mais pourquoi vous posez toutes ces questions ? C'est un jeu ? Vous donnez des places de cinéma ?
Claudia	Non, je ne donne rien. Je fais une enquête.
La 2e femme	Oh, c'est pour une enquête ! Je suis désolée mais je n'ai pas le temps.

Claudia se tourne vers la première jeune femme.

Claudia	Et vous, Madame, vous avez cinq minutes ?
La femme	D'accord. Mais, cinq minutes, hein...
Claudia	Vous faites du sport et qu'est-ce que vous faites d'autre ?
La femme	Je lis, je vais au cinéma et au théâtre, je visite des musées et je fais des courses, aussi.
Claudia	Et votre mari, il a d'autres activités ? Il lit ? Il va au cinéma ?
La femme	Non, il ne lit pas beaucoup mais nous allons souvent à la campagne et il adore faire son jardin.
Claudia	Et vos enfants, qu'est-ce qu'ils font ?
La femme	Du vélo, mais ils préfèrent la musique. Le premier joue du piano. Le deuxième fait de la guitare. Ils lisent beaucoup, ils vont au cinéma et ils adorent les jeux vidéo.
Claudia	Voilà, c'est tout. Merci beaucoup, Madame.
La femme	Très bien. Bon courage, Mademoiselle !
Claudia	Merci.

La passante part. Julie s'approche de Claudia. Elle a l'air admiratif.

Julie	Tu es vraiment efficace ! Tu fais des enquêtes depuis quand ?
Claudia	Depuis quelques mois. Mais ne te décourage pas ! On apprend vite.

Un peu plus tard. Julie aborde un jeune homme.

Julie	Bonjour, Monsieur. Vous faites sûrement des choses passionnantes le week-end ?
Le jeune homme	Euh, oui... enfin... je lis, je visite des expositions, j'invite des amis à la maison, j'aime beaucoup faire la cuisine...
Julie	Vous faites du sport ?
Le jeune homme	Un peu. Je marche et je fais de la natation. Mais pourquoi toutes ces questions ? C'est pour une invitation ?
Julie	Non, c'est pour une enquête. Vous avez cinq minutes ?
Le jeune homme	Avec vous ? Mais oui.

NOTES 课文注释

1 在法国，尤其是在巴黎这样的大城市，在街上被人拦住回答问题是常有的事。受国家机构或私人企业的委托，SOFRES（Société Française d'Enquêtes par Sondage，法国民意测验调查所）等调查公司经常雇用学生和待业人员做各种问卷调查，涉及的内容非常广泛：日常生活、购物方式、重大问题民意调查等等。由于大多数人都不愿意花费自己的时间来回答问卷，这种调查实际上是一项难度相当大的工作。因此，为了吸引人们，有时调查人员会赠送电影票之类的小礼品，但更多的时候他们只能通过微笑和个人魅力来完成任务。

VOCABULAIRE 词汇表

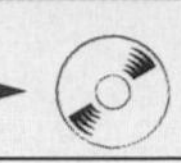

***aborder**	*v.t.* 靠近某人与其攀谈
activité	*n.f.* 活动
***admiratif, ve**	*adj.* 仰慕的，钦佩的
aller	*v.i.* 去（变位见本课“语法学习”）
apprendre	*v.t.* 学习（il/on apprend）
***(s')approcher**	*v.pr.*（+ de）走近，靠近
campagne	*n.f.* 乡村
chose	*n.f.* 东西，事物
cinéma	*n.m.* 电影；电影院
courage	*n.m.* 勇气
Bon courage !	加油！
cours	*n.m.* 课
course	*n.f.* 购物
faire des courses	购物
cuisine	*n.f.* 烹饪
faire la cuisine	做饭，做菜
(se)décourager	*v. pr.* 泄气
depuis	*prép.* 自从……以来
désolé, e	*adj.* 感到抱歉的
deuxième	*adj.num.* 第二
dire	*v.t.* 说（变位见本课“语法学习”）
donner	*v.t.* 给予
droit	*n.m.* 法律
efficace	*adj.* 有效率的，起作用的
enfant	*n.* 孩子
enquête	*n.f.* 调查
études	*n.f.pl.* 学业
étudier	*v.t.* 学习（一门专业），研究
exposition	*n.f.* 展览
fac	*n.f.* 学院，大学（faculté的缩写，用于口语）
facile	*adj.* 简单的，容易的
faire	*v.t.* 做（变位见本课“语法学习”）
guitare	*n.f.* 吉它
invitation	*n.f.* 邀请
inviter	*v.t.* 邀请
jardin	*n.m.* 花园
jeu	*n.m.*（*pl.* ~x）游戏
jeu vidéo	电子游戏
jouer	*v.i.* 玩
jouer à	做（体育运动）
jouer de	弹奏（乐器）
jour	*n.m.* 天，白天
tous les jours	每天
judo	*n.m.* 柔道
lire	*v.t.* 读书（变位见本课“语法学习”）
marcher	*v.i.* 行走
mari	*n.m.* 丈夫
minute	*n.f.* 分钟
mois	*n.m.* 月
musée	*n.m.* 博物馆
musique	*n.f.* 音乐
natation	*n.f.* 游泳
part	*n.f.* 份儿，部分
à part	*loc.prép.* 除了……之外
***passant, e**	*n.* 路人
***passer**	*v.i.* 经过
passionnant, e	*adj.* 动人的，热烈的，极有趣的
peinture	*n.f.* 绘画
pendant	*prép.* 在……期间
photo	*n.f.* 照片，摄影
piano	*n.m.* 钢琴
place	*n.f.* 座位
préféré, e	*adj.* 最喜欢的
quelque	*adj.indéf.* 几个
répondre	*v.t.* 回答
seulement	*adv.* 仅仅，只有
souvent	*adv.* 经常
sport	*n.m.* 体育，运动
sur	*prép.* 关于
télévision	*n.f.* 电视
tennis	*n.m.* 网球
théâtre	*n.m.* 话剧，戏剧；剧院
vélo	*n.m.* 自行车
violon	*n.m.* 小提琴
vite	*adv.* 快速地
week-end	*n.m.* 周末

ORGANISER VOTRE COMPRÉHENSION

剧情理解

Observez l'action et les répliques

观察剧情和人物对话

1. Dans quel ordre ont lieu ces événements ? 这些事件发生的先后顺序是什么?

Visionnez l'épisode avec le son et mettez les événements suivants dans l'ordre du film.
观看影片并给下列事件排序。

- **a** Claudia pose des questions à deux jeunes femmes.
- **b** Julie arrête une femme dans la rue.
- **c** Julie aborde un homme.
- **d** Julie, un peu découragée, parle à Claudia.
- **e** La femme donne une excuse et refuse de répondre.
- **f** Une des deux femmes répond. L'autre refuse, s'excuse et part.

2. Qu'est-ce qu'elle fait ? 她做些什么?

Quelles sont les activités de la dernière jeune femme, de son mari et de ses enfants pendant le week-end ? 最后接受调查的那位女士周末都做些什么? 她的丈夫和孩子们呢?

- **1)** Faire la cuisine.
- **2)** Faire de la photo.
- **3)** Visiter des musées.
- **4)** Jouer au tennis.
- **5)** Faire des courses.
- **6)** Faire du vélo.
- **7)** Inviter des amis.
- **8)** Jouer du piano.
- **9)** Écouter de la musique.
- **10)** Faire le jardin.
- **11)** Aller au théâtre.
- **12)** Faire de la guitare.

3. Qu'est-ce qu'ils répondent ? 他们是如何回答的?

Retrouvez les réponses des personnages aux questions suivantes. 剧中人物分别是怎样回答下面这几个问题的?

- **1)** Tu fais quoi, comme études ?
- **2)** Vous donnez des places de cinéma ?
- **3)** Et vous, Madame, vous avez cinq minutes ?
- **4)** Et vos enfants, qu'est-ce qu'ils font ?
- **5)** Tu fais des enquêtes depuis quand ?

Observez les comportements

观察人物行为

4. Quelle est leur attitude ? 他们的态度是怎样的?

Choisissez la bonne réponse. 选择正确的形容词。

1) Julie est :
a découragée ;
b très contente.

2) La dame est :
a heureuse ;
b déçue.

3) Julie est :
a admirative ;
b inquiète.

4) Le jeune homme est :
a aimable ;
b agressif.

5. Qu'est-ce qu'on dit ? 这时候该怎么说?

Mettez ensemble l'acte de parole et sa fonction. Qu'est-ce qu'on dit...
找出与每个交际功能相对应的言语行为。

- **1)** pour entrer en conversation avec quelqu'un ?
- **2)** pour s'excuser de ne pas répondre à une question ?
- **3)** pour accepter de répondre ?
- **4)** pour demander quelles sont les activités de quelqu'un ?
- **5)** pour remercier quelqu'un ?

- **a** D'accord, mais cinq minutes, hein.
- **b** Qu'est-ce que vous faites pendant le week-end ?
- **c** Merci beaucoup, Madame.
- **d** Excusez-moi, Madame, vous avez cinq minutes ?
- **e** Je suis désolé(e), mais je n'ai pas le temps.

DÉCOUVREZ LA GRAMMAIRE
语法学习

1. Et vous ? 您呢?

Répondez aux questions suivantes.
回答下列问题。

1) Qu'est-ce que vous faites en ce moment ?
2) Qu'est-ce que vous faites dans la vie ?
3) Qui fait la cuisine chez vous ?
4) Qu'est-ce que vos ami(e)s font le dimanche ?
5) Qu'est-ce que vos ami(e)s et vous faites pour les anniversaires ?

2. Chacun ses goûts. 各有所好。

Trouvez la question. 为下面的回答找到相应的问题。

> ***Exemple :*** Nous, nous jouons de la guitare.
> ☞ **Nous, nous faisons du violon et vous, qu'est-ce que vous faites ?**

1) Eux, ils font de la photo.
2) Moi, je fais du violon.
3) Elles, elles font du sport.
4) Elle, elle écoute de la musique.
5) Nous, nous faisons du VTT (= vélo tout terrain).

3. Depuis quand ? 多长时间了?

Posez des questions à votre voisin(e). 模仿例句向你的同桌提问。

> ***Exemple :*** – Depuis quand est-ce que Claudia fait des enquêtes ?
> ☞ **– Claudia fait des enquêtes depuis quelques mois.**

动词 faire

Faire 的直陈式现在时变位

Je **fais** du sport.
Tu **fais** de la musique.
Il/elle **fait** de la gymnastique.
Nous **faisons** les courses.
Vous **faites** du piano.
Ils/elles **font** la cuisine.

! nous f**ai**sons [ə]

Faire 的用法

faire 与一部分名词一起使用表示从事某种活动：
- faire + de + 体育项目：faire du tennis, faire de la natation
- faire + de + 乐器：faire du violon, faire du piano
- faire + 家务：faire les courses, faire la cuisine

（du, de la 为缩合冠词，见本课相关语法板块）

用faire 可以对“做什么”进行提问。但根据不同的语境，问题的具体所指可以是：
- 职业
  – Qu'est-ce que vous faites dans la vie ?
  – Je suis ingénieur.
- 正在做的某一件事情
  – Qu'est-ce que vous faites maintenant ?
  – Je lis le journal.
- 习惯性的活动
  – Qu'est-ce que vous faites habituellement ?
  – Je vais à la campagne tous les dimanches.

4. À quoi ou de quoi est-ce qu'ils jouent ? 他们在“玩”什么?

1) Regardez les dessins et dites à quoi ou de quoi ils jouent. 看图，说出画面中的人物在演奏什么乐器或在做什么体育运动。

Exemple : Il joue de la batterie. ☞

a

b

c

d

e

2) Demandez à votre voisin(e) de quoi ou à quoi il/elle joue. 问问你的同桌演奏什么乐器或做什么体育运动。

动词 jouer

像faire一样，jouer也可以用来表达进行体育运动或演奏乐器，但构成稍有差异。

- 表达从事某项体育运动时，应该用jouer à，如：
  jouer **à** un jeu, jouer **à** la balle,
  jouer **au** football, jouer **au** basket
- 表达演奏乐器时，则用 jouer de，如：
  jouer **du** violon, jouer **de la** guitare

缩合冠词（articles contractés）

- 介词 à 和 de 遇到定冠词中的 le和 les时要与后者缩合。

à + le = **au**	de + le = **du**
à + les = **aux**	de + les = **des**
jouer **aux** échecs	faire **du** sport

- 如果定冠词是la或l'，则不发生变化，如：
  faire **de la** gymnastique,
  jouer **de l'**accordéon

5. Qu'est-ce qu'ils font d'autre ? 他们还做什么？

Répondez comme dans l'exemple. 模仿例句回答问题。

> ***Exemple :*** Vous allez au théâtre ? (le concert)
> ☞ **Oui, et nous allons aussi au concert.**

1) Ils vont à la campagne ? (le parc)
2) Elles jouent de la guitare ? (le piano)
3) Tu fais de la danse ? (le judo)
4) Vous jouez au tennis ? (les jeux vidéo)
5) Elle fait des études ? (des enquêtes)

6. Conversation. 对话。

Écoutez et complétez le dialogue avec les verbes : 听录音并用下列动词的适当形式填空：
faire – dire – lire – aller – travailler.

– Qu'est-ce que vous … ?
– Je … un roman.
– Pardon ? Qu'est-ce que vous … ?
– Je … que je … un roman.
– Ah, vous … . Vous n'… pas au bureau aujourd'hui ?
– Non, je ne … pas le samedi.
– Et vos enfants, qu'est-ce qu'ils … ?
– Le grand … à la piscine et le petit … à la maison.

7. Qu'est-ce qu'ils aiment ? Où est-ce qu'ils vont ? 他们喜欢什么？他们去哪儿？

> ***Exemple :*** Vous aimez la mer, vous ?
> ☞ **Oui, nous allons à la mer.**

1) Tu aimes la montagne, toi ?
2) Ils aiment le cinéma, eux ?
3) Vous aimez le théâtre, vous ?
4) Elles aiment la mer, elles ?
5) Il aime les concerts, lui ?

不规则动词 aller、lire和dire

aller

je **vais**	nous **allons**
tu **vas**	vous **allez**
il/elle **va**	ils/elles **vont**

⇨ 比较avoir和aller的变位

lire

je **lis**	nous **lisons**
tu **lis**	vous **lisez**
il/elle **lit**	ils/elles **lisent**

dire

je **dis**	nous **disons**
tu **dis**	vous **dites**
il/elle **dit**	ils/elles **disent**

SONS ET LETTRES

音与字母

1. Lisez et écoutez. 朗读，然后听录音。

1) Quel(s) sons est-ce que vous entendez entre les mots soulignés ? 你在划线的词语之间听到了什么音？

> *Exemple :* Ils ont des amis.
> ☞ **J'entends deux sons [z].**

a Elle fait des enquêtes.
b Quelles études est-ce que vous faites ?
c Elles ont des activités.
d Elle a un enfant.
e J'ai un ami.
f Oh, les beaux objets !

2) Quand est-ce qu'on fait la liaison entre deux mots ? 什么情况下两个词之间要联诵？

2. Lisez et écoutez. 朗读下列句子，然后听录音。

Quelles liaisons est-ce que vous entendez ? 你听到了哪些联诵？

1) Tu es italienne ?
2) Oui, je suis italienne et aussi un peu française.
3) Tu vas en Italie de temps en temps ?
4) Mais oui. Mes parents attendent mes visites.

联诵

在同一节奏组中，如果前一个词的词末是不发音的辅音字母，而后面一个词以元音字母或哑音 h开头，一般来说前一词的词末辅音字母要与后一词的词首元音合成一个音节，这种现象叫联诵。如：de**s** **é**tudes, je sui**s** **i**talien, u**n** **ho**mme。

! 连词et与它后面的词不联诵，如：mille et **une** nuits

! 肯定副词oui与它前面的词不联诵，如：Mais **oui**.

3. Un ou plusieurs ? 单数还是复数？

Écoutez et dites si vous entendez un sujet et un verbe au singulier (S) ou au pluriel (P). 听录音，说出你听到的主语和动词是单数还是复数。

COMMUNIQUEZ

语言交际

1. Visionnez les variations.
看录像，学习下列言语行为的不同表达方式。

1) Demandez des renseignements à votre voisin(e) : numéro de salle de cours, heure des cours... 向你的同桌询问上课的教室、上课时间，等等。

2) Écoutez et faites une réponse polie. Faites des réponses négatives et donnez chaque fois une excuse. 听录音，礼貌回答听到的问题。否定回答时，找个借口。

询问和提供信息

1) – Pardon, Madame, vous avez l'heure ?
– Oui, il est 5 heures 10.

2) – Excusez-moi. Où est la rue du Four, s'il vous plaît ?
– Désolée, je ne sais pas.

3) – Pardon, Madame, il y a une banque par ici ?
– Oui, là-bas.

拒绝并找个借口

1) Ah, c'est pour une enquête ! Je suis désolée, je n'ai pas le temps.
2) Excusez-moi, je suis en retard.
3) Non, vraiment, je suis très pressé.
4) Non, pas question.

2. Des magazines pour tous.
大家都来读杂志。

1) Écoutez les interviews et dites ce qu'ils font, aiment, ne font pas, n'aiment pas.

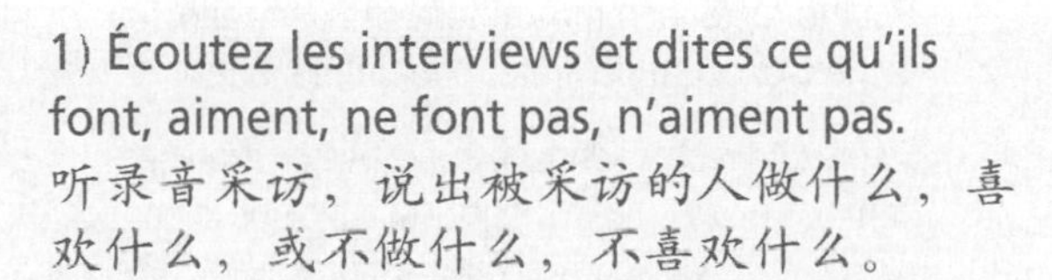

听录音采访，说出被采访的人做什么，喜欢什么，或不做什么，不喜欢什么。

2) Choisissez un magazine par personne interrogée. 替每一位被采访对象选择一本适合他（她）的杂志。

3. L'un aime, l'autre n'aime pas.
一人喜欢，另一人不喜欢。

Imaginez la rencontre de l'homme et de la femme, leur conversation sur leurs goûts et leurs préférences. Jouez la scène avec votre voisin(e). 想象画面中的这对男女相遇的情景，以及他们谈论个人喜好的对话。与你的同桌一起表演。

Elle fait de la peinture, de la sculpture, de la photo, de la musique…

Il fait du ski, de la moto, du tennis, de la marche. Il regarde la télévision…

4. Retenez l'essentiel.
捕捉关键信息。

Écoutez et répondez. 听录音，然后回答问题。

1) Pourquoi est-ce que Sophie est fatiguée le mercredi ?
2) Qu'est-ce que Michel fait pour aider sa femme ?
3) Pourquoi est-ce que Catherine téléphone à Sophie ?

5. Et dans votre pays ? 在你的国家呢？

Regardez le tableau d'activités des Français. Discutez en groupes pour comparer les activités des Français avec les activités de vos compatriotes. 仔细阅读下面有关法国人娱乐活动的调查表。分组讨论并比较法国人和中国人在娱乐活动方面的异同。

LES ACTIVITÉS DES FRANÇAIS

80 %	des Français regardent la télévision tous les jours.
68 %	des Français ont une activité sportive régulière.
53,4 %	des Français lisent régulièrement un quotidien.
49 %	des Français vont au moins une fois par an au cinéma.
12 %	des Français vont au moins une fois par an au théâtre.
25 %	des Français écoutent des disques ou des cassettes tous les jours.
47 %	des Français pratiquent une activité artistique à un moment de leur vie : musique, théâtre, danse, arts plastiques, écriture…
80 %	des hommes bricolent.
50 %	des Français jardinent.

Gérard Mermet, *Francoscopie*, 1997,
© Larousse-Bordas, 1996

ÉCRIT — Repérer des informations
笔语 —— 获取关键信息

Le couple et la famille 夫妇和家庭

Les Français se marient tard. Le premier mariage est à 27 ans en moyenne pour les femmes et à 29 ans pour les hommes. Et ils divorcent beaucoup. Mais la famille est la première valeur pour 94 % d'entre eux.
La majorité des couples a moins de deux enfants, ce qui n'est pas suffisant pour renouveler les générations. Déjà, un quart des Français a plus de 65 ans !

Beaucoup de femmes travaillent et apportent de l'argent au ménage. Le mari et la femme prennent les décisions importantes ensemble. Mais l'égalité n'existe pas encore pour les travaux domestiques…

1. Regroupez des mots du texte autour de la notion de famille. 阅读短文，从中找出属于家庭范畴的词汇。

2. Qu'est-ce que vous avez compris ? 你读懂了什么？

1) Quelle est la première valeur pour les Français ?
2) Quel est l'âge moyen pour un premier mariage ?
3) Combien d'enfants par couple sont nécessaires pour renouveler les générations ?
4) Y a-t-il beaucoup de personnes âgées en France ?
5) Qui prend les décisions dans le ménage ?

3. Lisez le sondage. 阅读调查表。

D'après le sondage, dites si l'affirmation est vraie ou fausse et corrigez. 根据调查表判断下列说法是否正确，并改正错误的说法。

1) Les hommes et les femmes transportent également les enfants.
2) D'après les femmes, 37 % des hommes font la cuisine.
3) D'après les femmes, les hommes n'habillent jamais les enfants.
4) Les hommes, en majorité, font le ménage.

4. Quel est le bon résumé ? 哪个简述是确切的？

Lisez les deux résumés ci-dessous. Quel résumé est-ce que vous choisissez ? Pourquoi ? 阅读下面两段简述。哪一段正确反映了表格里的内容？为什么？

1) Un récent sondage donne les résultats suivants. D'après les femmes, 48 % des hommes font les courses, mais les hommes disent qu'ils sont 54 %. Pour le reste, hommes et femmes partagent les tâches, excepté peut-être pour le ménage.

2) D'après un récent sondage sur la participation des hommes à la vie du ménage, il semble que le partage de quelques travaux domestiques est presque égalitaire, en particulier faire les courses, faire la vaisselle et transporter les enfants. Mais les femmes, en majorité, habillent les enfants, font la cuisine et le ménage.

LA PARTICIPATION DES HOMMES À LA VIE DU MÉNAGE

	Point de vue des femmes	Point de vue des hommes
Faire les courses	48 %	54 %
Faire la vaisselle	48 %	44 %
Transporter les enfants	49 %	49 %
Habiller les enfants	38 %	31 %
Faire la cuisine	37 %	27 %
Faire le ménage	35 %	24 %

5. Écriture. 写作。

Écrivez un court article pour un magazine présentant les tendances du couple et de la famille dans votre pays : 现在由你向一家杂志社投稿，写一篇短文从以下几方面介绍你所在国家的婚姻和家庭生活趋势：

– moyenne d'âge du mariage pour les femmes et pour les hommes ;
– nombre moyen d'enfants par couple ;
– importance de la famille ;
– travail des femmes ;
– participation des hommes à la vie du ménage.

La famille et la description de personnes

家庭成员和人物的外貌特征

1. Devinez. 猜一猜。

Exemple : Qui est le père de votre mère ?
☞ **C'est mon grand-père.**

1) Qui est la sœur de votre frère ?
2) Qui est la fille de votre oncle ?
3) Qui est le frère de votre cousine ?
4) Qui est la sœur de votre père ?
5) Qui est la fille de votre grand-mère ?

2. Comment sont-ils ? 他们长得什么样?

Décrivez les membres de la famille de Pierre.
描述一下Pierre一家人的外貌特征。

描写一个人的外貌

- 基本面貌特征：jeune/vieux (vieille), grand/petit, gros(se)/mince.
- 眼睛的颜色：bleus, verts, marron, noirs.
- 头发的颜色、长短和曲直：bruns, blonds, longs, courts, frisés.
- 其他：avec des lunettes, une moustache, une barbe.

3. Cherchez l'erreur. 找错。

Lisez les descriptions de ces deux personnes et trouvez une erreur dans chacune des descriptions. 阅读下面两个人物的外貌描写，每一段都有一处与画面不符，你能找到吗？

1) C'est un gros monsieur avec des lunettes. Il a les cheveux bruns, longs et frisés.

2) C'est une grande jeune femme mince. Elle a des cheveux blonds et courts.

Frontières

– Votre nom ?
– Nancy.
– D'où venez-vous ?
– Caroline.
– Où allez-vous ?
– Florence.
– Passez.

– Votre nom ?
– On m'appelle Rose de Picardie, Blanche de Castille, Violette de Parme ou Bleue de Méthylène.
– Vous êtes mariée ?
– Oui.
– Avec qui ?
– Avec Jaune d'Œuf.
– Passez.

ON FÊTE NOS CRÉATIONS

庆祝我们的新款设计

Découvrez les situations 情景学习

1. Interprétez les photos. 看剧照回答问题。

1) Julie attend devant :
a une station de métro ; **b** une station de taxis.

2) La scène se passe :
a le matin ; **b** le soir.

3) Les personnages sont :
a dans un bureau ; **b** dans un appartement ;
c dans une boutique.

2. Faites des hypothèses. 对剧情作假设。

Visionnez sans le son. 关掉声音看影片。

1) Qui sont les jeunes gens dans la boutique ?
a Des peintres. **b** Des photographes.
c Des artistes.

2) Qu'est-ce qu'ils fabriquent ?

3) Qu'est-ce qu'ils fêtent ?
a Leur nouvelle boutique-atelier.
b L'anniversaire d'un ami. **c** Un mariage.

3. Qu'est-ce que vous voyez ? 你看见了什么？

Dites si vous voyez les objets suivants. 说出你是否看到了下列物品。

❶ des bijoux

❷ un sac

❸ un foulard

❹ un chapeau

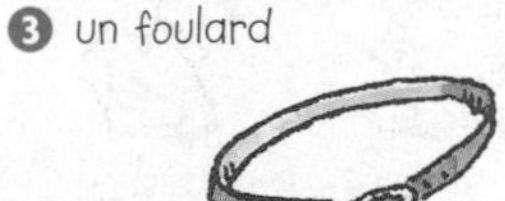
❺ une ceinture

❻ un chemisier

1

2

3

Julie attend. Claudia arrive en retard.

Claudia	Excuse-moi. Je suis en retard.
Julie	Ce n'est pas grave… Tu n'as pas de problèmes ?
Claudia	Non. Je viens de la fac. Créteil[1], c'est loin et je finis tard le mardi.

Elles partent ensemble. Elles discutent.

Julie	Excuse-moi, tu as un léger accent. Tu viens d'où ?
Claudia	Je viens d'Italie.
Julie	Tu es italienne ! Et tes parents habitent en France ?
Claudia	Non, en Italie, à Milan, mais ils viennent souvent à Paris. Et tes parents, ils habitent où ? à Paris ?
Julie	Non, ils habitent en banlieue. Ils ne sont pas parisiens. Ils viennent de Bretagne[2].
Claudia	Ah ! Et tu pars souvent en vacances en Bretagne ?
Julie	Oui, nous partons souvent. Mes parents ont une maison là-bas.
Claudia	Vous avez de la chance !

Elles s'arrêtent devant une boutique-atelier. Il y a une fête. Un jeune homme, Yves, est devant la porte.

Yves	Entrez. C'est la fête.
Claudia	Et qu'est-ce que vous fêtez ?
Yves	Tout, notre amitié, notre travail, nos œuvres…
Julie	Ah ! Vous êtes artiste ?
Yves	Non, moi je suis journaliste. Je m'appelle Yves. Et vous ?
Claudia et Julie	Claudia… Julie.

Claudia et Julie hésitent à entrer.

Yves	Alors, vous entrez ou vous sortez ?

Elles entrent.

Yves	Super ! Venez avec nous.
Claudia	Qu'est ce qu'ils font, vos amis ?
Yves	Vous voyez leurs œuvres. Ils créent des bijoux, fabriquent des sacs,des ceintures en cuir et ils décorent des foulards de soie…

Julie admire un foulard.

Julie	Il est très joli…
Yves	La créatrice aussi est jolie. C'est la jeune femme brune avec le chemisier rose. C'est ma sœur.
Julie	Ah ! Vous n'avez pas l'air d'être frère et sœur.

La jeune femme, Violaine, vient vers eux.

Yves	Violaine, voici Julie et Claudia, deux de tes admiratrices.
Violaine	Oh, merci !
Claudia	Vous travaillez tous ici ?
Violaine	Oui. Le grand brun, là-bas, avec la cravate, c'est François. Regardez ses bijoux.
Yves	Petite sœur, excuse-moi. Je dois partir, parce que j'ai un rendez-vous important.
Claudia	Vous partez déjà ?
Yves	C'est gentil de dire ça. À bientôt.

François s'approche du groupe.

François	Tu parles de moi, Violaine ?
Violaine	Non, je parle de tes créations.

François et Julie se regardent. Julie parle à Violaine et à François.

Julie	Vous vendez vos créations dans d'autres boutiques ?
François	Dans d'autres boutiques, je voudrais bien[3] !
Violaine	Moi aussi ! On cherche quelqu'un de sérieux[4] pour présenter nos créations.
Julie	Quelqu'un de sérieux ? Mais je suis sérieuse, moi. J'aime la vente et j'aime vos créations.
François	Vous êtes sérieuse. Vous aimez la vente. Vous aimez nos créations. Vous êtes charmante. Vous avez un très joli sourire. Vous présentez bien[5]… Vous commencez quand ?

NOTES 课文注释

1 Créteil : Université de Créteil，克雷岱依大学，又称巴黎第十二大学，位于巴黎东南部，乘八号地铁可以到达。
2 Bretagne : 布列塔尼大区，法国西部的一个地区，由四个省组成，即莫尔比昂省、北滨海省、菲尼斯泰尔省和伊勒-维莱讷省。布列塔尼的传统语言是布列塔尼语，但是这种语言正面临消亡。布列塔尼的特色食品有薄饼（crêpe）、黄油饼（galette）和苹果酒（cidre）等。
3 je voudrais bien : 我很想。Voudrais是动词vouloir（参见第11课）的条件式现在时，"je voudrais"是"je veux"的委婉说法。Bien在这里加强语气。
4 quelqu'un de sérieux : 一个认真的人。在"quelqu'un或quelque chose + de +形容词"的用法中，quelqu'un和quelque chose为泛指代词，后面的形容词永远用阳性单数形式，并由"de"引出。例如：Il a quelque chose d'important aujourd'hui. Je vois quelqu'un de sympa.
5 vous présentez bien : 您的形象不错。

VOCABULAIRE 词汇表

accent	*n.m.* 口音
admirateur, trice	*n.* 赞赏者，钦佩者
***admirer**	*v.t.* 赞赏，赞美
amitié	*n.f.* 友谊
argent	*n.m.* 钱
artiste	*n.* 艺术家
***atelier**	*n.m.* 工作室
***attendre**	*v.t.* 等待（il attend）
banlieue	*n.f.* 郊区
bijou	*n.m.* (*pl.* ~x) 首饰
blanc, che	*adj.* 白色的
bleu, e	*adj.* 蓝色的
blond, e	*adj.* 金黄色的
boutique	*n.f.* 店铺
brun, e	*adj.* 棕色的，褐色的
ceinture	*n.f.* 腰带
chance	*n.f.* 运气
avoir de la chance 有运气	
chemisier	*n.m.* 女式衬衣
commencer	*v.i.* 开始
cravate	*n.f.* 领带
créateur, trice	*n.* 设计者，设计师
création	*n.f.* 创造；作品
créer	*v.t.* 创作
cuir	*n.f.* 皮革
de	*prép.* 从
décorer	*v.t.* 装饰
devoir	*v.t.* 应当；不得不（je dois）
***discuter**	*v.t.* 讨论
en	*prép.*（+地点名词）在
fabriquer	*v.t.* 制造
fêter	*v.t.* 庆祝
finir	*v.i., v.t.* 结束，完成（变位见本课"语法学习"）
foulard	*n.m.* 方巾
frère	*n.m.* 兄弟
grave	*adj.* 严重的
Ce n'est pas grave. 没关系。	
important, e	*adj.* 重要的
léger, ère	*adj.* 轻微的
loin	*adv.* 远
manteau	*n.m.* (*pl.* ~x) 大衣，外套
noir, e	*adj.* 黑色的
œuvre	*n.f.* 作品
original, e	*adj.* (*pl.* originaux) 独特的
parce que	*loc.conj.* 因为
parents	*n.m.pl.* 父母
Parisien, ne	*n.* 巴黎人
parler	*v.t.ind.* (+ de) 谈论
partir	*v.i.* 出发，动身（tu pars, nous partons, vous partez）
pull	*n.m.* 套头毛衣
quelqu'un	*pron.indéf.* 某人；其中之一
rose	*adj.* 玫瑰红的
sac	*n.m.* 包，袋
sœur	*n.f.* 姐妹
soie	*n.f.* 丝绸
sortir	*v.i.* 出去（vous sortez）
sourire	*n.m.* 微笑
super	*interj.* 太棒了！
tard	*adv.* 晚
vacances	*n.f.pl.* 假期
vendre	*v.t.* 卖，销售（vous vendez）
venir	*v.i.* 来（变位见本课"语法学习"）
vente	*n.f.* 销售
verre	*n.m.* 玻璃杯

剧情理解

Observez l'action et les répliques
观察剧情和人物对话

1. Qui dit quoi ? 谁说了什么？

1) Créteil, c'est loin et je finis tard le mardi.
2) Et tes parents habitent en France ?
3) C'est la jeune femme brune avec le chemisier rose.
4) Le grand brun, là-bas, avec la cravate, c'est François.
5) Dans d'autres boutiques, je voudrais bien !

2. Quel événement vient avant l'autre ? 哪件事发生在前？

1) a Julie interroge Claudia sur ses origines et sa famille.
   b Claudia arrive en retard à leur rendez-vous.
2) a Yves, le journaliste, invite les deux jeunes femmes.
   b Yves montre les créations de sa sœur Violaine.
3) a Yves part. Il a un rendez-vous.
   b Yves présente les deux jeunes femmes à sa sœur.
4) a Julie propose de vendre les créations des artistes.
   b François lui demande quand elle commence.

3. Qu'est-ce qu'ils répondent ? 他们是怎么回答的？

Dites qui répond et ce qu'ils répondent. 说出谁回答的，回答了什么。

1) Tu viens d'où ?
2) Tu pars souvent en vacances en Bretagne ?
3) Qu'est-ce que vous fêtez ?
4) Vous partez déjà ?
5) On cherche quelqu'un de sérieux pour présenter nos créations.

Observez les comportements
观察人物行为

4. Quel est leur comportement ? 他们有什么样的行为举止？

Décrivez leurs attitudes, leurs gestes, leurs jeux de physionomie.
描写他们的态度、举止和表情。

1) Claudia...

2) Yves...

3) Violaine...

4) Julie...

5. Qu'est-ce qu'ils disent ? 他们说了什么？

Retrouvez les formules utilisées pour : 找出表达下列交际功能的语句：

1) s'excuser d'un retard ;
2) demander les origines de quelqu'un ;
3) décrire quelqu'un ;
4) exprimer une appréciation ;
5) prendre congé de quelqu'un (avant de partir).

DÉCOUVREZ LA GRAMMAIRE

语法学习

1. Quel est leur pays d'origine ? 他们来自哪个国家？

Exemple : D'où est-ce qu'ils viennent (Angleterre) ?
☞ **D'Angleterre. Ce sont des Anglais. Ils parlent anglais. Ils habitent à Londres.**

1) D'où est-ce que vous venez (Espagne) ?
2) Et elles, d'où est-ce qu'elles viennent (Grèce) ?
3) D'où est-ce qu'elle vient (Italie) ?
4) D'où est-ce que tu viens (Japon) ?

2. Informez-vous. 询问信息。

Demandez à votre voisin(e) d'où il/elle vient, où il/elle habite... et dites quel monument ou quel produit représente sa ville ou sa région. 询问你的同桌从哪里来、住在哪里，然后说出这些地方的名胜或特产。

3. Où est-ce qu'il va ? 他去哪儿？

Un homme va dans une agence de voyages pour préparer ses vacances. Complétez le dialogue avec des prépositions. 一位先生走进旅行社，为自己的出行做准备。在下面对话中填上适当的介词。

– Bonjour, Monsieur. J'ai un mois de vacances et j'ai quelques pays à visiter.
– Mais c'est parfait, Monsieur.
– Voilà. Mon frère habite ... Italie, ma sœur ... Allemagne et mes parents ... Portugal.
– Et vous voulez aller dans ces trois pays ?
– Oui. Mais, ce n'est pas fini. Ma fiancée vit ... Vienne. J'ai également très envie d'aller ... Prague. Et aussi ... Pays-Bas, si c'est possible, bien sûr.
– Et vous n'avez pas envie d'aller ... États-Unis ?
– ... États-Unis ? Pourquoi ? Vous avez des promotions ?

动词venir的直陈式现在时

动词 venir 直陈式现在时变位形式的词根有三种变化：

Je **vien**s souvent ici.
Tu viens avec moi ?
Il/elle vient chez nous.
Nous **ven**ons de Bretagne.
Vous venez de Paris ?
Ils/elles **vienn**ent visiter le pays.

动词tenir的变位形式相同：je **tien**s
nous **ten**ons
ils/elles **tienn**ent

地点名词前的介词——à, en, de

à 或 en + 地点名词，表示"在某地"
de + 地点名词，表示"从某地来"

En的用法
- en + 阴性国名，如：**en** Irlande
- en + 以元音开头的阳性单数国名，如：**en** Iran
- en + 各大洲名，如：**en** Europe, **en** Asie
- en + 地区名，如：**en** Bretagne, **en** Limousin

À的用法
- à + 城市名，如：**à** Athènes, **à** Dublin, **à** Tokyo
- au + 阳性单数国名，如：**au** Danemark
- aux + 复数国名，如：**aux** Etats-Unis, **aux** Pays-Bas

! 在以 **le** 和 **les** 引导的国名前，**à** 要与该冠词缩合。

De的用法
- de + 阴性国名，如：**d'**Irlande
- de + 以元音开头的阳性单数国名，如：**d'**Iran
- de + 各大洲名，如：**d'**Europe, **d'**Asie
- de + 地区名，如：**de** Bretagne, **de** Limousin
- de + 城市名，如：**d'**Athènes, **de** Dublin, **de** Tokyo
- du + 阳性单数国名，如：**du** Portugal, **du** Japon
- des + 复数国名，如：**des** États-Unis, **des** Pays-Bas

! 在以 **le**和 **les** 引导的国名前 **de** 要与该冠词缩合。

4. Quelle est la nationalité ? 他们的国籍是什么？

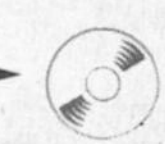

Écoutez et dites si l'adjectif est masculin (M), féminin (F), ou masculin et féminin (M-F).
听录音，说出听到的国籍形容词是阳性（M），是阴性（F），还是既是阳性，又是阴性（M–F）。

国籍形容词的阴性形式

一般情况下，在阳性形容词后面加 -e

- 阴性形式读音不变，如：espagnol(e)
- 阴性形式词尾辅音字母发音，如：
  suédois(e), irlandais(e), anglais(e), allemand(e), portugais(e)

如果阳性形容词

- 以 -e 结尾，阴性形式不变，如：
  belge, suisse, russe, tchèque, slovaque
- 以 -c 结尾，阴性形式直接加 -que，或变为 -que，如：
  grec - grecque, turc - turque
- 以 -ien 结尾，阴性形式变为 -ienne（注意阴性形式失去鼻化元音），如：
  italien(ne), norvégien(ne), autrichien(ne), brésilien(ne)
- 以-ain 结尾，阴性形式变为 -aine（注意阴性形式失去鼻化元音），如：
  américain(e), cubain(e)

! 国籍形容词第一个字母小写，如français、italien，但该国人的名词第一个字母要大写，如：un Français, un Italien。

5. Repérez les possessifs. 找出主有形容词。

Écoutez les messages téléphoniques et dites quels adjectifs possessifs vous entendez.
听电话留言录音，说出你听到了哪些主有形容词。

6. Ils n'ont rien ! 他们一无所有。

Julie interroge ses nouveaux amis. Jouez avec votre voisin(e).
Julie 在向新认识的朋友提问，和你的同桌表演他们的对话。

Exemple : Yves, les foulards sont à vous ?
☞ **– Yves, ce sont vos foulards ?**
– Non. Moi, je n'ai pas de foulards.

1) François, les photos sont à eux ?
2) Violaine, les meubles sont à vous ?
3) Claudia, les livres sont à toi ?
4) Yves, les bijoux sont à Violaine ?
5) François, les objets sont à vous ?

主有形容词（adjectifs possessifs）

主有形容词表达所属关系。在第2课中我们学习了“我的，你的，他（她，它）的”等主有形容词，下面是所有的主有形容词。

	阳性单数名词前	阴性单数名词前	复数名词前
我的	**mon** chien	**ma** chienne **mon** amie **mon** habitude	**mes** chiens, **mes** chiennes
你的	**ton** chien	**ta** chienne **ton** amie **ton** habitude	**tes** chiens, **tes** chiennes
他（她，它）的	**son** chien	**sa** chienne **son** amie **son** habitude	**ses** chiens, **ses** chiennes
我们的	**notre** voisin	**notre** voisine	**nos** voisins, **nos** voisines
你们（您）的	**votre** voisin	**votre** voisine	**vos** voisins, **vos** voisines
他（她，它）们的	**leur** voisin	**leur** voisine	**leurs** voisins, **leurs** voisines

! 以元音字母或哑音h开头的阴性单数名词前 **ma，ta，sa** 分别变为 **mon，ton，son**。

7. Vous commencez quand ? 你们什么时候开始?

Complétez le dialogue avec des formes de *finir, sortir, partir*.

用finir，sortir，partir等动词的正确形式填空。

– Tu … avec Valérie, aujourd'hui ?
– Non, elle … ses cours à 6 heures.
– Et toi, à quelle heure tu … ?
– Moi, je … à 5 heures.
– Et Valérie, qu'est-ce qu'elle fait après la fac ?
– Elle … avec des copains.
– Ben alors, Valérie et toi, vous … quand ensemble ?
– Nous … le samedi. Mais, pourquoi toutes ces questions ?
– Comme ça…

8. Conjugaison. 变位练习。

On dit : *je sors/nous sortons*. Donnez les six personnes du verbe sortir. 动词sortir 在je，nous后的变位形式为“je sors, nous sortons”，找出该动词其他人称的变位形式。

动词 finir 的直陈式现在时

Je **fini**s mes cours.	Nous **finiss**ons l'enquête.
Tu **fini**s ton travail.	Vous **finiss**ez ce livre.
Il/Elle **fini**t de parler.	Ils/Elles **finiss**ent ce soir.

? 在哪些人称的后面，动词finir的词根有变化？

SONS ET LETTRES • la liaison

音与字母 • 联诵

1. Lisez et écoutez. 朗读下列句子，然后听录音。

Dans quels cas est-ce qu'on fait la liaison ?
在哪些情况下有联诵？

1) Mais oui.
2) Il joue du violon et aussi de la guitare.
3) Entrons au café.
4) Vous avez un moment ?
5) Vous faites aussi du sport ?

2. Verbe, adjectif ou nom ? 动词、形容词，还是名词？

Écoutez et dites si c'est : un verbe à la 3e personne, un adjectif ou un nom. 听录音，说出你听到的是动词（V）、形容词（A），还是名词（N）。

3. Quelles liaisons entendez-vous ? 你听到了哪些联诵？

1) Écoutez les phrases suivantes. Citez les liaisons en [z], en [t] et en [n]. 听下面句子的录音，列出由[z]、[t]、[n]构成的联诵。

2) Lisez, puis écoutez l'enregistrement pour vérifier votre prononciation. 朗读下面的句子，然后听录音检查自己的发音是否准确。

a Mes amis ont un chien.
b Ton appartement est à Paris.
c Les artistes ont des amis.
d Tes nouveaux amis ont une boutique.
e Vous êtes un grand artiste.
f Les amis de nos amis sont nos amis.

COMMUNIQUEZ

语言交际

1. Visionnez les variations. 

看录像，学习下列言语行为的不同表达方式。

1) Exprimez des souhaits. 表达愿望。

Exemple : Aller dans un grand hôtel, je voudrais bien !

2) Imaginez les conversations. Jouez avec votre voisin(e). Variez les expressions utilisées. 看下面图片，构想两人之间的对话并与同桌一起表演。注意变换表达方式。

对他人的身体状况表示担心

1) – Tu n'as pas de problèmes ?
– Non, non, je viens de la fac.

2) – Ça ne va pas ?
– Si, si, tout va très bien.

3) – Ça ne va pas ?
– Pas très bien, non.

4) – Ça n'a pas l'air d'aller !
– Mais si, tout va bien.

5) – Ça n'a pas l'air d'aller !
– Non, j'ai des problèmes.

6) – Tu as des problèmes ?
– Non, pourquoi ?

7) – Tu as des problèmes ?
– Oui, ça va mal.

表达愿望

1) Dans d'autres boutiques, je voudrais bien !

2) Dans d'autres boutiques, ah, si c'était vrai !

3) Dans d'autres boutiques, on ne souhaite que ça !

4) Dans d'autres boutiques, on peut toujours rêver...

2. Retenez l'essentiel.

捕捉关键信息。

Écoutez le dialogue et dites comment l'homme et la femme décrivent l'homme recherché par la police. 听对话录音，说出他和她是如何描述警方寻找的人。

3. Décrivez l'acteur. 描述演员。

Vous êtes directeur de casting. Vous téléphonez au metteur en scène pour décrire les deux acteurs ci-contre (âge, description physique, vêtements). Jouez avec votre voisin(e). 你在制片公司负责挑选演员。现在给导演打电话，描述一下右边的两个演员，包括他们的年龄、外貌、服装等。与同桌一起表演打电话的情景。

4. Déclaration de perte. 挂失。

Vous descendez de l'avion et vous attendez votre valise dans la salle des bagages. La valise n'arrive pas ! Vous allez au bureau des réclamations. L'employé(e) demande votre nom, adresse, téléphone, le numéro de votre vol et la description de votre valise et de son contenu : nombre, taille, couleur des vêtements et des objets. 你下了飞机，来到行李提取大厅等待行李。但你的箱子居然没到！你来到了行李挂失处，那里的职员询问你的姓名、地址、电话和航班号，并要求你描述一下你的箱子和里面的物品：物品数量、大小、衣物的颜色等。

5. Qui est-ce ? 这是谁?

Jouez à deux. L'un choisit l'une des personnalités, l'autre pose des questions. 两人一组，一个扮演下面的一位知名人士，另一个向他(她)提问。

Exemple : – C'est un homme ou une femme ?
– Il est de quelle nationalité ?...
– Il/elle est grand(e), blond(e)...

✱ Yves Saint-Laurent
Date de naissance : le 1er août 1936 à Oran (Algérie).
Résidence principale : Paris.
Profession : dessinateur de modèles, couturier.
Œuvres : costumes de ballet et de films.
Expositions : New York, Pékin, Paris.

✱ Zinédine Zidane
Date de naissance : 1972 à Marseille.
Résidence principale : Turin, Italie.
Profession : footballeur.
1997 : joue à la Juventus de Turin.
1998 : champion du monde au Mondial.

. . . .

✱ Victoria Abril
Date de naissance : le 4 juillet 1959.
Résidence principale : Paris.
État civil : divorcée, 2 enfants.
Profession : danseuse, puis actrice.
A joué dans 80 films.

Artisanat et métiers d'art

Mais que fait cet homme ? Ah, c'est un horloger ! Il répare tous les mécanismes d'horloges

anciennes. Il travaille avec beaucoup de précision et utilise des outils très particuliers. Et devinez quel est son passe-temps favori ? Il fabrique des automates !

Il y a aussi des artisans plus modestes. Des centaines de vieux vélos attendent dans cet atelier. Dans cette petite entreprise, une vingtaine de jeunes réparent les vieux vélos. Ils apprennent ici le métier d'artisan mécanicien.

Observons maintenant le travail de ces artisans d'art. Nous sommes dans une cristallerie à Baccarat. Les maîtres verriers soufflent dans le verre en fusion, le tournent, le modèlent, le sculptent, créent des formes nouvelles. D'autres artistes inventent des modèles et colorent le cristal. On exporte ces magnifiques objets dans le monde entier pour le grand renom de la cristallerie française.

1. Qu'est-ce que vous avez vu ?

1) Quel est le passe-temps favori de l'horloger ?
   a Fabriquer des automates.
   b Faire des bijoux.
2) Quel objet est-ce que les souffleurs de verre sortent du four ?
   a Une bouteille.
   b Un vase.
3) En quelle matière sont les verres et les bouteilles sur la table ?
   a En verre.
   b En cristal.
   c En plastique.

2. Associez l'artisan et son travail.

1) L'horloger
2) Le mécanicien
3) Le maître-verrier

a colore le cristal.
b souffle le verre en fusion.
c utilise des outils de précision.
d répare des vélos.
e répare des mécanismes.

3. Et dans votre pays ?

1) Quels sont les artisanats typiques de votre pays ?
2) Quels produits d'artisanat est-ce que votre pays exporte ?

Une potière.

RÉPARTITION DES ENTREPRISES ARTISANALES

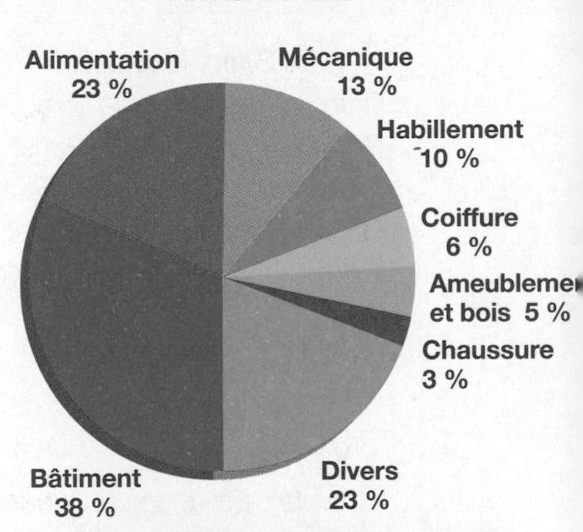

Un luthier.

DOSSIER 4

ÉPISODE 7

JOUR DE GRÈVE !

罢工日

ÉPISODE 8

AU CENTRE CULTUREL

在文化中心

VOUS ALLEZ APPRENDRE À :

- demander et donner des informations sur les transports
- demander et dire où on va
- exprimer la présence ou l'absence de quelqu'un ou de quelque chose
- attirer l'attention de quelqu'un
- exprimer des conditions
- exprimer des goûts
- parler d'événements passés
- parler d'événements proches ou d'intentions
- rassurer quelqu'un
- dire l'heure

VOUS ALLEZ UTILISER :

- *aller* + infinitif (futur proche)
- les verbes *mettre* et *prendre*
- *il y a* et *il n'y a pas de*
- la réponse *si* à une question à la forme négative
- *si* + proposition principale au présent
- le passé composé avec l'auxiliaire *avoir*
- des participes passés réguliers et irréguliers
- des adverbes de fréquence *(jamais, souvent, quelquefois, toujours)*
- l'interrogation indirecte

本单元中，你将学会：

- 询问与说明交通信息
- 询问和说明目的地
- 表达“有”与“没有”
- 引起别人的注意
- 表达条件
- 表达兴趣
- 谈论已发生的事件
- 谈论即将发生的事件和自己的意愿
- 使别人放心
- 表达时间

你将使用：

- 最近将来时：*aller* + 动词不定式
- 动词*mettre*和*prendre*
- 句型*il y a*，*il n'y a pas de*
- 用*si*回答否定形式的疑问句
- 条件从句：*si* + 直陈式现在时
- 用*avoir*作助动词的复合过去时
- 规则过去分词和不规则过去分词
- 频率副词：*jamais*，*souvent*，*quelquefois*，*toujours*
- 间接疑问句

JOUR DE GRÈVE !
罢工日

Découvrez les situations 情景学习

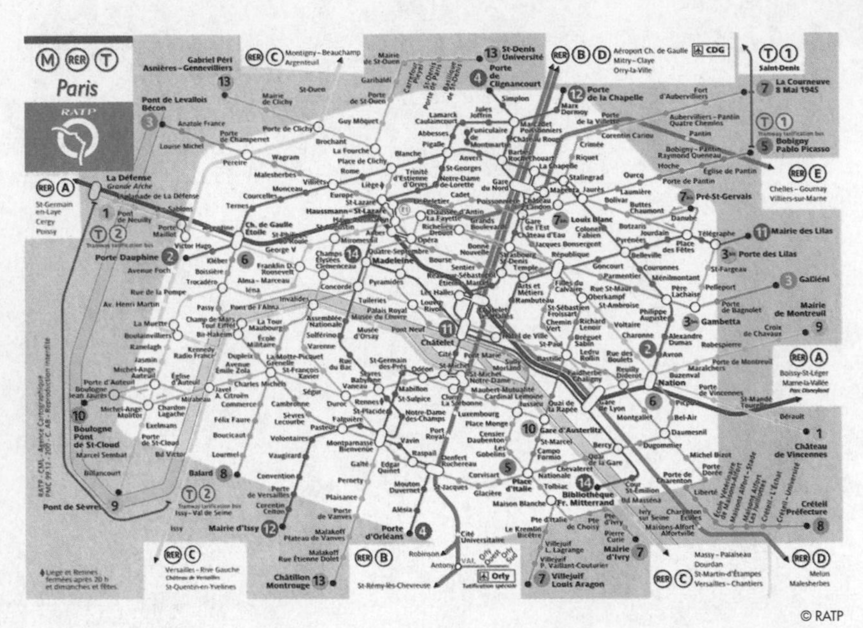

© RATP

1. Le métro parisien. 巴黎地铁。

Observez le plan et dites quelles sont les stations terminales des lignes 2, 3 et 13.
Nommez quelques stations de correspondance de ligne à ligne.
观察左边的地铁线路图，找出2号、3号和13号线的始发站和终点站。说出几个中转站的名字。

2. Faites des hypothèses. 对剧情作假设。

Visionnez le film sans le son. 关掉声音看影片。

1) Benoît écoute les informations à la radio. Qu'est-ce qu'il se passe ?
2) À qui appartient la moto ?
3) Pourquoi Pascal a-t-il besoin d'une moto ?
4) Qu'est-ce que Pascal va faire dans le centre culturel ?

1

2

3

Benoît, seul dans la cuisine, prend son petit-déjeuner. La radio annonce des perturbations dans les transports parisiens[1] à cause d'une grève générale[2].

La radio À la suite d'un mouvement de grève, les lignes 4, 6, 9 et 11 du métro sont fermées et on signale des perturbations importantes sur les autres lignes. Il n'y pas de trains sur les lignes A et B du RER. Si vous prenez votre voiture, attention aux embouteillages sur les périphériques. La circulation est complètement bloquée entre la porte de la Chapelle et la porte Maillot. Dans le centre de Paris, un autobus sur quatre[3] est en circulation. Si vous allez en banlieue, renseignez-vous au numéro vert 08 64 64 64 64.

Pascal, un peu endormi, entre dans la cuisine.

Pascal Qu'est-ce qui se passe ? Il est 6 heures et demie.

Benoît Tu entends les informations. Il n'y a pas de métro et très peu de bus. Tout est bloqué. Et comment je vais au bureau ? À pied !

ÉPISODE 

Pascal s'assoit.

Pascal	Grève des transports en commun. Et justement aujourd'hui. C'est bien ma chance !
Benoît	Dis donc, on parle de ces grèves depuis deux semaines. Lis les journaux ! Qu'est-ce que tu as de spécial à faire, aujourd'hui ?
Pascal	Je fais un remplacement dans un centre culturel… au Blanc-Mesnil[4].

Julie arrive en robe de chambre.

Julie	Salut !
Benoît et Pascal	Salut !
Julie	Hum, ça sent bon !

Elle verse une tasse de café. Les garçons n'ont pas l'air joyeux.

Julie	Vous en faites une tête ! Il y a un problème ?
Benoît	Un problème ! Il y a une grève générale des transports en commun. Je vais au bureau à pied.
Julie	À pied ! Tu mets combien de temps ?
Benoît	Je mets une heure, si je marche vite. Mais je ne sais pas comment Pascal va au Blanc-Mesnil.
Julie	Au Blanc-Mesnil ? C'est où, ça ?
Pascal	C'est loin, très loin… en plus, avec le temps qu'il fait[5] !
Julie	De quoi tu te plains, il fait beau ! Si c'est vraiment important, prends un taxi.
Benoît	Un taxi ! C'est trop cher. Elle est folle !
Julie	Oh, j'ai une idée… François… il a une petite moto.

François est sur le trottoir. Pascal est sur la moto de François.

François	Tu mets le casque[6], hein ?
Pascal	Oui, je mets le casque. Ne t'inquiète pas.

Pascal démarre et s'en va.

Un peu plus tard. Pascal arrive au centre culturel. Il laisse sa moto devant le centre et entre dans le bâtiment. Pascal traverse le hall. Il pose une question à un jeune.

Pascal	Salut ! Je cherche le directeur, M. Fernandez. Tu sais où est son bureau ?
Un jeune	C'est par là, au premier étage.

M. Fernandez est assis derrière le bureau. Pascal entre.

Pascal	Bonjour, Monsieur. Je viens de la part de l'agence pour l'emploi. Je suis Pascal Lefèvre.
M. Fernandez	Bonjour. Je suis content de vous voir.

M. Fernandez lui montre un porte-manteau.

M. Fernandez	Mettez votre manteau ici et asseyez-vous. Vous êtes à l'heure, bravo. Avec ces grèves…
Pascal	Oui, je suis en moto.
M. Fernandez	En moto ? Elle est devant le bâtiment ?
Pascal	Oui, pourquoi ? Il y a des risques de vol ?
M. Fernandez	Des risques, il y en a partout. Non, non, je plaisante. Il n'y a pas trop de problèmes ici.

NOTES 课文注释

1 巴黎公共交通方便快捷，地铁、RER和公交车构成了完善的公共交通网络。始建于1910年的巴黎地铁今日共有14条线路，覆盖了巴黎及其近郊区。RER，即巴黎大区快速铁路网，共有5条线路（A，B，C，D，E），是连接巴黎远郊和巴黎市的重要交通工具。在市区内，RER火车只在大站停车，到了郊区后又分成两个支线，变成了慢线。
2 爱罢工是法国人的特点之一。只要政府改革触及了某些人的利益，这些人就会以罢工来抗议。而交通部门的罢工经常会引起程度不同的交通瘫痪。本文介绍的就是人们对巴黎交通总罢工的反应，这时摩托车和通常用来锻炼的自行车都派上了用场。
3 un autobus sur quatre： 四辆公交车中有一辆。Sur在这里表示比例。
4 Blanc-Mesnil是位处巴黎周边的一个小镇，中低收入阶层在居民中的比率较高。
5 il fait： 无人称句式，表示天气状况，如下文的Il fait beau（天气晴朗）。
6 在法国骑摩托车必须戴头盔。

VOCABULAIRE 词汇表

***annoncer**	*v.t.*	报告，通报
(s')asseoir	*v.pr.*	坐下(vous vous asseyez)
attention	*n.f.*	注意，专心
autobus	*n.m.*	公共汽车(也称bus)
bâtiment	*n.m.*	建筑物
bloquer	*v.t.*	堵塞
casque	*n.m.*	头盔
***cause**	*n.f.*	原因
à cause de	*loc.prép.*	因为
centre	*n.m.*	中心
cher, ère	*adj.*	昂贵的
circulation	*n.f.*	交通
combien	*adv.*	多少
commun, e	*adj.*	公共的
complètement	*adv.*	完全地
content, e	*adj.*	高兴的
culturel, le	*adj.*	文化的
de la part de	*loc.prép.*	以……名义，代表
demi, e	*adj.*	一半的，半个的
devant	*prép.*	在……前面
directeur, trice	*n.*	经理
embouteillage	*n.m.*	交通堵塞
emploi	*n.m.*	职业，工作
en	*prép.*	乘……交通工具
entendre	*v.t.*	听见，听到
entre	*prép.*	在……之间
étage	*n.m.*	楼层
être à l'heure		准时，守时
fermer	*v.t.*	关闭
fou, folle	*adj.*	发疯的
***général, e**	*adj.*	(*pl.* généraux) 总的，全面的
grève	*n.f.*	罢工
information	*n.f.*	信息，消息
(s')inquiéter	*v.pr.*	为……担心
journal	*n.m.*	(*pl.* journaux) 报纸
justement	*adv.*	恰巧
ligne	*n.f.*	线路
métro	*n.m.*	地铁
mettre	*v.t.*	戴上，穿上；花（时间）
moto	*n.f.*	摩托车
mouvement	*n.m.*	运动
numéro vert		（电话）免费拨叫号码
par	*prép.*	从，经过
partout	*adv.*	到处
(se) passer	*v.pr.*	发生
périphérique	*n.m.*	环城大道，环城公路
perturbation	*n.f.*	干扰，混乱
***petit-déjeuner**	*n.m.*	早餐
peu	*adv.*	少，不多
pied	*n.m.*	脚
à pied	*loc.adv.*	步行，徒步
(se) plaindre	*v.pr.*	(+ de)抱怨
***porte-manteau**	*n.m.*	衣架
radio	*n.f.*	无线电广播电台；收音机
remplacement	*n.m.*	代替，替换
(se) renseigner	*v.pr.*	咨询
risque	*n.m.*	危险
***robe de chambre**		睡裙
savoir	*v.t.*	知道（je sais, tu sais）
sentir	*v.i.*	闻起来
si	*conj.*	如果
signaler	*v.t.*	指出，示意
spécial, e	*adj.*	(*pl.* spéciaux) 特别的
suite	*n.f.*	后续
à la suite de	*loc.prép.*	在……之后
taxi	*n.m.*	出租车
temps	*n.m.*	时间；天气
tête	*n.f.*	头；脸
en faire une tête		板着脸，赌气
train	*n.m.*	火车
transport	*n.m.*	交通运输
trop	*adv.*	太，过多地
voiture	*n.f.*	汽车，轿车
vol	*n.m.*	偷窃

剧情理解

Observez l'action et les répliques
观察剧情和人物对话

1. Qu'est-ce qu'on dit à la radio ? 广播里播放了什么？

Visionnez le début de l'épisode avec le son. Écoutez l'information donnée à la radio et répondez aux questions. 观看影片的开头部分，注意听广播中播放的消息，然后回答下列问题。

1) Quelles lignes du métro ne marchent pas ?
2) À quel numéro est-ce qu'on téléphone pour obtenir des renseignements ?
3) Où sont les principaux embouteillages ?
4) Combien d'autobus fonctionnent ?
5) Sur quelles lignes du RER n'y a-t-il pas de trains ?

2. Dans quel ordre？ 什么顺序？

Visionnez l'épisode entier avec le son et recomposez les phrases. Puis mettez les événements dans le bon ordre. 观看整个影片，给下列句子配对，并按事件发生顺序排列。

1) Pascal part
2) Pascal se présente
3) La radio donne des informations
4) Un jeune dit à Pascal
5) Julie, Benoît et Pascal prennent

a où se trouve le bureau du directeur.
b leur petit-déjeuner.
c sur la moto de François.
d sur la grève des transports.
e au directeur du centre.

3. Qui dit ces phrases ? 谁说了这些话？

Dites qui dit ces phrases : Pascal, Benoît, Julie, François ou M. Fernandez ? 下面的话分别是谁说的，Pascal，Julie，François，还是M. Fernandez？

1) Grève des transports en commun. Et justement aujourd'hui. C'est bien ma chance !
2) Hum, ça sent bon !
3) Vous en faites une tête ! Il y a un problème ?
4) Tu mets le casque, hein ?
5) Je vais au bureau à pied.
6) Je suis content de vous voir.

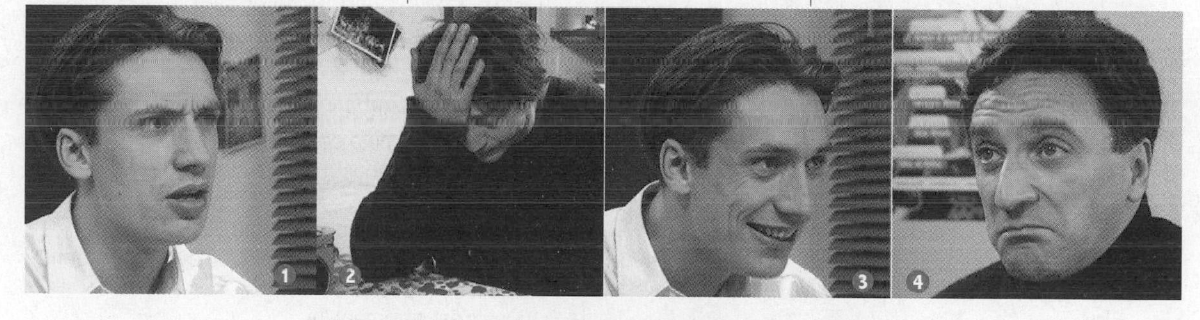

Observez les comportements
观察人物行为

4. Avez-vous remarqué ? 你注意到了吗？

1) Benoît fronce les sourcils, regarde Pascal en face. Son visage exprime :
   a de la curiosité ; **b** de l'indifférence.
2) Pascal lève les yeux au ciel, baisse la tête, ouvre la main. Il a l'air :
   a découragé ; **b** agressif.
3) L'attitude de Benoît montre :
   a qu'il est d'accord avec la proposition de Julie ;
   b qu'il trouve sa proposition stupide.
4) M. Fernandez exprime :
   a de l'étonnement ;
   b de l'amusement ;
   c de l'admiration.

5. Comment ils le disent ? 他们是如何表达的？

Trouvez dans les dialogues : 在对话中找出与下列交际功能相对应的表达方式。

1) deux demandes d'information ;
2) une façon de rassurer ;
3) l'expression d'une condition ;
4) une recommandation ;
5) une formule polie pour accueillir quelqu'un.

DÉCOUVREZ LA GRAMMAIRE

语法学习

1. Qu'est-ce qu'il y a ? Qu'est-ce qu'il n'y a pas ? 有什么？没有什么？

Dites ce qu'il y a et ce qu'il n'y a pas :
– dans la salle de classe ;
– dans l'appartement de Julie, Benoît et Pascal.
Jouez avec votre voisin(e).

与你的同桌一起说出在下面这些地方有什么，没有什么：
—在教室里；
—在Julie、Pascal和Benoît的套房里。

Exemple : – Dans la salle de classe, il y a des chaises.
– Oui, mais il n'y a pas de fauteuils.

Il y a, il n'y a pas

Il y a表达"有"，无人称变化，否定形式是il n'y a pas de。例如：
Il y a des taxis, mais **il n'y a pas de** bus.

问"有没有"：**Est-ce qu'il y a** des étudiants ?
Y a-t-il des étudiants ?

! Qu'est-ce qu'il y a ? 意为"发生了什么事"，相当于Qu'est-ce qui se passe ?。

2. Donnez l'heure ! 说明时间。

1) Observez ci-dessous la façon d'indiquer l'heure. 观察下面的时间表达法。

Il est...

2) Écoutez et notez les heures.
听录音并记下时间。

3. Que faire si...? 如果……，怎么办？

Complétez avec la forme correcte du verbe entre parenthèses. 用括号中动词的正确形式填空。

1) Si je n'arrive pas à l'heure, (attendre) jusqu'à 4 heures.
2) S'il y a grève des transports, (prendre) votre voiture.
3) Si tout est bloqué, ne (partir) pas.
4) S'il y a des embouteillages, (aller) au bureau à pied.
5) Si tu ne (mettre) pas ton casque, tu (prendre) des risques.
6) Si vous n' (entendre) pas, vous ne (comprendre) pas.

条件从句：si+直陈式现在时

Si（如果）引导条件从句，后面接直陈式现在时，主句可以用直陈式现在时或命令式现在时，如：
Si tu m'attends, je **pars** avec toi.
S'il fait beau, **va** au bureau à pied.

4. Elle prend sa moto. 她骑他的摩托车。

Complétez le dialogue avec : 用下列动词的正确形式填空：***attendre – mettre – entendre – prendre – apprendre.***

– Vous ... le métro aujourd'hui ?
– Non, je ... la moto de mon frère. Mais, j' ... son retour.
– Vous ... un casque, j'espère.
– Bien sûr.
– Vous n' ... pas à conduire une voiture ?
– Non, mon frère et moi, nous ... d'avoir de l'argent.
– Tiens, j' ... quelqu'un arriver.
– Oui, c'est sûrement lui.

5. Vous mettez combien de temps ? 你花多长时间？

Demandez à votre voisin(e) combien de temps il/elle met pour aller à son bureau, en ville, en banlieue, à la poste, à la banque, à la gare... à pied, en autobus, en métro, en taxi, en voiture.
问你的同桌步行、乘公共汽车、坐地铁、打出租车和开车分别用多长时间去办公室、城里、郊区、邮局、银行、火车站等地方。

Exemple : – Tu vas à ton bureau à pied le matin ?
– Non, je prends le métro.
– Combien de temps tu mets ?...

动词mettre和prendre的直陈式现在时

mettre	prendre
je **mets**	je **prends**
tu mets	tu prends
il/elle met	il/elle prend
nous **mett**ons	nous **pre**nons
vous mettez	vous prenez
ils/elles mettent	ils/elles **prenn**ent

? Mettre和prendre的直陈式现在时变位词根分别有几种形式?

Comprendre和apprendre的变位方式与prendre相同。

! Attendre和entendre的变位只有一种形式的词根:

attendre	entendre
j'**attend**s	j'**entend**s
tu attends	tu entends
il/elle attend	il/elle entend
nous attendons	nous entendons
vous attendez	vous entendez
ils/elles attendent	ils/elles entendent

6. Est-ce qu'ils savent ? 他们知道吗?

Demandez des renseignements à votre voisin(e). Utilisez *vous savez* dans votre demande. Votre voisin(e) invente le renseignement. 用"vous savez"向你的同桌提问。你的同桌可以自由回答。

Exemple : Quand est-ce que la grève commence ?
– Vous savez quand la grève commence ?
– Elle commence demain matin à 5 heures.

1) Est-ce qu'il y a des bus ?
2) Pourquoi est-ce que la circulation est bloquée ?
3) Où est-ce qu'on prend le bus ?
4) Comment est-ce qu'on va à la porte Maillot ?
5) Combien de temps est-ce qu'on met pour aller à la place de la Concorde ?
6) Comment est-ce qu'on se renseigne ?
7) Qu'est-ce qui se passe dans le centre ?
8) Est-ce que la grève est terminée ?

间接疑问句

引导间接疑问句的主句：Je me demande... , elle veut savoir... , vous savez...

引导间接疑问句的关联词：qui, ce que, ce qui, si, quand, où

Tu sais si le métro fonctionne ?

Je me demande quand il arrive.

! 下列疑问短语在间接疑问句中的变化：

- est-ce que → si
  Est-ce que la circulation est bloquée ?
  Il se demande si la circulation est bloquée.
- qu'est-ce que → ce que
  Qu'est-ce qu'il y a ?
  Elle veut savoir ce qu'il y a.
- qu'est-ce qui → ce qui
  Qu'est-ce qui se passe ?
  Vous savez ce qui se passe ?

SONS ET LETTRES
音与字母

连 音

前一个单词的词尾辅音或元音与后一个单词的词首元音连在一起读，这种现象叫做连音。

不说：Il // est grand.
而说：Il est grand.

不说：Il va // à Alger.
而说：Il va à Alger.

! 联诵只发生在同一节奏组内，而任意前后两个词之间都可能连音。

! 连音、联诵不以单词为界限，在两个单词之间进行。
不说pour // aller，而说pour aller。

1. On enchaîne. 连音。

Lisez, puis écoutez et répétez. 朗读下面的句子，然后听录音模仿。

1) Tu es à Angers avec elle ?
2) Il est toujours à l'heure.
3) Je mets une heure pour aller en ville.
4) Il y a une moto au garage.
5) Il y a déjà eu des problèmes ici ?

COMMUNIQUEZ
语言交际

1. Visionnez les variations. 看录像，学习下列言语行为的不同表达方式。

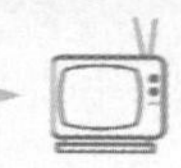

引起注意

1) Oh, j'ai une idée ! François… il a une petite moto.
2) Dis donc ! François… il a une petite moto.
3) Oh, mais j'y pense, François… il a une petite moto.
4) Tiens, je pense à quelque chose. François… il a une petite moto.

使他人放心

1) Non, non, je plaisante. Il n'y a pas trop de problèmes ici.
2) Ne vous inquiétez pas.
3) Ne vous en faites pas.
4) N'ayez pas peur.

1) Trouvez d'autres façons de rassurer quelqu'un. Pensez à des expressions plus simples. 找到其他使别人放心的表达方式，尽量使用简单的说法。

2) Avec quel(s) geste(s) est-ce que vous attirez l'attention de quelqu'un ? 你用什么动作引起别人的注意？

3) Avec votre voisin(e), créez et jouez des dialogues dans les situations suivantes : 与你的同桌一起表演下面两种情境对话：

a Un(e) de vos ami(e)s a des problèmes dans son travail et dans sa famille. Vous rassurez votre ami(e). Ce n'est qu'un mauvais moment à passer.
你的一个朋友在工作和家庭方面出现了问题。你安慰他（她），告诉他（她）这只是暂时的，一切都会过去的。

b Vous cherchez quoi faire dimanche prochain. Votre ami(e) a des idées : son oncle a une maison à la campagne, son frère a une voiture, il/elle a des places de théâtre gratuites…
你在考虑这个星期天做什么。你的朋友有些主意：他的叔叔在乡下有栋房子；他的哥哥有车；他有几张免费剧票……

2. Retenez l'essentiel. 捕捉关键信息。

Écoutez les quatre messages laissés sur les répondeurs et dites : 听电话留言录音，回答下列问题：

1) quel est le problème de Jean-Pierre ;
2) ce qu'ils vont faire ;
3) quel jour et à quelle heure Raoul fait ses courses ;
4) quel jour et à quelle heure le rendez-vous est fixé.

3. Quel film choisir ? 看哪部电影？

Vous téléphonez à un(e) ami(e) pour aller au cinéma. Vous vous mettez d'accord sur un film (titre, horaire, cinéma…) et vous fixez un rendez-vous. 你打电话约一个朋友去看电影。你们俩商量选定一部电影（电影的名字、放映时间和电影院），并约好见面时间和地点。

GAUMONT CONVENTION, 27, rue Alain-Chartier, M° Convention, (# 116). (H). CG. Pl. 8€. TR. 6,50€ : CV, ET (du lun 13h au ven 18h). TU. 5,50€ : - de 12 ans. CB. Pass : 18€ /mois. Cinéma non permanent.

1) *GAUMONT RAMA. Séances 13h50, 16h25, 19h, 21h35. Film 20 mn après :*
PANIC ROOM (vo) (Dolby SRD)

2) *GAUMONT RAMA. Séances 14h, 16h35, 19h10, 21h45. Film 20 mn après :*
PARLE AVEC ELLE (vo) (Dolby SRD)

3) *Séances 13h30, 15h40, 17h50, 20h, 22h10. Film 10 mn après :*
LE BOULET (Dolby SR)

4) *Séances 14h, 16h, 18h, 20h, 22h. Film 15 mn après:*
FÉROCE (Dolby SR)

5) *Séances 13h30, 16h10, 18h50, 21h30. Film 15 mn après :*
LA REPENTIE (Dolby SR)

6) *Séances 13h55, 15h55, 17h55 et (sf mar) 19h55 et 21h55. Film 15 mn après :*
LES PETITES COULEURS (Dolby SR)

Mar 20h et 22h en avant-première :
Une affaire privée (Dolby SR)

GAUMONT KINOPANORAMA, 60, av. Motte-Picquet, M° Motte-Picquet, (# 117). Salle climat. CG. Pl. 8,50€. TR. 7€ : ET et CV. TU. 5,50€ : - de 12 ans. CB. Pass : 18€ /mois. Cinéma non permanent.

ECRAN PANORAMIQUE. Séances en vf : 14h05, 16h40. En vo (sf mar) : 19h20, 21h55. Film 15 mn après :
◆**LE VOYAGE DE CHIHIRO** (vf et vo)
(Son numérique DTS)

Mar 20h30 en avant-première :
Samsara (vo)

4. Ils ont tous quelque chose à faire ! 他们都有事！

Écoutez et dites ce que Julien, Marielle et Michel font. 听录音，说出Julien、Marielle和Michel都有什么事要做。

1) Qui prend : **a** le train ? **b** le bus ? **c** le métro ?
2) Qui part en voiture ?
3) À quelle heure ?
4) Pour quoi faire ?

5. Comment y aller ? 怎么走？

Vous êtes dans le métro parisien. Des personnes vous demandent comment aller à différentes stations. Utilisez la carte du métro parisien page 88. Jouez avec votre voisin(e). Demandez un renseignement chacun à votre tour. 你现在在巴黎地铁站，有人问你怎么去某些车站。看第88页的地铁线路图，与同桌轮流扮演问路人和指路人。

Exemple : – Nous sommes à Sèvres-Babylone. Comment est-ce qu'on va à la Défense ?
– Vous prenez la direction porte de la Chapelle et vous changez à Concorde. Ensuite, vous prenez la direction La Défense.

Les transports 交通

« En onze ans, je n'ai jamais raté un seul train ! » Pour Jean-Pierre Balli, la vie quotidienne est rythmée par un double impératif : le TGV Tours-Paris de 7 h 04 et le Paris-Tours de 18 h 50. « J'ai déjà fait trois fois et demie le tour de la Terre pour me rendre quotidiennement à mon travail », indique-t-il avec fierté. Habiter Tours, c'est choisir la qualité de la vie ; travailler à Paris, c'est la certitude d'une vie professionnelle plus active.

En octobre 1998, la société Matra Transport International a mis en circulation Météor, le premier métro lourd automatique dans le monde. Ce métro intelligent du futur équipera bientôt d'autres lignes, la société travaillant actuellement sur plusieurs chantiers en France et dans le monde.

URGENT
Paris-Bordeaux
Cherche passager pour Bordeaux en échange du partage des frais d'essence. Départ le 17 avril, 8 heures en Peugeot 306. Laisser un message pour Alain sur le panneau.

Cherche voiture pour Marseille, fin mai de préférence.
Suis prêt à partager les frais.
Téléphoner à Jean-Paul, 01 43 56 37 22 le soir de préférence.

LA VOITURE PLÉBISCITÉE

Au moment des grands départs pour les vacances d'été, fin juillet, il y a régulièrement des embouteillages sur les autoroutes. Aucun remède, sauf d'attendre des heures dans la chaleur et la poussière !

1. Qu'est-ce qu'ils ont en commun ? 这几篇文章有什么共同点?

1) Quel est le thème commun à tous ces textes ?
2) Quels documents parlent de voyages en train ?
3) Quels documents traitent de transports individuels ?
4) Quel document exprime l'avis d'un usager du TGV ?

2. Distinguez entre les genres de texte. 区分文章的体裁。

1) Quels sont les articles de journaux ?
2) Quelle est la petite annonce ?
3) Quelle est la légende de photo ?

3. À vos stylos ! 练练笔!

1) Vous cherchez un compagnon de voyage. Rédigez une annonce. 你在寻找一个旅伴，写一则小启事。
2) Vous cherchez une voiture pour faire un voyage. Écrivez une annonce. 你想租一辆车去旅行，写一则小启事。

丰富你的词汇

En ville et sur la route 在城市里，在公路上

*Un **agent de police** règle la circulation à un **carrefour**.*
*Un **piéton** traverse sur un passage pour piétons.*
*Des gens attendent à un **arrêt** pour monter dans l'autobus.*
*Un taxi s'arrête pour prendre des **passagers**.*
*Le **chauffeur** met les **bagages** dans le **coffre** de la voiture.*
*L'**automobiliste** fait **le plein d'essence** à la **station-service**.*
*Deux jeunes gens font de **l'auto-stop**.*

1. Faites des listes. 列表。

Retrouvez dans le texte : 在文章中找出：

1) des mots désignant des moyens de transport ;
2) des acteurs de la circulation ;
3) des lieux ;
4) des actions (verbes et noms).

2. Qu'est-ce qui va ensemble ? 谁和谁是一起的？

Faites correspondre un panneau de circulation pour chaque phrase. 找出与下列每句话相对应的交通指示牌。

1) La vitesse est limitée à 80 kilomètres à l'heure.
2) Il est interdit de tourner à droite.
3) Défense de pénétrer en voiture dans cette rue.
4) Attention, le tournant est dangereux.

3. Qu'est-ce qu'ils ont en commun ? 它们有什么共同点？

Observez les mots suivants et répondez aux questions. 观察下列词语，并回答问题。

Bouchon – trajet – arrêt – chemin – accident – permis
taxi – camion – train – bateau – piéton – agent.

1) Par quel son est-ce que ces mots se terminent ?
   a Un son de consonne. b Un son de voyelle.
2) Quel est leur genre ?
   a Masculin. b Féminin.
3) Quelle hypothèse peut-on faire sur le genre des noms terminés par un son de voyelle ?

Tête de station

la borne de taxi sonne désespérément
il n'y a personne pour répondre
tous ces gens qui sonnent désespérément
et qui ne trouvent jamais personne pour leur répondre

RAYMOND QUENEAU,
Courir les rues, © Éditions Gallimard, 1967.

AU CENTRE CULTUREL

在文化中心

Découvrez les situations　情景学习

1. Interprétez les photos. 观察剧照。

Dites : 说出：

1) où est Pascal et avec qui il est ;

2) ce qu'il fait avec la jeune femme ;

3) quel spectacle est-ce qu'ils regardent ;

4) pourquoi le jeune garçon vient voir Pascal.

2　Faites des hypothèses. 对剧情作假设。

Visionnez sans le son et dites : 关掉声音看影片，并回答下列问题：

1) Pour qui est-ce que ce centre fonctionne ?

2) Quelles activités est-ce qu'on pratique dans le centre ?

3) Pourquoi est-ce que Pascal et le jeune garçon courent pour sortir du centre ?

4) Que va faire Pascal dans le centre ?

3. Regardez les images. 根据画面回答问题。

Dites : 说出：

1) dans quel ordre les personnages apparaissent ;

2) comment sont habillés :
- **a** Pascal ;
- **b** M. Fernandez ;
- **c** les deux danseurs de hip-hop ;

3) quels sont les différents lieux visités :
- **a** atelier de danse ;
- **b** cuisines ;
- **c** cafétéria ;
- **d** atelier d'écriture ;
- **e** bar du centre.

Pascal et M. Fernandez sont dans le hall du centre[1]. Ils se dirigent vers une femme d'une trentaine d'années, Isabelle, en jeans et baskets.

M. Fernandez　Voilà Isabelle. On travaille ensemble depuis l'ouverture du centre. Elle est toujours disponible et jamais de mauvaise humeur.

Isabelle sourit.

Isabelle　Tu exagères toujours !

M. Fernandez fait les présentations.

M. Fernandez　Isabelle, Pascal Lefèvre. Il remplace Julien. Tu vas t'occuper de lui. Fais les présentations. Moi, je vais finir le courrier.

Isabelle　D'accord.

M. Fernandez　Dis donc, tu n'as pas vu Clara et Monique ? J'ai besoin d'elles.

Isabelle　Si, elles sont au sous-sol.

M. Fernandez　À tout à l'heure.[2]

M. Fernandez part.

Isabelle　Elles ont organisé des cours de cuisine. Alors, on a installé une cuisine au sous-sol. Elles vont souvent aider

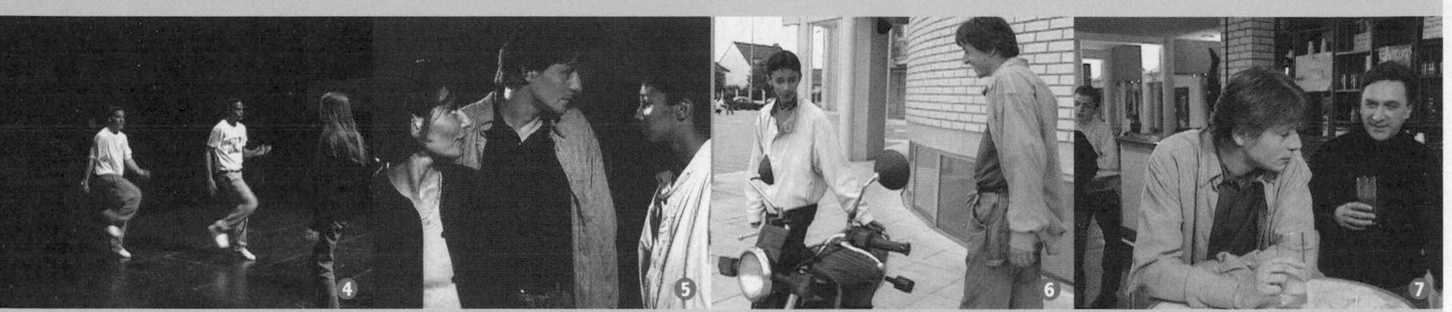

	les apprentis cuisiniers !
Pascal	Ah, d'accord.

Isabelle et Pascal commencent leur visite.

Pascal	Il y a beaucoup de cours dans ce centre ?
Isabelle	Ce ne sont pas vraiment des cours. Ce sont des activités : il y a de la danse, de la musique, du théâtre, un atelier d'écriture et une médiathèque, bien sûr. Tu as déjà été animateur ?
Pascal	Oui. J'ai animé des stages d'écriture. J'aime bien. Et les jeunes, ils ont quel âge ?
Isabelle	En moyenne entre 10 et 16 - 17 ans.
Pascal	Je n'ai pas vu beaucoup d'animateurs ?
Isabelle	C'est à cause des grèves. En général ils sont toujours à l'heure.
Pascal	Il y a déjà eu des problèmes, ici, avec les jeunes ?
Isabelle	Non, jamais. Enfin… pas trop.

Isabelle et Pascal sont à nouveau dans le hall d'accueil. On entend de la musique.

Pascal	C'est la fête, ici ?
Isabelle	C'est toujours la fête, ici ! C'est l'atelier de rap et de hip-hop. Ça a beaucoup de succès.

Ils entrent dans la salle de danse. Deux danseurs sont en train de répéter.

Pascal	C'est impressionnant !

Akim, un jeune d'environ 14 ans, s'approche d'eux.

Akim	Vous avez garé votre moto devant l'immeuble, m'sieur ?
Pascal	Oui, il y a un problème ?
Akim	Pas encore. Mais il y a des jeunes autour.
Pascal	Viens avec moi. Allons voir.

Pascal et Akim sortent de l'immeuble. Ils courent.

Pascal	Tu as rêvé, il n'y a personne
Akim	Non, je n'ai pas rêvé ! J'ai vu trois ou quatre garçons…
Pascal	Ils ont eu peur de toi. Tu viens souvent au centre ?
Akim	Deux ou trois fois par semaine.
Pascal	Alors je compte sur toi pour surveiller ma moto ?
Akim	Quand je suis là, pas de problème… Mais mettez quand même un antivol, c'est mieux.
Pascal	Tu as raison. En plus, elle n'est pas à moi.

Ils retournent vers le bâtiment.

M. Fernandez et Pascal boivent un verre au bar du centre.

M. Fernandez	Vous avez passé une journée intéressante ?
Pascal	Très. Les jeunes sont sympas, dynamiques, pleins d'idées.
M. Fernandez	Super. Alors, on se voit demain, et ici on se tutoie. C'est la règle.
Pascal	D'accord. Il y a juste une petite question à régler.
M. Fernandez	Oui ?
Pascal	La rémunération. À l'agence pour l'emploi[3], ils n'ont rien dit.
M. Fernandez	La rémunération… Il y a les indemnités de transport, les repas à la cafétéria. Ici, les animateurs touchent un petit salaire.
Pascal	Petit… petit ? Parce que, moi, j'ai besoin d'argent !
M. Fernandez	Je sais… Je sais… Mais, écoute, passe demain dans mon bureau. On va bien trouver une solution.

NOTES 课文注释

1 影片中见到的这个文化活动中心是为丰富当地青少年的文化生活而创建的，其意义主要在于为家庭条件较差的孩子创造“机会均等”的文化教育。类似的设施在其他城市也能见到。

2 À tout à l'heure. 待会儿见。

3 l'agence nationale pour l'emploi : 国家就业总局，缩写为ANPE，是一个公益性的国家级公共就业服务管理机构。在劳工部的指导下，遍布城镇街区的各分局对失（待）业人员提供就业信息，开展职业培训，帮助他们尽快实现再就业。这个机构在法国社会和经济生活中扮演着不可忽视的角色。

VOCABULAIRE 词汇表 

à cause de	*loc.prép.* 由于
animer	*v.t.* 主持，组织
à nouveau	*loc.adv.* 重新
antivol	*n.m.* 防盗器
apprenti, e	*n.* 学员，学徒
autour	*adv.* 周围
beaucoup de	*loc. adv.* 很多
cafétéria	*n.f.* 自助式快餐馆
compter	*v.t.ind.* (+ sur) 信任
danse	*n.f.* 舞蹈
***danseur, se**	*n.* 跳舞者；舞蹈家，舞蹈演员
demain	*adv.* 明天
disponible	*adj.* 可支配的；空闲的
dynamique	*adj.* 充满活力的
écriture	*n.f.* 写作
en général	*loc.adv.* 一般来说
en moyenne	*loc.adv.* 平均
en plus	*loc.adv.* 而且
ensemble	*adv.* 一起
être en train de + *inf.	正在做
exagérer	*v.t.* 夸张
fois	*n.f.* 次
garer	*v.t.* 停车
hip-hop	*n.m.* 街舞
humeur	*n.f.* 情绪
immeuble	*n.m.* 楼房
impressionnant, e	*adj.* 给人印象深刻的
indemnité	*n.f.* 补贴，补偿金
installer	*v.t.* 安装
intéressant, e	*adj.* 有意思的
jamais	*adv.* 从不，永远不
juste	*adv.* 正好，只有
mauvais, e	*adj.* 坏的，不好的
médiathèque	*n.f.* 多媒体图书馆
mieux	*adv.* 更好地（bien的比较级）
(s')occuper	*v.pr.* (+ de) 照管(人)，负责(事情)
organiser	*v.t.* 组织
ouverture	*n.f.* 开放，开幕
pas encore	*loc.adv.* 还没有，未曾
personne	*pron.indéf.*（与ne连用）没有人……
peur	*n.f.* 害怕
avoir peur de	害怕
plein, e	*adj.* 满的，充满的
plein de	*loc.adj.* 充满
présentation	*n.f.* 介绍
quand même	*loc.adv.* 毕竟
rap	*n.m.* 说唱乐
règle	*n.f.* 规则
régler	*v.t.* 解决
rémunération	*n.f.* 酬劳
repas	*n.m.* 餐，饭
***répéter**	*v.t.* 排练
rêver	*v.i.* 做梦；幻想
rien	*pron.indéf.*（与ne连用）没有什么东西或事情
salaire	*n.m.* 工资
si	*adv.* 肯定副词，用于肯定回答否定疑问句
solution	*n.f.* 答案，解决方案
sous-sol	*n.m.* 地下层
stage	*n.m.* 培训，学习班
succès	*n.m.* 成功
surveiller	*v.t.* 监视，看管
toucher	*v.t.* 触，碰；领取
***trentaine**	*n.f.* 三十，三十来个；三十岁
trouver	*v.t.* 找到

剧情理解

Observez l'action et les répliques
观察剧情和人物对话

1. Qu'est-ce qu'ils ont répondu ? 他们是怎样回答的?

Visionnez avec le son. Dites : qui pose la question ; à qui ; quelle est la réponse.
观看影片，说出：谁提出的问题？向谁提的？得到的回答又是什么？

1) Il y a beaucoup de cours dans ce centre ?
2) Et les jeunes, ils ont quel âge ?
3) Je n'ai pas vu beaucoup d'animateurs ?
4) Vous avez passé une journée intéressante ?
5) La rémunération. À l'agence pour l'emploi, ils n'ont rien dit.

2. Rétablissez la vérité. 下列陈述属实吗?

1) M. Fernandez et Isabelle ne travaillent pas ensemble depuis longtemps.
2) Clara et Monique ne sont pas au centre à cause de la grève.
3) Pascal n'a jamais travaillé comme animateur.
4) Pascal ne visite pas d'atelier.
5) Les animateurs n'ont pas de salaire au centre.

3. Avez-vous bien observé ? 下面文化中心的两个工作人员的外表和举止，你看清楚了吗?

1) Décrivez M. Fernandez :
Physiquement :
a Il est :
• grand ; • de taille moyenne ; • petit.
b Il est :
• mince ; • gros.
c Il a des cheveux :
• blonds ; • bruns ; • châtain.

Dans son comportement :
a Il a des gestes :
• rapides (vifs) ; • lents.
b Il est :
• sympathique ; • antipathique.
c Il parle de façon :
• claire et nette ; • embarrassée.

2) De la même manière, décrivez Isabelle.

Observez les comportements
观察人物行为

4. Comment est-ce qu'ils réagissent ? 在下面情境中，剧中人物有怎样的反应?

1) Fernandez fait des compliments à Isabelle. Elle sourit. Que dit-elle ?
2) Pascal et Akim courent pour sortir du centre. Pascal est :
a inquiet ; **b** curieux.
3) Quand il aborde le sujet de la rémunération, Pascal se touche le nez. C'est un signe :
a de gêne, d'embarras ; **b** d'ennui.
4) Avant de partir, M. Fernandez touche le bras de Pascal et sourit. C'est un signe :
a d'amitié ; **b** d'au revoir.

5. Comment est-ce qu'ils le disent ? 他们是如何表达的?

Mettez ensemble l'acte de parole et sa fonction. 找出与下面言语行为相对应的交际功能。

1) Non, jamais. Enfin… pas trop.
2) Elle est toujours disponible et jamais de mauvaise humeur.
3) Ici, on se tutoie. C'est la règle.
4) C'est à cause des grèves.
5) Oui, il y a un problème ?

a Une expression de cause.
b Une expression d'inquiétude.
c Une appréciation positive.
d Une façon d'atténuer une affirmation.
e Une proposition de tutoiement.

DÉCOUVREZ LA GRAMMAIRE

语法学习

1. Présent ou passé ? 现在还是过去?

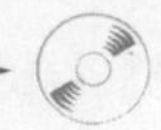

Écoutez et dites si vous entendez un verbe au présent ou au passé composé. 听录音，说出你听见的动词的时态是现在时还是复合过去时。

2. Associez les formes. 配对。

Mettez ensemble l'infinitif et le participe passé. 找出不定式动词的过去分词。

1) être	a garé
2) avoir	b vendu
3) mettre	c dit
4) vendre	d entendu
5) dire	e mis
6) faire	f été
7) comprendre	g attendu
8) voir	h fait
9) entendre	i eu
10) garer	j compris
11) attendre	k vu

3. Complétez la lettre. 把下面这封信补充完整。

Pascal a écrit à ses parents. Complétez sa lettre. 下面是一封Pascal写给父母的信。请将括号中的动词变位，把信补充完整。

Hier, je (commencer) à travailler comme animateur social. Je (rencontrer) M. Fernandez et son assistante, Isabelle. Nous (faire) le tour du centre tous les deux. Je (visiter) les différents cours, je (observer) les animateurs et je (parler) avec des jeunes. Je même (voir) une séance de hip-hop. Je (discuter) avec M. Fernandez. Il (comprendre) mes problèmes d'argent et il me (promettre) de trouver une solution. À bientôt.

复合过去时（passé composé）

在法语中，谈论过去完成的动作和发生的事件需要使用复合过去时。

复合过去时的构成

复合过去时是由助动词（verbe auxiliaire）être或avoir的直陈式现在时加上谓语动词的过去分词（participe passé）构成的。绝大多数动词的助动词都是avoir，本课我们先学习这一部分动词的复合过去时，助动词être的使用将在下一课中详细介绍。

具体使用时，助动词要根据人称的变化而变化，过去分词则不变。例如：

Hier,	j'	***ai***	***travaillé***	à la maison.
	tu	***as***		tard.
	il/elle	***a***		longtemps.
	nous	***avons***		ensemble.
	vous	***avez***		dur.
	ils/elles	***ont***		avec des amis.

过去分词

为方便记忆，过去分词可以按照尾音分为几类，其中最主要的有以下三类。

- 尾音[e]

  所有以-er结尾的动词均去掉er加上é构成过去分词，如：

  acheté，mangé，allé，travaillé，aidé

- 尾音[i]

  一般情况下，以-ir结尾的动词去掉ir加上i构成过去分词，如：

finir	***fini***	partir	***parti***
chosir	***choisi***	sortir	***sorti***

其他动词如：

prendre	***pris***	apprendre	***appris***
comprendre	***compris***	mettre	***mis***
écrire	***écrit***	sourire	***souri***
dire	***dit***	conduire	***conduit***
suivre	***suivi***	asseoir	***assis***

- 尾音[y]

entendre	***entendu***	attendre	***attendu***
répondre	***répondu***	perdre	***perdu***
vouloir	***voulu***	devoir	***dû***
pouvoir	***pu***	savoir	***su***
croire	***cru***	boire	***bu***
connaître	***connu***	disparaître	***disparu***
plaire	***plu***	venir	***venu***
vivre	***vécu***	lire	***lu***

4. Qu'est-ce que vous faites ? 您通常做什么?

1) Dites ce que vous faites : 说出你通常做什么，并说明做这项活动的频率：

a toujours ; **b** souvent ;
c quelquefois ; **d** jamais.

2) Demandez à votre voisin(e) ce qu'il/elle fait... 问问你的同桌通常做什么。

> *Exemple :* Faire la cuisine.
> ☞ **Moi, je ne fais jamais la cuisine. Et toi, tu fais la cuisine ?**

1) Visiter des musées.
2) Faire des voyages.
3) Lire des journaux.
4) Inviter des amis.
5) Écouter de la musique.
6) Prendre des vacances.
7) Suivre des cours.
8) Faire du sport.

频率副词

- **toujours** 意为"总是，一直"，频率为100%
  Le directeur est **toujours** au centre.
- **souvent** 意为"经常"，频率为75%
  Il va **souvent** au centre, deux ou trois fois par semaine.
- **quelquefois** 意为"有时候"，频率为25%
  Il va **quelquefois** au centre, deux ou trois fois par mois.
- **jamais** 意为"从不"，频率为0%
  Il ne va **jamais** au cinéma.

! jamais要与ne一起使用构成完全否定。

5. Qu'est-ce qu'ils ont l'intention de faire ? 他们打算做什么？

Dites ce qu'ils vont faire. 说出他们要做什么。

> *Exemple :* Pascal – rendre la moto à François.
> ☞ **Pascal va rendre la moto à François.**

1) Pascal – animer des ateliers d'écriture.
2) Akim – surveiller la moto de Pascal.
3) Isabelle – présenter Clara et Monique à Pascal.
4) Monsieur Fernandez – réfléchir au problème de Pascal.
5) Les animateurs – rattraper leur retard.

最近将来时"aller+动词不定式"

最近将来时(futur proche)用来表达短时间内将要发生的动作或有关将来的某种意向。例如：
Je vais **vendre** ma moto.
Elles vont **jouer** au tennis.

6. Non, pas encore. 不，还没有。

Transformez l'affirmation en question-réponse. Jouez avec votre voisin(e). 和你的同桌一起，按照例句将下列陈述句改成一问一答的形式。

> *Exemple :* Ils n'ont pas encore commencé, mais ils vont préparer la fête.
> ☞ **– Vous avez déjà préparé la fête ?**
> **– Non, pas encore, mais nous allons commencer.**

1) Ils n'ont pas encore fait leur choix, mais ils vont acheter un cadeau pour leur ami.
2) Ils n'ont pas encore fait de liste, mais ils vont envoyer les invitations.
3) Ils n'ont pas encore décidé du menu, mais ils vont téléphoner à un cuisinier.
4) Ils n'ont pas encore eu besoin d'aide, mais ils vont parler à leurs amis.

7. *Qui est-ce qui* ou *qu'est-ce qui* ? Qui est-ce qui 还是 qu'est-ce qui ?

Répondez aux questions. Ne confondez pas *qui est-ce qui* (personnes) et *qu'est-ce qui* (choses). 回答下列问题，注意qui est-ce qui和qu'est-ce qui的区别。

> *Exemple :* Qui est-ce qui n'a plus de clients à cause de la mauvaise circulation ?
> ☞ **Les chauffeurs de taxis n'ont plus de clients.**

1) Qu'est-ce qui ne fonctionne plus à cause de la grève ?
2) Qu'est-ce qui n'avance plus à cause des embouteillages ?
3) Qui est-ce qui ne travaille plus à cause des perturbations ?
4) Qu'est-ce qui ne circule plus à cause du mauvais temps ?
5) Qui est-ce qui n'arrive plus à l'heure à cause des retards des transports ?

8. *Si* ou *non* ? Si还是non ?

– Tu n'as pas vu mon ami Georges ?
– ..., il est passé au bureau hier. Il n'a pas téléphoné ce matin ?
– ..., mais il n'a pas laissé de message.
– Tu n'as pas encore parlé avec lui des projets pour le centre ?
– ..., je n'ai pas eu le temps.
– Tu ne vas pas le voir aujourd'hui ?
– ..., j'ai rendez-vous avec lui à midi.
– Bon, tu vois, il n'y a pas de temps perdu !

否定疑问句的肯定回答——si

肯定回答否定疑问句时，既不能用oui，也不能用non，而应使用副词si。
– Tu n'as pas encore vu Clara et Monique ?
– **Si**, elle sont au sous-sol.
试将上文翻译成中文，并比较两种语言习惯的区别。

SONS ET LETTRES • liaisons et enchaînements

音与字母 • 联诵与连音

1. Marquez les enchaînements et les liaisons. 听辨连音与联诵。

Écoutez l'enregistrement et lisez les phrases. Tenez compte des lettres muettes. 听录音，跟读下列句子。哪些字母不发音？

1) Faites attention aux embouteillages en ville.
2) Le trafic est interrompu pour aller en banlieue.
3) Elle est allée en Italie à Aoste.
4) Elle a une idée pour rentrer à l'école.
5) Il a animé des ateliers au centre.

2. Précisez la différence. 联诵与连音的区别。

Redéfinissez la différence entre liaisons et enchaînements et donnez des exemples. 准确定义联诵与连音之间的区别，并举例说明。

3. [e] ou [ɛ] ? [e] 还是 [ɛ]?

Combien de graphies différentes de é fermé [e] et de è ouvert [ɛ] est-ce que vous avez repérées dans l'épisode ? Classez-les et donnez des exemples. [e]和[ɛ]这两个元音分别有几种拼写方式？把你在本课中找到的拼写分类列出来。

COMMUNIQUEZ

语言交际

1. Visionnez les variations. 看录像，学习下列言语行为的不同表达方式。

表达喜欢

1) Oui, j'ai animé des stages d'écriture. Ça me plaît beaucoup.
2) C'est très intéressant.
3) C'est passionnant.
4) J'adore ça !

表达不喜欢

1) J'ai animé des stages mais ça ne me plaît pas.
2) C'est sans intérêt.
3) C'est nul.
4) Je déteste ça !

表现诚意，让对方放心

1) Passe demain dans mon bureau. On va bien trouver une solution.
2) On va y réfléchir.
3) Je vais voir ce que je peux faire.
4) On peut toujours s'arranger.

1) Vous ne voulez pas répondre tout de suite à une demande d'aide ou d'argent. Qu'est-ce que vous dites ? 假设有人向你借钱或寻求其他帮助，你不想立刻答复，你该怎么说呢？

2) Jouez les scènes suivantes avec votre voisin(e). 和你的同桌一起表演下面两个情景。

a Soyez sincère ! Quelqu'un vous demande si vous aimez le hip-hop, le théâtre d'avant-garde, la peinture contemporaine. Variez les expressions. 有人问你是否喜欢街舞、前卫戏剧、当代绘画。客观回答他的问题。注意变换表达方式。

b Imaginez. Vous discutez du prix d'un objet avec un commerçant. Vous êtes tou(te)s les deux intéressé(e)s, lui/elle pour vendre et vous pour acheter. Chacun(e) de vous fait un effort pour montrer sa bonne volonté. Faites un court dialogue et employez différentes expressions. 你正在和一个店铺老板讨价还价。他（她）有意向把物品卖给你，你也有意向购买。你们各自作出努力以表现自己的诚意。表演一个小对话，使用不同的表达方式。

2. Retenez l'essentiel. 捕捉关键信息。

Écoutez l'interview et répondez aux questions. 听录音中的采访，并回答问题。

1) Quel âge a Laura ?
2) Quand est-ce qu'elle a quitté Lyon ?
3) Est-ce qu'elle a déjà chanté sur une grande scène à Paris ?
4) Est-ce qu'elle a déjà eu peur sur scène ?

3. Un bon sujet. 一个好话题。

Écoutez et répondez aux questions. 听录音并回答问题。

1) La personne qui répond aux questions est :
   a un cuisinier ; **b** un ingénieur ; **c** un journaliste.
2) Il a visité le centre avec :
   a le directeur ; **b** son assistante ; **c** un animateur.
3) Le centre a organisé des cours :
   a d'informatique ; **b** de cuisine.
4) Est-ce que ces nouveaux cours ont du succès ?
   a Oui. **b** Non.
5) De quoi est-ce que les jeunes et les animateurs ont parlé ?

4. Où allez-vous partir en vacances ? 你去哪里度假？

Vous demandez à votre voisin(e) où il/elle va passer ses prochaines vacances ou son prochain week-end, quel moyen de transport il/elle va utiliser, ce qu'il/elle a l'intention de faire, pourquoi il/elle a choisi l'endroit... Changez les rôles pour que chacun pose des questions et donne ses réponses.
问问你的同桌将去哪儿度周末或度假，别忘了询问其他相关信息：交通方式、旅行计划、目的地选择缘由等。交换角色表演。

Ploumanach.

5. Faites le présentateur. 如果你是播音员……

Toute votre ville est bloquée (grève, travaux, accident, visite d'une personnalité...). Composez un bulletin d'informations à la radio pour tenir vos auditeurs au courant. En plus de l'information, vous les conseillez sur l'itinéraire à prendre ou le moyen de transport à utiliser. Jouez devant le groupe entier.
你所在的城市陷入交通瘫痪（可能是因为罢工、道路施工、交通事故、政界要人来访等）。起草一份广播短讯以便通知听众。除了交通现状外，请你提供绕行或换乘公交方案。现在，该你在全班同学面前表演啦！

Les transports urbains

Le tramway de Nantes.

Pour de nombreux Français, le transport c'est la voiture. Mais il faut stationner en ville. Ce n'est pas toujours facile et c'est cher.
Et la voiture a un problème : elle pollue. Il y a bien des contrôles antipollution, mais sont-ils vraiment efficaces ?

La solution, c'est les transports en commun. À Nantes, on a retrouvé le bon vieux tramway oublié depuis des générations et modernisé aujourd'hui grâce à tous les moyens des technologies de pointe !

À Paris, les autobus et les métros se sont modernisés. Heureusement ! Les stations sont accueillantes. Certaines sont de véritables musées toujours ouverts au public.

D'autres villes, comme Lyon ou Toulouse, ont des lignes de métro très modernes.

Mais d'autres solutions sont également utilisées. Ce bus, à Lille, fonctionne au méthane, un carburant écologique, obtenu à partir des eaux usées. Il permet également de réduire la pollution.

1. Trouvez le verbe ?

Exemple : transport
☞ **transporter**

1) pollution
2) stationnement
3) contrôle
4) oubli
5) fonctionnement
6) réduction

2. Avez-vous une bonne mémoire ?

1) Quels problèmes posent les voitures ?
2) Qui fait le contrôle antipollution dans le reportage ?
3) Avec quelle source d'énergie fonctionnent :
   a les tramways ;
   b le bus utilisé à Lille ?
4) Qu'est-ce qui est exposé dans la station de métro parisienne ?
   a Des tableaux.
   b Des statues.
   c Des affiches.
   d Des plans.

3. Et dans votre pays ?

1) Quels transports en commun est-ce que vous utilisez ?
2) Dans quelles villes avez-vous :
   a des métros ;
   b des bus ;
   c des tramways ?
3) Qu'est-ce qu'on fait contre la pollution ?

Un batobus.

PRENEZ LE BATEAU

Des batobus fonctionnent sur la Seine entre la tour Eiffel et Notre-Dame de mai à octobre. Trois vedettes, nommées d'après des acteurs et des chanteurs célèbres : Jean Gabin, Édith Piaf et Yves Montand, partent toutes les 25 minutes. On gagne du temps et on admire le cœur de Paris.

Le métro de Toulouse.

DOSSIER 5

ÉPISODE 9

RAVI DE FAIRE VOTRE CONNAISSANCE

很高兴认识您

ÉPISODE 10

UN VISITEUR DE MARQUE

高级客户

VOUS ALLEZ APPRENDRE À :

- décrire les activités d'une journée
- faire un compliment à quelqu'un sur sa tenue
- rappeler à quelqu'un ce qu'il doit faire
- dire ce qui est permis et ce qui est interdit
- demander et donner une autorisation
- parler d'événements futurs
- situer des lieux extérieurs
- demander quelle est la cause ou l'intention
- demander et donner des informations sur le temps qu'il fait
- indiquer la fréquence

本单元中，你将学会：

- 描述一天的活动
- 赞美他人的衣着
- 提醒他人要做的事情
- 表达允许和禁止
- 请求许可、给予许可
- 谈论未来将发生的事件
- 说明地点
- 询问原因或意图
- 询问和说明天气情况
- 表达频率

VOUS ALLEZ UTILISER :

- le passé composé avec *être*
- des verbes pronominaux
- le verbe *pouvoir* au présent
- le futur simple
- des adverbes et des prépositions de lieu
- les adjectifs démonstratifs
- les verbes *connaître* et *savoir*
- *pourquoi ? parce que...* ou *pour...*

你将使用：

- 用*être*作助动词的复合过去时
- 代词式动词
- 动词*pouvoir*的直陈式现在时
- 简单将来时
- 地点副词与地点介词
- 指示形容词
- 动词*connaître*和*savoir*
- *pourquoi*引导的疑问句及其回答*parce que...*或*pour...*

RAVI DE FAIRE VOTRE CONNAISSANCE
很高兴认识您

Découvrez les situations 情景学习

1. Quelle est la photo ? 是哪张剧照?

Lisez les légendes et donnez le numéro des photos correspondantes. 为下面的说明文字找到对应的剧照。

1) Il est bien élégant ce matin !
2) Vous allez à l'aéroport, n'est-ce pas ?
3) C'est la photo du visiteur japonais ?
4) D'où vient l'avion ?

2. Faites des hypothèses. 对剧情作假设。

Visionnez sans le son. 关掉声音看影片。

1) Quel air a le collègue quand Benoît arrive ?
a Triste. **b** Heureux. **c** Moqueur.
2) Quels personnages nouveaux est-ce que vous avez vus ? Qui sont-ils ?
3) Benoît tient une photo. Qui est sur cette photo ?
4) Le Japonais est-il la personne attendue par Benoît ?

3. Qu'est-ce que vous avez vu ? 你看到了什么?

Dans l'aéroport de Roissy, quels objets avez-vous vu ? 在华西-戴高乐机场，你都看到了什么？

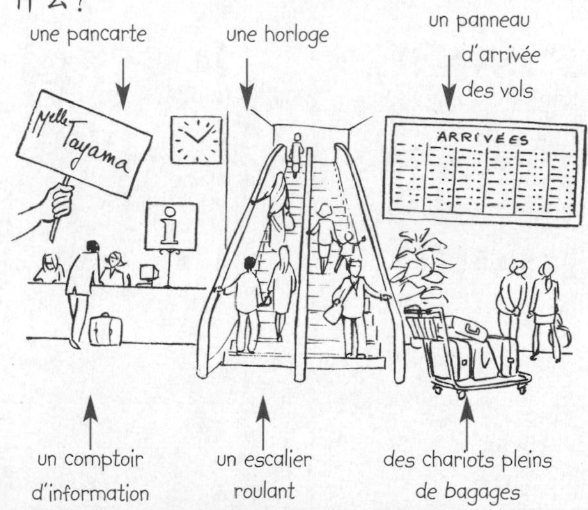

Benoît, en costume-cravate, très élégant, prend son café dans la cuisine. Julie arrive, en robe de chambre.

Julie	Salut !
Benoît	Salut !
Julie	Tu es tombé du lit ! Il n'y a pas grève pourtant, aujourd'hui.
Benoît	Non, mais je me suis levé tôt. J'ai beaucoup de travail. Dis donc, tu es rentrée tard cette nuit.
Julie	Oui, je suis sortie avec Claudia, Violaine, Yves et François.
Benoît	Vous êtes allés où ?
Julie	On est allés danser. Claudia, Violaine et Yves sont partis de bonne heure. François et moi, on est restés tard. Je n'ai pas beaucoup dormi.
Benoît	Tiens, tiens…
Julie	Je suis majeure[1], hein… Et toi, tu es bien élégant, ce matin. Pourquoi est-ce que tu t'es habillé comme ça ?
Benoît	Je vais chercher quelqu'un à l'aéroport[2] cet après-midi.
Julie	C'est le président de la République[3] !

Benoît — C'est ça. Ne m'attendez pas pour dîner ce soir. Mangez tous les deux.
Julie — Tu sors ce soir ? Tu vas où ?
Benoît — À l'Élysée… Eh, moi aussi, je suis majeur…

Benoît entre dans l'immeuble. Il arrive essoufflé.

Un collègue — Salut Benoît ! Qu'est-ce qui t'arrive ? Pourquoi est-ce que tu es essoufflé ?
Benoît — Parce que je suis monté à pied.
Le collègue — Pour garder la ligne ! Et pourquoi tu es aussi élégant aujourd'hui ?
Benoît — Parce que j'ai un rendez-vous important. Tu es bien curieux !
Annie — N'écoute pas. Il est jaloux.

Un homme de cinquante ans entre dans le bureau de Benoît. C'est le chef du service.

Le chef — Alors, Royer, vous n'avez pas oublié ? Vous allez chercher Mlle[4] Tayama aujourd'hui à Roissy.
Benoît — Non, non, Monsieur, je n'ai pas oublié. Son avion arrive à 17 h 20.
Le chef — Vous n'avez pas préparé de pancarte à votre nom ?
Benoît — Si, et elle a envoyé sa photo. Je ne pense pas avoir de problème pour trouver Mlle Tayama.
Le chef — Vous avez gardé votre soirée pour vous occuper d'elle, bien entendu[5] ?
Benoît — Bien sûr. J'ai réservé deux couverts dans un bon restaurant.
Le chef — Parfait. Alors, on se voit demain.

Le chef de service sort du bureau.

Le collègue — (ironique) Elle est comment, cette demoiselle ?
Benoît — Ravissante.
Le collègue — Et pourquoi est-ce qu'elle vient à Paris ?
Benoît — Parce qu'elle est chargée d'organiser un voyage cet été pour un groupe de paysagistes japonais. Au programme : visite des beaux parcs de la capitale.
Le collègue — Dites-le avec des fleurs[6]…

Un taxi s'arrête devant l'aéroport de Roissy. Benoît descend du taxi et entre dans l'aérogare. Il regarde les panneaux d'arrivée. Le vol en provenance de Tokyo est annoncé pour 17 h 20. Benoît attend. Il tient une pancarte à la main et une photo. Les voyageurs sortent. Pas de Mlle Tayama ! Benoît est inquiet.

Un Japonais s'approche de lui.

M. Ikeda — Monsieur Benoît Royer ?
Benoît — Oui, c'est moi.
M. Ikeda — Je m'appelle Ikeda. Je remplace Mlle Tayama. Elle est partie hier pour les États-Unis. Elle est désolée.
Benoît — (surpris) Mais… je suis ravi de faire votre connaissance, Monsieur Ikeda.

NOTES 课文注释

1 在法国，满18岁的公民被认为是法律意义上的成年人。
2 巴黎大区有两个大型机场：一个是位于巴黎南部距市中心十几公里的奥利（Orly）机场，主要是国内航班在这里起落；另一个是位于巴黎北部距市中心25公里的华西-戴高乐（Roissy Charles-de-Gaulle）机场，国际航班基本都在这里起落。
3 République的第一个字母大写，特指la République française，即法兰西共和国。法国现在是法兰西第五共和国。法国总统由全体公民直接选举而产生，任期5年，任职期间住在位于巴黎第8区的爱丽舍宫（palais de l'Elysée）。这里是夸张说法，说Benoît穿的这么正式像去接总统一样！
4 Mlle : mademoiselle的缩写。
5 bien entendu : 当然。
6 Dites-le avec des fleurs : 据上下文可理解为"但愿你交上桃花运"。

VOCABULAIRE 词汇表

***aérogare**	*n.m.*	航空站，候机大楼
aéroport	*n.m.*	机场
après-midi	*n.m.*	下午
attendre	*v.t.*	等待
aussi	*adv.*	如此，这样
avion	*n.m.*	飞机
capitale	*n.f.*	首都
chargé, e	*adj.*	(+ de) 负责……的
connaissance	*n.f.*	认识
faire la connaissance de quelqu'un		认识某人
***costume**	*n.m.*	男式西装
couvert	*n.m.*	餐具（此处指餐位）
curieux, se	*adj.*	好奇的
danser	*v.i.*	跳舞
de bonne heure	*loc.adv.*	很早
demoiselle	*n.f.*	小姐
***descendre**	*v.i.*	下来 (il descend)
dîner	*v.i.*	吃晚饭
dormir	*v.i.*	睡觉
élégant, e	*adj.*	优雅的，讲究的
envoyer	*v.t.*	寄
essoufflé, e	*adj.*	气喘吁吁的
été	*n.m.*	夏天
garder	*v.t.*	保持；保留
(s')habiller	*v.pr.*	穿衣
hier	*adv.*	昨天
***inquiet, ète**	*adj.*	担心的，担忧的
***ironique**	*adj.*	讽刺的，嘲笑人的
jaloux, se	*adj.*	嫉妒的
(se) lever	*v.pr.*	起床；站起来
ligne	*n.f.*	线条，体形
lit	*n.m.*	床
majeur, e	*adj.*	成年的
monter	*v.i.*	上楼
nuit	*n.f.*	夜晚
oublier	*v.t.*	忘记
pancarte	*n.f.*	（硬纸板）布告牌
***panneau**	*n.m.*	(*pl.* ~x) 指示牌
parc	*n.m.*	公园
parfait, e	*adj.*	完美的
paysagiste	*n.*	园林设计师
penser	*v.t.*	想；认为，以为
pourtant	*adv.*	然而，但是
préparer	*v.t.*	准备
président, e	*n.*	总统，主席
programme	*n.m.*	行程计划
***provenance**	*n.f.*	来源，出处
en provenance de	*loc.prép.*	来自……，从……来
ravi, e	*adj.*	高兴的
ravissant, e	*adj.*	迷人的，可爱的
remplacer	*v.t.*	代替
rentrer	*v.i.*	回来；回家
république	*n.f.*	共和国
réserver	*v.t.*	预订
rester	*v.i.*	停留，逗留
soirée	*n.f.*	晚间，晚上
***Tokyo**	*n.pr.*	东京
tomber	*v.i.*	跌下，跌倒
tomber du lit		比平时起得早
tôt	*adv.*	早
***vol**	*n.m.*	航班

剧情理解

Observez l'action et les répliques
观察剧情和人物对话

1. Quel événement a précédé l'autre ?
哪个事件发生在前?

Visionnez avec le son. Quel est le premier événement de chaque groupe ? 观看影片，说出下面每组句子中哪件事发生在前。

1) **a** Julie a posé des questions à Benoît dans la cuisine.
b Benoît a interrogé Julie sur sa soirée.
2) **a** Le chef de service a rappelé son rendez-vous à Benoît.
b Un collègue a posé des questions à Benoît sur Mlle Tayama.
3) **a** Benoît a pris un taxi pour aller à Roissy.
b Benoît est monté au bureau à pied et il est essoufflé.
4) **a** Un Japonais s'est présenté à Benoît. Il remplace Mlle Tayama.
b Benoît a attendu la sortie des voyageurs du vol en provenance de Tokyo.

2. Repérez les expressions de temps.
找出表达时间的短语。

Revoyez le film et notez les expressions de temps. Classez-les selon les catégories suivantes : 重新观看影片，记录不同的时间表达方式，并按下面的标准分类：

1) indication du jour ;
2) moment de la journée ;
3) heure.

3. Qu'est-ce qu'ils ont répondu ? 他们是怎么回答的?

Essayez de vous rappeler la réplique suivante de mémoire. Sinon, retrouvez-la dans le film. 试着回忆影片中下列问题是如何回答的。如果想不起来，可以重新观看影片。

1) Vous êtes allés où ?
2) Tu sors ce soir ? Tu vas où ?
3) Et pourquoi tu es aussi élégant aujourd'hui ?
4) Vous n'avez pas préparé de pancarte à votre nom ?
5) Elle est comment, cette demoiselle ?

4. Qui dit quoi ? À qui ? 谁说了什么? 对谁说的?

Retrouvez les paroles des personnages. 找出剧中人物的台词。

Observez les comportements
观察人物行为

5. Comment est-ce qu'ils ont réagi ?
他们有怎样的反应?

Dans quelle situation un personnage a été :
在什么情况下剧中人物表现出了下面的情绪：

1) surpris ?
2) irrité ?
3) curieux ?
4) ironique ?
5) surpris et déçu ?
6) autoritaire ?

6. Dites-le comme eux. 模仿练习。

Imitez les intonations des personnages.
模仿剧中人物的语调。

1) Benoît : Tiens, tiens…
2) Julie : Je suis majeure, hein.
3) Le collègue : Elle est comment, cette demoiselle ?
4) Benoît : Mais… je suis ravi de faire votre connaissance.

DÉCOUVREZ LA GRAMMAIRE
语法学习

1. Qu'est-ce qu'elles ont fait ?
她们做了什么?

1) Écoutez le dialogue et trouvez les verbes au passé composé. 听对话录音，并找出下列动词的复合过去时。

- **a** être
- **b** sortir
- **c** aller
- **d** arriver
- **e** venir
- **f** rentrer
- **g** se reposer
- **h** sortir
- **i** rester
- **j** téléphoner
- **k** répondre
- **l** danser
- **m** adorer
- **n** repartir
- **o** prendre
- **p** se lever
- **q** dire

2) Dites comment les deux femmes ont passé la soirée. 说出两位女士晚上都做了什么。

2. Racontez. 讲述。

Mettez les verbes entre parenthèses au passé composé. 将下面短文中括号内的动词变为复合过去时。

Des amis (venir) nous voir hier soir. Nous (sortir) à 8 heures. Nous (aller) au cinéma. Ensuite, tout le monde (aller) au café. Nous (parler). Yves (partir) de bonne heure. Violaine (rentrer) à 11 heures. François et moi, nous (rester) plus tard. Je (rentrer) chez moi à deux heures du matin. Je (passer) une soirée très agréable.

用 être 作助动词的复合过去时

aller/venir, entrer/sortir, arriver/partir, monter/descendre, tomber, passer, rester, devenir, naître/mourir等不及物动词及其同根不及物动词的复合过去时，用être作助动词。

! 在用**être**作助动词的复合过去时中，过去分词要和主语的性、数保持一致。例如：
Elles sont **entrées**. Ils sont **partis**.
Qu'est-ce qu'ils sont **devenus** ?

! **monter**, **descendre**, **passer**等动词用作及物动词后面跟直接宾语时，在构成复合过去时要使用 **avoir** 作助动词。例如：
Ils **sont montés**.
但：Ils **ont monté** les bagages.

3. Distinguez entre les pronominaux.
区分代词式动词的不同用法。

Lisez les phrases suivantes et dites si le pronom est réfléchi ou réciproque. 看下面的句子，说出代词表示自反意义还是相互意义。

Exemple : Nous nous habillons. ☞ ***pronom réfléchi***
Nous nous parlons. ☞ ***pronom réciproque***

1) Tu te rases tous les matins ?
2) Ils se téléphonent tous les jours.
3) Nous nous préparons.
4) Elles se racontent leurs aventures.
5) Vous vous voyez souvent ?
6) Vous vous habillez très bien.

代词式动词(verbes pronominaux)

代词式动词分为两类

- 表达自反意义的代词式动词，如：
  Je **me regarde** dans la glace.
- 表达相互意义的代词式动词（主语为复数意义），如：Ils **se regardent** (l'un l'autre)

代词式动词中代词的形式

je **me** regarde	nous **nous** regardons
tu **te** regardes	vous **vous** regardez
il/elle **se** regarde	ils/elles **se** regardent

⇨ 比较：
Julie **se** maquille (= Julie maquille Julie).
Julie et Clara **se** parlent (= Julie parle à Clara et Clara parle à Julie).

代词式动词用 être 作助动词构成复合过去时。

! 如果代词式动词中的代词作动词的直接宾语，在复合过去时中，过去分词的性、数要与主语的性、数配合；如果代词为动词的间接宾语，则不配合。例如：
Elle s'est habillée. Ils se sont habillés.
但：Ils se sont parlé.

4. Expliquez ce qu'ils ont fait. 解释一下他们做了什么。

Répondez affirmativement et donnez une explication. 肯定回答下列问句，然后作出解释。

> ***Exemple :*** Vous ne vous êtes pas couchés tard ?
> ☞ **Si, nous sommes allés au théâtre. Nous sommes rentrés à minuit.**

1) Elles ne sont pas rentrées tard la nuit dernière ?
2) Ils ne se sont pas levés tôt ce matin ?
3) Vous n'êtes pas parties en voiture ?
4) Tu n'es pas allée au bureau ?
5) Ils n'ont pas téléphoné ?

6. Ça s'est passé hier. 这是昨天发生的事。

Racontez l'histoire de Paul et de Virginie. 讲述Paul和Virginie的故事

Hier, Virginie est rentrée de voyage...

5. Qu'est-ce que vous avez fait ? 你们做了什么？

Vous posez des questions à votre voisin(e) sur son emploi du temps de la veille et du matin. Lui/elle aussi vous interroge. 与你的同桌一起做对话，询问对方昨天和今天早晨的时间安排。

> ***Exemple :*** Tu es sorti(e), hier soir ?
> ☞ **Oui, je suis allé(e) au cinéma...**

7. Pourquoi Benoît a-t-il fait tout ça ? Benoît 为什么做了这些事？

Trouvez les questions. 找到下列回答相应的问题。

1) Pour garder la ligne.
2) Parce qu'il a un rendez-vous important.
3) Pour emmener Mlle Tayama au restaurant.
4) Parce qu'il ne connaît pas Mlle Tayama.
5) Pour aller attendre Mlle Tayama.

询问原因、意图和目的

Pourquoi 可以询问原因，回答用 parce que...；也可以询问目的或意图，回答用 pour...。例如：

Pourquoi est-ce que tu t'es levé tôt ?
– Parce que j'ai un travail urgent à finir.（原因）
– Pour aller chercher quelqu'un à l'aéroport.（目的，意图）

SONS ET LETTRES · le pluriel à l'oral et les graphies du son [s]

音与字母·复数词尾的发音及[s]音的拼写形式 

1. Quelles sont les marques orales du pluriel ? 复数词尾都有哪些读音？

Dites combien de marques du pluriel vous entendez. 听录音，说出听到的复数词尾有几种标志。

2. Comment ça s'écrit ? 怎么写？

1) Écoutez et écrivez les phrases suivantes. 听录音，写出听到的句子。

2) Combien de façons différentes y a-t-il d'écrire le son [s] ? [s]音有多少种不同拼写形式？

3) Comment se prononce la lettre *s* entre deux voyelles ? 两个元音字母之间的字母"s"读什么音？

[s] 音的拼写形式

- **s** : danser, rester, sortir
- **ss** : ravissante, intéresser, aussi, essoufflé
- **c** : ce soir, parce que, c'est
- **ç** : ça, garçon

! 如果字母 **s** 在两个元音字母之间则读[z]，如：ré**s**erver, l'A**s**ie, po**s**er

COMMUNIQUEZ

语言交际

1. Visionnez les variations. 看录像，学习下列言语行为的不同表达方式。 

1) Complimentez votre voisin(e) sur sa tenue. 赞美你同桌的衣着。交换角色表演。

2) Rappelez à votre voisin(e) qu'il/elle doit faire quelque chose aujourd'hui. Inversez les rôles. 提醒你的同桌要做的事情。交换角色表演。

赞美他人的衣着

1) Eh bien, dis donc, tu t'es fait beau aujourd'hui !
2) Quelle élégance !
3) Que tu es chic !
4) Tu es très distingué !
5) Tu as mis ton costume du dimanche ?
6) Tu fais un concours d'élégance aujourd'hui ?

平息他人的好奇心

1) Tu es bien curieux !
2) Qu'est-ce que ça peut te faire ?
3) Si on te le demande...
4) Dis donc, ça te regarde ?

提醒他人要做的事情

1) Alors, Royer, vous vous souvenez ? Vous allez chercher Mlle Tayama aujourd'hui à Roissy.
2) Alors, Royer, c'est toujours d'accord ?
3) Alors, Royer, c'est entendu ?

2. En situation. 设身处地。

1) Écoutez ces mini-dialogues et dites si les compliments sont ironiques ou sincères. 听对话录音，判断对话中的赞美之词是具有讽刺意味的还是发自内心的。

2) Changez ces dialogues et introduisez des expressions pour calmer la curiosité de quelqu'un. Jouez-les avec votre voisin(e). 改编这些对话，插入平息他人好奇心的说法。与你的同桌一起表演。

3. Retenez l'essentiel.
捕捉关键信息。

Écoutez et dites : 听录音，并回答下列问题：

1) à quel aéroport on va ;
2) à quelle heure est l'avion ;
3) quelle est la provenance de l'avion attendu ;
4) à quel terminal il arrive ;
5) combien de temps est-ce qu'on met pour aller à l'aéroport.

4. Les participants au congrès.
大会的与会人员。

Votre association a organisé un congrès. Vous êtes chargé(e) d'aller accueillir trois participants à l'aéroport. L'un arrive de Pékin, l'autre de Buenos-Aires et le troisième de Moscou.Vous consultez le tableau des arrivées, mais les avions ont du retard.
Vous vous adressez au bureau d'informations pour savoir quelles sont les heures d'arrivée prévues, à quelle sortie attendre les voyageurs. Vous donnez le numéro des vols et dites le nom de la compagnie. L'hôtesse vous renseigne. Elle vous donne la raison des retards.

你们协会组织了一次大会，你负责到机场接三名与会人员：一位来自北京，一位来自布宜诺斯艾利斯，另一位来自莫斯科。看过飞机抵达时间公告牌后，得知他们乘坐的飞机都晚点了。
你到问讯处询问飞机预计抵达的时间，应该在那个出口接机。你告诉工作人员航班号、航空公司的名称，他（她）告诉你相关信息，并解释飞机为何晚点。

VOL	PROVENANCE	ARRIVÉE	PORTE
AR 604	BUENOS-AIRES	15 H 55	D
DB 728	LONDRES	16 H 10	B
AF 232	NICE	16 H 25	E
AF 027	PÉKIN	16 H 30	C
SU 514	MOSCOU	16 H 40	A

5. Renseignez-vous bien ! 问清楚啊！

Un(e) ami(e) vous téléphone. Il/elle est malade et vous demande d'aller chercher quelqu'un à la gare à sa place.
Vous demandez et vous notez tous les renseignements nécessaires pour trouver la personne à la sortie du quai : nom et description de la personne, provenance, heure d'arrivée…

一个朋友病了，他（她）打电话让你替他（她）去火车站接人。为顺利接到人，你询问并记录了所有的必要信息：客人的姓名和体貌特征，从哪里来，到达时间等。

ÉCRIT — La lecture plurielle

笔语——多样化的阅读

Après la pluie, le beau temps 雨过天晴

Le temps aujourd'hui

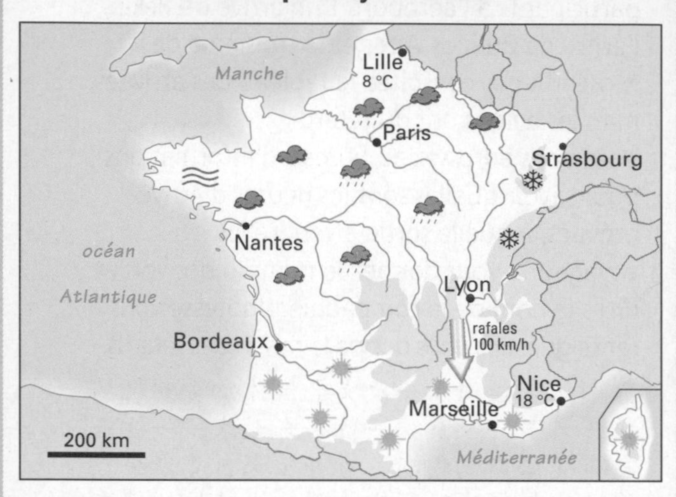

Sur l'ouest de la France, le temps reste gris. Le ciel est couvert de nuages. Un brouillard dense recouvre la Bretagne.

Sur le nord et l'est, la température ne dépasse pas les 8 degrés centigrades et la neige tombe au-dessus de 1 500 mètres.

Dans le Centre et le Bassin parisien, la pluie tombe de façon continue.

Dans le Midi-Pyrénées et autour de la Méditerranée, le soleil brille et la température atteint les 18 degrés.

Un vent fort souffle en vallée du Rhône avec des rafales de 100 kilomètres à l'heure et chasse les nuages.

Il fait beau sur la Côte d'Azur et en Corse.

Le soleil brille.

La pluie tombe.

Le ciel est couvert de gros nuages.

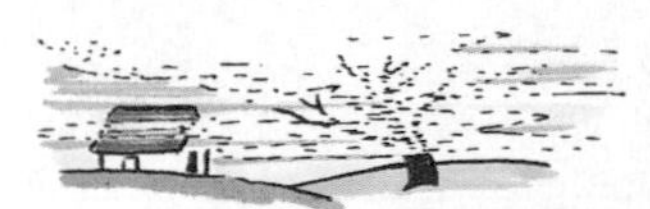

Le brouillard est dense.

Il neige en montagne.

Un vent violent souffle en rafales.

1. Quel est ce document ? 这个材料是什么？

Choisissez la bonne réponse. 选择正确答案。

1) Ce document est :
   - a un bulletin météo ;
   - b une publicité pour des vacances ;
   - c un article sur l'état des routes.
2) Ce document permet :
   - a de savoir quel temps il fait aujourd'hui ;
   - b de prévoir le temps de demain ;
   - c de prévoir l'évolution du temps pendant la semaine.
3) L'information est classée :
   - a par régions ;
   - b par types de temps ;
   - c par ordre chronologique.
4) La carte :
   - a est une illustration et n'apporte pas d'information nouvelle ;
   - b apporte des informations nouvelles ;
   - c permet de se faire rapidement une idée.

2. Comment lisez-vous ce type de document ? 你怎么阅读这类材料？

Choisissez la bonne réponse. 选择合适的答案。

1) Je regarde d'abord la carte.
2) Je lis d'abord le texte.
3) Je lis tout le texte.
4) Je lis seulement le paragraphe qui parle de ma région.

3. Faites votre programme. 制定计划。

Qu'est-ce que vous pouvez faire :

1) si vous êtes dans la région parisienne ;
2) si vous êtes en Bretagne ;
3) si vous êtes dans le Sud-Ouest ;
4) si vous êtes dans le Sud-Est ?

如果你在上述地区，你可以做什么？

4. À vos stylos ! 练练笔！

Écrivez le bulletin météorologique de votre pays pour la journée. 写一则你所在地区当天的天气预报。

丰富你的词汇

Une journée bien remplie !
繁忙的一天！

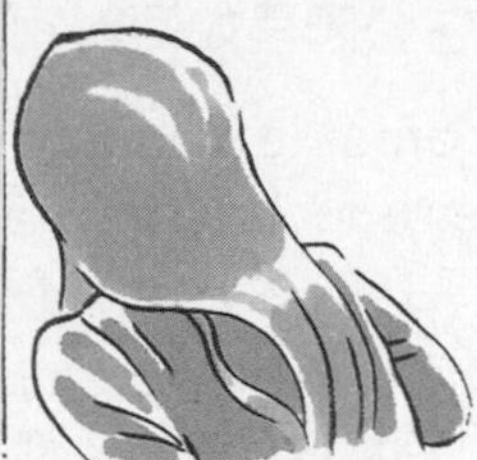

Il s'est levé de bonne heure.
Il s'est rasé.
Il s'est coiffé.
Il s'est préparé.

Elle s'est levée tôt. Elle s'est douchée. Elle s'est maquillée. Elle s'est habillée. Elle s'est regardée dans la glace.

Ils sont partis au bureau en voiture.
Elle est arrivée au bureau à 8 h 30. Elle s'est mise au travail. Elle s'est servie de l'ordinateur.
Il s'est intéressé aux affaires courantes.
Il est descendu à la cafétéria pour le déjeuner.
Il est resté bavarder quelques minutes avec ses collègues.
Ils sont retournés au travail.

Elle est partie du bureau à 17 h 30. Elle est allée faire des courses dans des magasins d'alimentation. Elle est rentrée chez elle, fatiguée, à 18 h 30.

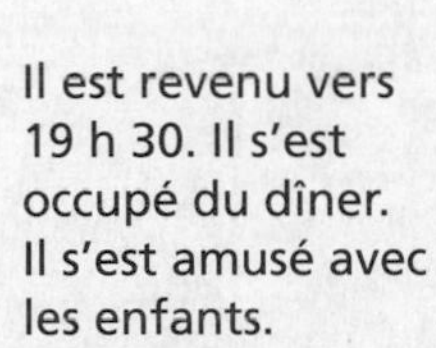

Il est revenu vers 19 h 30. Il s'est occupé du dîner. Il s'est amusé avec les enfants.

Ils se sont couchés vers 23 heures.

1. Qu'est-ce qu'ils ont en commun ?
它们有什么共同点？

1) Quel est l'infinitif des verbes ci-dessus ?
2) Classez-les en deux catégories :
   a verbes pronominaux ; b autres.
3) Connaissez-vous d'autres verbes qui peuvent entrer dans ces deux listes ?
4) Qu'est-ce que tous ces verbes ont en commun dans la formation du passé composé ?

2. Écriture. 写作。

Racontez votre journée d'hier. 写写你昨天是怎么度过的。

Avant la douche

Une goutte d'eau
la pluie
une averse
la brume
le brouillard
une ondée
l'orage
la tempête
la tornade
un sanglot
une larme
allons allons
l'eau est tirée
il faut la boire

PHILIPPE SOUPAULT, *Chansons vécues, 1948-1949*, Eynard. ®

UN VISITEUR DE MARQUE

高级客户

Découvrez les situations 情景学习

1. Interprétez les photos. 看剧照回答问题。

Dites : 说出：

1) si M. Ikeda descend dans un grand hôtel ;
2) quelle est la saison de l'année ;
3) pourquoi on utilise des quadricycles dans le Parc floral.

2. Comment se diriger dans le parc ?

在公园里如何辨别方向？

Regardez le plan du parc et posez des questions. Utilisez : 看下面公园地图，使用下列表达方式提问：

- 句型： où se trouve(nt)... ?
- 介词短语：au fond de, en face de, sur la gauche, de chaque côté de, tout autour de.

Le parc Floral de Vincennes

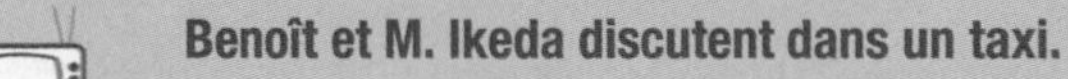

Benoît et M. Ikeda discutent dans un taxi.

Benoît (Il montre une petite carte.) J'ai réservé une chambre dans cet hôtel. Vous aurez le temps de vous reposer. On ira visiter le parc demain.

M. Ikeda Non, non, je me reposerai plus tard.

M. Ikeda C'est un grand hôtel, n'est-ce pas ?[1]

Benoît Oui. Et très confortable. Vous connaissez cet hôtel ?

M. Ikeda Oui, oui. Mais je n'aime pas beaucoup les grands hôtels. Je préfère aller là, si cela ne vous dérange pas.

Il sort une autre carte et montre la carte à Benoît.

Benoît Euh... Si vous préférez... Mais je ne sais pas s'ils auront une chambre libre...

M. Ikeda Oh, il n'y a pas de problème. J'ai déjà réservé depuis Tokyo. J'aime beaucoup ce petit hôtel. Ce sera plus calme.

Benoît Alors, tout va bien. Je vais indiquer l'adresse au chauffeur.

Le taxi s'arrête devant l'hôtel. M. Ikeda descend. Benoît se retourne vers le chauffeur de taxi pour payer la course.

Benoît Ça fait combien ?[2]

Le chauffeur 230 francs (35 euros environ), Monsieur.

Benoît lui donne un billet de 500 francs (76 euros environ).

Le chauffeur — Vous n'avez pas de monnaie, s'il vous plaît[3] ?

Benoît — Si, j'ai de la monnaie. Tenez. Gardez la monnaie et donnez-moi un reçu pour 250 francs (38 euros environ),s'il vous plaît.

Benoît et M. Ikeda sont au Parc floral[4].

Benoît — Voici le Parc floral de Paris. D'ici, on ne peut pas le voir en entier, mais il est très grand.

M. Ikeda — Quelle surface fait-il ?

Benoît — 35 hectares.

M. Ikeda — Je peux prendre des photos ?

Benoît — Oui, oui. Vous pouvez, ce n'est pas interdit.

Benoît indique des directions de la main.

Benoît — Derrière nous, il y a le château de Vincennes[5]. Et, tout autour, c'est le bois de Vincennes, avec de nombreux terrains de sport. En face de nous, c'est la vallée des fleurs. Et plus bas, il y a des bassins.

M. Ikeda — Où se trouve le jardin des quatre saisons ?

Benoît — Devant nous, tout au bout.

M. Ikeda — Allons-y ![6]

Benoît — Oui, mais je vais aller chercher le conservateur, nous avons rendez-vous avec lui à 15 heures.

M. Ikeda — Non, non, je préfère ne pas[7] déranger ce monsieur.

Benoît — Vraiment, vous ne préférez pas voir le conservateur ? Il connaît très bien ce parc, et il sait tout ce qu'il faut savoir sur les plantes.

M. Ikeda se tourne vers Benoît et lui montre les serres du parc.

M. Ikeda — Ces petits bâtiments en verre, de chaque côté des allées, ce sont des serres, n'est-ce pas ?

Benoît — Oui. Ce sont des expositions de plantes rares.

M. Ikeda — Nous pouvons visiter toutes ces serres ?

Benoît — Oui, bien sûr. Mais il y en a beaucoup, nous n'aurons pas le temps de tout voir.

M. Ikeda voit passer deux enfants sur un quadricycle.

M. Ikeda — Oh, nous pouvons peut-être prendre un véhicule comme celui-ci ?

Benoît regarde son plan.

Benoît — Oui, un quadricycle. Je vais me renseigner

M. Ikeda et Benoît pédalent sur leur quadricycle. Ils regardent autour d'eux.

M. Ikeda — Et pour ce soir, vous avez prévu quelque chose ?

Benoît sourit, l'air heureux d'annoncer une bonne nouvelle à son hôte.

Benoît — Oui. Pour ce soir, j'ai retenu une table… nous irons dans un bon restaurant… La Tour d'argent[8], vous connaissez ?

Monsieur Ikeda fronce les sourcils. Il sort de son portefeuille une petite carte et la tend à Benoît.

M. Ikeda — La Tour d'argent, la Tour d'argent. Tout le monde va à la Tour d'argent ! J'ai l'adresse d'un petit bistrot… Vous ne préférez pas ?

Benoît — (l'air déçu) Si, si, bien sûr, je préfère…

NOTES 课文注释

1 n'est-ce pas ? 不是吗？
2 Ça fait combien ? 这个多少钱？
3 s'il vous plaît : 礼貌用语，意为“请，劳驾”。
4 Le Parc floral，即巴黎花园，座落于万森树林（Bois de Vincenne）中央。在巴黎市区，公园到处可见。其中，杜勒里公园（jardin des Tuileries）和卢森堡公园（jardin du Luxembourg）规模宏大、风景如画，美丽的雕塑遍布园中。万森树林在巴黎市的东边，同西边的布洛瓦树林（Bois de Boulogne），像两片肺叶一样给巴黎提供氧气，是巴黎的两个天然大氧吧。
5 Le château de Vincennes，即万森城堡，座落于万森树林内。该城堡曾经是皇室住所，在大革命时期成为监狱，之后还曾是瓷器工厂和兵工厂。如今，修葺一新的万森城堡是一个军事博物馆。
6 Allons-y ! 我们走吧！“y aller”的命令式用法。
7 动词不定式的否定：ne pas一起放在不定式前。
8 La Tour d'argent : 银塔餐厅，巴黎的顶级餐厅，位于塞纳河岬角，因其石塔在阳光照耀下闪烁生辉而得名。该餐厅可以追溯到16世纪，擅长做鸭子，以“血鸭”最为著名。餐厅的一层是介绍法国饮食文化的博物馆，透过二层餐厅的落地窗，可欣赏到巴黎圣母院与西岱岛的壮丽景观。对很多人而言，“银塔”是法国大餐和奢华的代名词。

VOCABULAIRE 词汇表

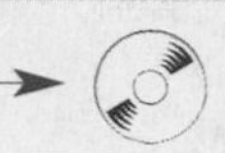

allée	*n.f.*	小路
bas	*adv.*	在低处
bassin	*n.m.*	盆地
***billet**	*n.m.*	纸币
bistrot	*n.m.*	酒馆
bois	*n.m.*	树林
bout	*n.m.*	末端；尽头
(tout) au bout	*loc.adv.*	在最里面
calme	*adj.*	安静的
chaque	*adj.indéf.*	各个，每个
château	*n.m.*	(*pl.* ~x) 城堡
chauffeur	*n.m.*	司机
confortable	*adj.*	舒适的
connaître	*v.t.*	认识（变位见本课“语法学习”）
conservateur, trice	*n.*	看护员
côté	*n.m.*	边
***course**	*n.f.*	路程，行程
déranger	*v.t.*	打扰
derrière	*prép.*	在……后面
dimension	*n.f.*	尺寸，体积
droite	*n.f.*	右边
à droite de	*loc.prép.*	在……右边
entier	*n.m.*	整个，全部
en entier	*loc.adv.*	完整地
exposition	*n.f.*	展览，陈列
face	*n.f.*	脸，面部；(物体的)面
en face de	*loc.prép.*	在……对面
***froncer**	*v.t.*	皱
gauche	*n.f.*	左边
à gauche de	*loc.prép.*	在……左边
hectare	*n.m.*	公顷
***hôte**	*n.*	客人
hôtel	*n.m.*	饭店
indiquer	*v.t.*	指出
interdit, e	*adj.*	禁止的
jardin	*n.m.*	花园
libre	*adj.*	空闲的
monnaie	*n.f.*	零钱，硬币
nombreux, se	*adj.*	许多的
***pédaler**	*v.i.*	骑车
pelouse	*n.f.*	草地，草坪
***plan**	*n.m.*	地图；计划
plante	*n.f.*	植物
***portefeuille**	*n.m.*	钱包
pouvoir	*v.t.*	能，可以
prévoir	*v.t.*	预料；准备，预备
quadricycle	*n.m.*	四轮车
rare	*adj.*	罕见的
reçu	*n.m.*	收据
rencontrer	*v.t.*	遇见，遇到
(se) reposer	*v.pr.*	休息
retenir	*v.t.*	预订（餐位）
***(se) retourner**	*v.pr.*	转身
saison	*n.f.*	季节
savoir	*v.t.*	知道（变位见本课“语法学习”）
serre	*n.f.*	温室，暖房
sortir	*v.t.*	拿出来
***sourcil**	*n.m.*	眉毛
surface	*n.f.*	面积
***tendre**	*v.t.*	伸出，张开（il tend）
terrain	*n.m.*	场地
(se) trouver	*v.pr.*	位于
vallée	*n.f.*	谷地，山谷
véhicule	*n.m.*	车辆
verre	*n.m.*	玻璃

剧情理解

Observez l'action et les répliques
观察剧情和人物对话

1. Qu'est-ce qu'ils disent ? 他们在说什么？

Visionnez l'épisode avec le son et retrouvez les paroles des personnages. 观看影片，找出剧中人物的台词。

2. Qu'est-ce qu'il s'est passé ? 发生了什么事？

Visionnez l'épisode avec le son, puis éliminez les événements qui ne sont pas dans l'épisode et mettez les événements dans l'ordre du film. 观看影片，划掉本集中没有出现的情节，把出现的情节按顺序排列。

1) Benoît paie la course en taxi et demande un reçu au chauffeur.
2) M. Ikeda et Benoît dînent au restaurant La Tour d'argent.
3) M. Ikeda demande à aller dans un hôtel réservé depuis Tokyo.
4) M. Ikeda et Benoît rencontrent le conservateur du parc.
5) M. Ikeda prend des photos dans le parc.
6) M. Ikeda donne à Benoît l'adresse d'un petit hôtel.
7) M. Ikeda et Benoît visitent le Parc floral sur un quadricycle.

Observez les comportements
观察人物行为

3. Quels gestes fait-il ? 他做了什么手势？

Pour indiquer les lieux, Benoît fait des gestes. Associez un geste à chacune des indications de lieu. Benoît做了一些手势来指明方位。找出与下面各个方位相对应的手势。

1) En face.
2) Derrière nous.
3) Tout autour.
4) Plus bas.

4. Benoît change d'expression. Benoît 态度的变化。

Par trois fois, Benoît croit bien faire et, par trois fois, M. Ikeda dit non.
Retrouvez ces trois moments du film, racontez l'histoire et décrivez l'expression de Benoît dans chaque cas. 有三次Benoît觉得自己做得很对，但每次Ikeda先生都表示反对。在影片中找出这三个片断，描述一下当时的情况和Benoît每次的态度。

5. Avez-vous remarqué ? 你注意到了吗？

Indiquez les gestes et les jeux de physionomie associés à chacun des actes de parole suivants. 找出与每一个言语行为对应的手势或表情。

Exemple : Vous connaissez cet hôtel ? ☞ **Haussement de sourcils.**

1) Si vous préférez...
2) Tenez. Gardez la monnaie.
3) Voici le Parc floral de Paris.
4) Devant nous, tout au bout.
5) Pour ce soir, j'ai retenu une table dans un bon restaurant.

a Main pointée vers le bout du parc.
b Sourire.
c Léger haussement d'épaules.
d Geste large de la main.
e Main tendue en avant.

6. C'est dans les dialogues. 在对话中。

Dans les dialogues, trouvez : 从对话中找出：

1) deux demandes de permission ; 2) plusieurs expressions de possibilité ; 3) deux demandes d'information.

DÉCOUVREZ LA GRAMMAIRE

语法学习

1. Quelles sont les formes ? 变位形式是什么？

1) Relevez les formes du présent du verbe *pouvoir* dans les dialogues. Retrouvez la conjugaison. 找出对话中动词pouvoir的现在时的各种形式。

2) Comment se prononcent les formes des trois personnes du singulier de *pouvoir* ? Pouvoir的三个单数人称的变位形式如何发音？

2. Qu'est-ce qu'ils peuvent faire ? 他们可以做什么？

Imaginez ce que ces gens peuvent faire. 想象一下这些人在下面情况下可以做什么。

Exemple : S'il fait beau, ils...
☞ **S'il fait beau, ils peuvent visiter le parc.**

1) S'il n'y a pas de taxis, nous...
2) Si ce n'est pas interdit, M. Ikeda...
3) Si tu as tout lu au sujet du parc, tu...
4) Si l'hôtel ne vous plaît pas, vous...
5) S'ils n'aiment pas La Tour d'argent, ils...

3. *Savoir* ou *connaître* ? Savoir 还是 connaître ?

Complétez par une forme de *savoir* ou de *connaître*. Puis dites dans quels cas on emploie l'un ou l'autre. 用savoir或connaître的正确形式填空，然后说明为什么选用该动词。

1) J'ai tout lu. Je ... beaucoup de choses.
2) Il a déjà rencontré ce monsieur. Il le ... .
3) Elle nage depuis l'âge de trois ans : elle ... bien nager.
4) Je ne trouve pas les clefs. Ne t'inquiète pas, je ... où elles sont.
5) Quand est-ce qu'on a ouvert ce parc ? Je ne ... pas.
6) Tu ... le règlement ? Mais oui, je ... tout ça par cœur !

动词pouvoir

Pouvoir 有三种词根变化形式：

Je **peu**x prendre des photos.
Tu peux te promener.
Il/elle/on peut marcher dans le parc.
Nous **pouv**ons visiter les serres.
Vous pouvez prendre un taxi.
Ils/elles **peuv**ent dîner dans un petit bistrot.

Pouvoir后面一般接动词不定式，但在某些回答中可以省略动词不定式。例如：

– Je peux prendre des photos ?
– Oui, tu peux.

Pouvoir的过去分词为**pu**：

Il a **pu** visiter des parcs.

Pouvoir的简单将来时：

je pourr**ai**	nous pourr**ons**
tu pourr**as**	vous pourr**ez**
il/elle pourr**a**	ils/elles pourr**ont**

动词savoir和connaître

Savoir 和connaître的用法

Connaître 表示认识、熟悉，后面接名词，如：
Tu connais tes voisins ?
Savoir 指“智力”，意思是“记得”、“会”，可以接
- 名词，如：Tu sais ta leçon ?
- 动词不定式，如：Tu sais compter en français ?
- 间接疑问句，如：Tu sais où ils habitent ?

Savoir 和connaître有两种词根变化形式：

je **sai**s	je **connai**s
tu sais	tu connais
il/elle sait	il/elle connaît
nous **sav**ons	nous **connaiss**ons
vous savez	vous connaissez
ils/elles savent	ils/elles connaissent

4. *Savoir* ou *pouvoir* ? Savoir还是pouvoir？

Utilisez *savoir* ou *pouvoir* selon le sens. 根据意思选用savoir或pouvoir造句。

Exemple : écrire – un roman
☞ **Je sais écrire, mais je ne peux pas écrire un roman.**

1) nager – être champion du monde de natation
2) monter en avion – piloter un avion
3) prendre des photos – prendre des photos d'art

5. Préparez un programme. 制定日程安排。

On vous demande de préparer un programme pour un visiteur étranger. Dites ce que vous ferez avec le visiteur et ce qu'il pourra faire seul. 你要为一位外国游客制定一个日程安排。说说你将与他一起做什么，他又能独自做什么。

Exemple : **Il arrivera par l'avion de 5 h 40. Je serai à l'aéroport. Nous irons à son hôtel.**

简单将来时(futur simple)

简单将来时的构成

简单将来时由动词不定式加词尾-ai，-as，-a，-ons，-ez，-ont构成。

je me reposer**ai**	nous partir**ons**
tu travailler**as**	vous comprendr**ez**
il/elle/on finir**a**	ils trouver**ont**

! 某些常用动词的简单将来时变位中词根形式特殊。

être : je **ser**ai	voir : ils **verr**ont
avoir : tu **aur**as	savoir : je **saur**ai
faire : il **fer**a	venir : tu **viendr**as
aller : nous **ir**ons	pleuvoir : il **pleuvr**a

简单将来时的用法

- 表达将来的可能性，如：
  Il viendra nous voir.
- 预报、预言某件事情，在天气预报中经常使用，如：
  Il fera chaud.
  Le soleil brillera.

6. Montrez ces objets. 指示物品。

Montrez des objets et dites à votre voisin(e) de regarder, de vous prêter ou de vous donner ces objets. 指出一些物品让你的同桌看，然后让他（她）把这些物品借给你或拿给你。

指示形容词(adjectifs démonstratifs)

指示形容词的形式

	阳性	阴性
单数	**ce** jardin **cet** étudiant	**cette** fille
复数	**ces** jardins **ces** étudiants	**ces** filles

! **cet**放在以元音字母或哑音**h**开始的阳性单数名词前，如：
cet accident, **cet** hôtel, **cet** aéroport

! 在复数名词前，不论阳性还是阴性，指示形容词均为**ces**。

指示形容词的用法

- 指示人或物，意思是“这个，那个，这些，那些”，如：
  Regardez **ces** plantes.
- 复指上文出现的人或物，如：
  Au fond, il y a un bassin. **Ce** bassin est plein d'eau.
- 标明时间，如：
  cette nuit, **ce** matin, **ce** mois-ci, **cette** année

! 指示形容词在指示人或物时，近指（这个、这些）和远指（那个、那些），具体意义视情况而定。

! ce jour-**là**（那天），cette année-**là**（那年）指已提及的过去的时间。

7. Avec quelle fréquence ? 什么样的频率？

1) Combien de fois par semaine est-ce que vous allez au cours de français ?
2) Combien de fois est-ce que vous allez faire du sport ce mois-ci ?
3) Combien de fois est-ce que vous avez regardé la télévision cette semaine ?
4) Combien de fois par an est-ce que vous partez en vacances ?
5) Combien de fois est-ce que vous êtes sorti(e) le soir ces derniers jours ?

表达频率

提问频率用"Combien de fois？"，意为"多少次？"。

表达频率可以用

- 介词par，如：deux fois **par** jour/**par** mois...
- 形容词tous，toutes，如：**tous** les jours/**toutes** les semaines...
- 序数词，如：C'est **la première/la cinquantième/la dernière** fois.

SONS ET LETTRES • distinguer des sons et des lettres muettes

音与字母 • 辨别相近的音和不发音的字母

1. Quelle est l'orthographe ? 哪种拼写形式?

Distinguez *c'est – s'est – ses – ces – sait*.
Écrivez les formes de [se] et [sɛ] du dialogue.
辨别c'est - s'est - ses - ces - sait。
写出对话中[se]音和[sɛ]音的不同拼写形式。

2. Faites la différence. 区分相近的音。

Vous allez entendre des phrases. Dites si vous entendez le son [ø] ou le son [œ]. 听句子，判断你听到的是[ø]还是[œ]。

Exemple : Il peut venir. ☞ **[ø]**

3. Quelles sont les lettres muettes ? 哪些字母不发音?

Lisez, relevez les lettres muettes, puis écoutez l'enregistrement pour vérifier. 朗读下列句子，找出不发音的字母。然后听录音核实。

1) Une petite chambre.
2) Deux grandes chambres.
3) Le grand hôtel.
4) Trois belles serres.
5) Tout au fond de l'allée.
6) Le parc est ouvert depuis des années.
7) Nous pouvons entrer dans les jardins à thèmes.

COMMUNIQUEZ

语言交际

1. Visionnez les Variations.

看录像，学习下列言语行为的不同表达方式。

1) Jouez les deux premières variations avec votre voisin(e). 与同桌表演录像中请求/给与/拒绝许可和询问价格的情景。

2) Jouez les scènes suivantes à deux. 与同桌表演下面两个情景。

a Un étranger vous demande s'il peut : fumer, marcher sur la pelouse, stationner...
Vous lui dites que non. Jouez la scène à deux.
一个外国人问你他能否吸烟、在草坪上行走、停车……你告诉他这些行为是禁止的。两人一起表演。

Interdiction de fumer

défense de stationner

b Vous achetez des objets et vous demandez combien ça coûte. On vous demande comment vous payez. Si vous payez en espèces, on vous rend la monnaie.
你要购买一些物品。询问物品的价格，对方问你怎么付款。如果你用现金付款，对方给你找零。

询问价格

1) – Je vous dois combien ?
– 230 francs (35 euros environ) plus les bagages.

2) – Qu'est-ce que je vous dois ?
– 230 francs (35 euros environ) sans les bagages.

3) – C'est combien la course ?
– 230 francs (35 euros environ) avec les bagages.

请求/给予/拒绝许可

1) – C'est permis de prendre des photos ?
– Oui, c'est permis.
– Non, ce n'est pas permis.

2) – Ici, les photos, ce n'est pas défendu ?
– Non, ce n'est pas défendu.
– Si, c'est défendu.

3) – Je voudrais prendre des photos, c'est possible, ici ?
– Oui, il n'y a pas d'interdiction.
– Non, vous ne pouvez pas. C'est interdit.

说明预订了餐位

1) J'ai réservé deux couverts pour ce soir.

2) J'ai fait une réservation pour ce soir.

3) Nous avons une table réservée pour ce soir.

2. Retenez l'essentiel.

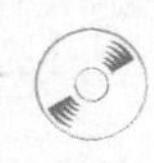

捕捉关键信息。

Écoutez et répondez aux questions.
听录音，然后回答下列问题。

1) Quel jour de la semaine est-on ?
2) En quelle saison est-on ?
3) Une promenade en bateau mouche prend combien de temps ?
4) Qu'est-ce qu'ils vont faire ?

3. La réservation. 预订。

Vous téléphonez à un hôtel pour réserver une chambre pour deux personnes. Dites ce que vous voulez : grand lit ou lits jumeaux, salle de bains, vue, calme… et demandez le prix de la chambre et du petit-déjeuner. Vous demandez s'il y a un restaurant dans l'hôtel.
Le réceptionniste vous demande la date et l'heure d'arrivée et de départ et vous demande votre identité et votre numéro de téléphone.

你给一家酒店打电话预订一个双人间。说明你需要一张大床还是两张单人床，对浴室、视野、安静等有无要求，并且询问房间和早餐的价格，酒店内有没有餐厅。

前台服务员问你入住和退房的时间，问你的姓名和电话号码。

4. Il y a beaucoup de choses à voir. 有很多景点要参观。

Parcs, musées, bateau mouche, monuments… il y a beaucoup de choses à voir à Paris et vous n'avez pas beaucoup de temps.
Vous discutez avec votre ami(e) pour savoir ce que vous allez faire aujourd'hui.
Donnez des arguments pour ou contre : trop loin, trop long à visiter, ce n'est pas la bonne saison, il fait beau, il n'y a personne…
Vous êtes place de la Concorde…

在巴黎有许多景点可以参观：公园、博物馆、游船、名胜古迹……而你没有很多时间。假设你和一个朋友现在在协和广场或其他地方，你们讨论今天要去参观什么。对他的提议，你表示赞成或反对并说出理由，如景点太远，参观时间太长，季节不合适，天气好，没有人，等等。

Les parcs naturels

Les îles Lavezzi, situées au sud de la Corse, sont restées très sauvages.

Les îles Lavezzi.

Dans cette réserve naturelle, les oiseaux peuvent nicher en toute tranquillité.

L'escalade des rochers des îles Lavezzi est une expérience inoubliable...

Mais on peut aussi parcourir un grand parc naturel, dans les Vosges, à l'est de la France et découvrir de magnifiques spectacles. Pour faciliter et encourager la curiosité des promeneurs, des points de vue ont été soigneusement repérés et signalés le long d'un sentier de 23 kilomètres.

Une autre idée pour découvrir de splendides paysages : traverser les Pyrénées d'est en ouest à cheval. On peut aussi explorer les 300 000 hectares de parc autour du cirque de Gavarnie. Ce site naturel fait partie du patrimoine mondial de l'humanité.

1. Vous avez vu quoi ?

1) Dans les îles Lavezzi, il y a :
   a des touristes.
   b des oiseaux.
   c des rochers.
   d des arbres.
   e des chevaux.
   f de la forêt.
2) Les points de vue du parc des Vosges sont situés :
   a le long d'un sentier en forêt.
   b en haut des collines.
3) Dans le reportage, que font les visiteurs dans le cirque de Gavarnie ?
   a ils marchent.
   b ils traversent le cirque à cheval.
   c ils font de l'escalade.

2. Et dans votre pays ?

1) Quels sont les principaux sites naturels de votre pays ?
2) Est-ce que les randonnées sont populaires ?
   Sous quelle forme ?
   (à pied, à cheval, en voiture)
3) Qu'est-ce que vous aimez faire ?

Les journées de Courson.

LES FRANÇAIS ET LEUR JARDIN

- **56% des Français habitent une maison individuelle, de ces maisons 94% ont un jardin.**
- **Quatre jardins sur cinq ont une pelouse.**
- **14% des Français passent leurs week-ends à jardiner.**
- **Les Français dépensent plus de 6 milliards d'euros par an pour leurs jardins.**

D'après *Francoscopie, 1997.*

Le jardin de Monet à Giverny.

DOSSIER 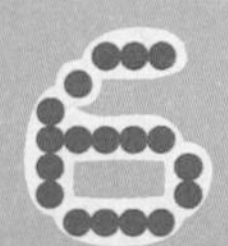

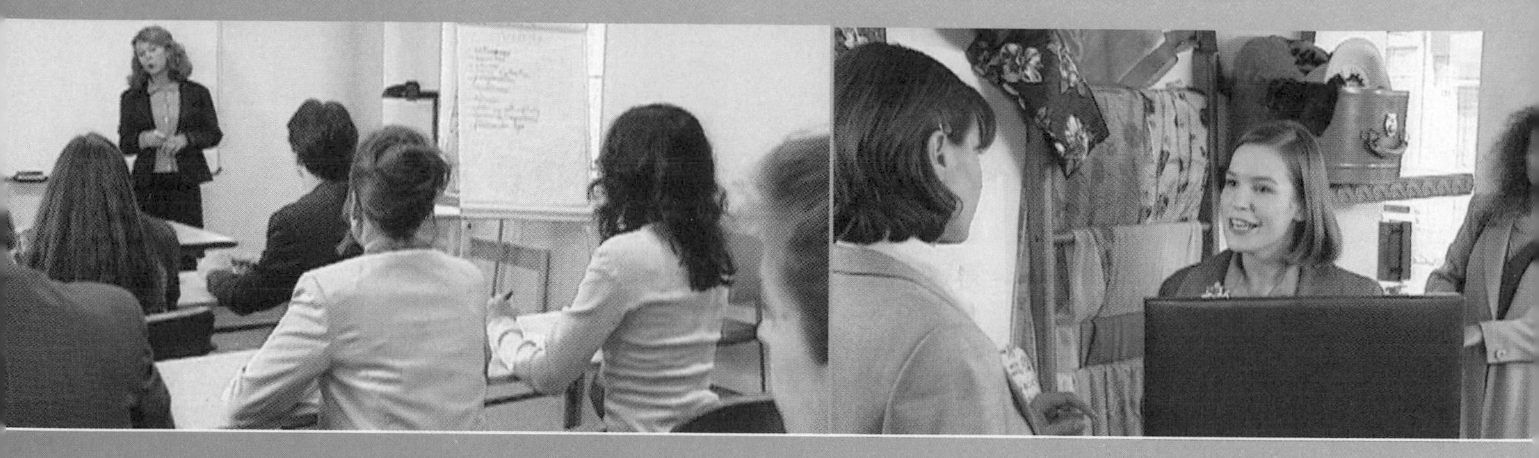

ÉPISODE 11

LE STAGE DE VENTE

销售培训

ÉPISODE 12

JULIE FAIT SES PREUVES

JULIE 展露才华

VOUS ALLEZ APPRENDRE À :

- exprimer la volonté
- exprimer la possibilité
- exprimer l'obligation
- exprimer une appréciation
- demander et indiquer des directions
- demander l'avis de quelqu'un
- donner des conseils
- accepter et refuser
- faire patienter quelqu'un

VOUS ALLEZ UTILISER :

- le verbe *vouloir*
- *je voudrais*
- *il (ne) faut (pas)* + infinitif, *on doit* + infinitif
- des compléments d'objet direct
- des compléments d'objet indirect
- l'accord du participe passé avec le complément d'objet direct
- des prépositions de lieu
- *je crois que, je pense que, je trouve que, il me semble que*

本单元中，你将学会：

- 表达意愿
- 表达可能性
- 表达必须
- 表达赞赏
- 询问方向和指明方向
- 征求意见
- 给予建议
- “接受”和“拒绝”
- 让别人稍候

你将使用：

- 动词 *vouloir*
- 句型 *je voudrais*
- 句型 *il (ne) faut (pas)* + 动词不定式，*on doit* + 动词不定式
- 直接宾语
- 间接宾语
- 过去分词与直接宾语的配合
- 表示地点的介词
- 句型 *je crois que*，*je pense que*，*je trouve que*，*il me semble que*

LE STAGE DE VENTE

销售培训

Découvrez les situations 情景学习

1. Interprétez les photos. 看剧照回答问题。

Dites : 说出：

1) ce que Pascal montre à Julie dans la première scène ;
2) ce que Julie demande à la jeune femme dans la rue ;
3) ce que font les personnes assises dans la salle ;
4) pourquoi Julie et Pilar rient.

2. Comment est-elle ? 她当时什么样?

Visionnez l'épisode sans le son. 关掉声音观看影片。

1) Décrivez Pilar quand elle rencontre Julie pour la première fois.

a Elle est :	• grande ;	• petite ;	• brune ;	• blonde.
b Elle a les cheveux :	• longs ;	• courts.		
c Elle porte :	• une veste noire ;	• une robe noire ;	• une jupe verte ;	• un pantalon marron.
d Elle porte :	• un foulard rouge ;	• un collier en or.		
e Elle porte un sac :	• à la main ;	• sur l'épaule ;	• en bandoulière.	

2) Qu'est-ce qu'elle porte dans la salle de classe ?
3) Est-ce que les deux événements ont lieu le même jour ?

Dans le salon.

Pascal — Julie, tu veux toujours devenir la reine des vendeuses ?

Julie lève la tête, un peu étonnée.

Julie — Bien sûr que je le veux ! Pourquoi ? Qu'est-ce que tu as trouvé ?

Pascal lit à haute voix.

Pascal — Écoute ça : « Stage[1] intensif de vente. Méthode unique ! Vous serez en huit jours un spécialiste du démarchage. »

Julie — C'est ça, si on veut, on peut[2]… Enfin, montre le journal.

Julie lit l'annonce.

Julie — Finalement, c'est peut-être pas mal. Ça a l'air intéressant.

Pascal — Tu peux toujours les appeler.

Pascal tend le téléphone à Julie, se lève et prend sa veste.

Pascal — Bon, c'est l'heure. Je donne des cours de grammaire au fils du boulanger.

Julie — Ah, ça tombe bien[3], il n'y a plus de pain pour ce soir ! Tu pourras rapporter deux baguettes ?

Julie a l'air de chercher son chemin. Elle regarde le nom de la rue. Elle s'approche d'une jeune femme.

Julie	Excusez-moi, je cherche la rue Collette. Vous la connaissez ?
Pilar	Oui. Vous tournez à droite au feu rouge et c'est la première à gauche. Mais vous pouvez me suivre, si vous voulez. Je vais dans la même rue.
Julie	Merci, c'est gentil.

Les deux jeunes femmes arrivent rue Collette.

Pilar	À quel numéro est-ce que vous allez ?
Julie	Au 11.
Pilar	Ah, bon, moi aussi. Vous voulez suivre le stage de vente ?
Julie	Oui, je veux aider des amis artistes à vendre leurs créations.
Pilar	Qu'est-ce qu'ils créent ?
Julie	Des foulards, des bijoux, des ceintures... Ce sont de[4] très beaux objets.
Pilar	J'aimerais bien[5] les voir. C'est possible ?
Julie	Pourquoi pas ? Je peux apporter quelques modèles demain.
Pilar	Nous sommes arrivées. Je me présente, je m'appelle Pilar.
Julie	C'est un joli prénom. Il est espagnol, n'est-ce pas ?
Pilar	Oui. Mes parents sont espagnols.
Julie	Moi, je m'appelle Julie.

Il y a quelques élèves : femmes et hommes. Le professeur est debout près d'un bureau.

Le professeur	Bien. Avant de commencer les jeux de rôle, revoyons ensemble les règles d'or de la vente. Alors, qui veut commencer ?

Un homme lève le doigt.

Le professeur	Oui, Jean-Pierre. Seulement, il ne faut pas lever le doigt. Nous ne sommes pas à l'école ! Nous sommes des vendeurs.

Tout le monde rit.

Jean-Pierre	Il faut bien connaître son produit.
Pilar	Il faut être persuadé de la qualité de son produit.
Julie	On doit être rapide et précis dans son argumentation.
Jean-Pierre	Il faut insister, mais en douceur.
Noelle	On doit commencer par se renseigner sur les boutiques.
Le professeur	C'est très bien tout ça. Mais, surtout, n'oubliez pas : il ne faut pas se décourager ! Et ça, c'est très difficile. Bon. Passons aux jeux de rôles. Deux volontaires ?

Les volontaires sont rares. Julie parle à Pilar à l'oreille. Elles se mettent à rire en silence.

Le professeur	Eh bien, on a trouvé nos volontaires. Ces deux jeunes femmes veulent faire une démonstration. On vous écoute.

NOTES 课文注释

1 1971年法国颁布了《技术教育指导法》，旨在提高职业技术教育的社会地位。该法指出，学校教育除了要通过传授基础知识和文化，包括科学与技术，使人获得职业资格艺术，另一个重要职能是使人在职业生涯中能够不断提高。职业教育经费的40%由企业负担。法律规定，企业完成各项缴税义务后至少必须承担两项支出：一是企业按上一年职业工资1.5%的比例提取继续教育经费，用于本企业职工的在职职业培训；一是按上一年职工工资0. 5%的比例缴纳 "学习税"，用于支持职业技术教育的发展。法国通过立法强制企业承担实施职业教育的义务，既促进了职业教育机构的发展，又保证了企业对技术人才的需求。该法律实施后，很多失业者和员工从中获益。

2 si on veut, on peut : 有志者事竟成。

3 ça tombe bien : 真巧，很巧。

4 不定冠词des在复数形容词前变为de，如：des objets, de beaux objets, de très beaux objets。

5 J'aimerais bien : 我很想。条件时现在时表达委婉的语气。

VOCABULAIRE 词汇表

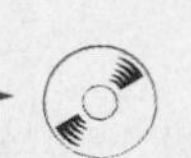

*à haute voix	*loc.adv.*	大声，高声
*annonce	*n.f.*	招贴，广告
appeler	*v.t.*	给……打电话；叫某人
apporter	*v.t.*	带来
argumentation	*n.f.*	论据，理由
baguette	*n.f.*	长棍面包
boulanger, ère	*n.*	面包店师傅，面包商
*chemin	*n.m.*	路
*debout	*adv.*	站着
démarchage	*n.m.*	推销
démonstration	*n.f.*	示范表演
devenir	*v.i.*	成为
difficile	*adj.*	困难的
doigt	*n.m.*	手指
douceur	*n.f.*	温和
en douceur	*loc.adv.*	慢慢地，心平气和地
élève	*n.*	学生
feu	*n.m.*	(*pl.* ~x)信号灯
fils	*n.m.*	儿子
finalement	*adv.*	总之，最后
insister	*v.i.*	坚持
intensif, ve	*adj.*	密集的，强化的
lever	*v.t.*	举起，抬起（身体某部位）
mal	*adv.*	坏，不好
pas mal	*loc.adv.*	不错
méthode	*n.f.*	方法；教学法
*(se) mettre	*v.pr.*	(+ à)开始
modèle	*n.m.*	样品
objet	*n.m.*	物品，东西
or	*n.m.*	金子
*oreille	*n.f.*	耳朵
pain	*n.m.*	面包
persuader	*v.t.*	说服，使信服
être persuadé de		对……深信
peut-être	*adv.*	或许，可能
plus	*adv.*	（与ne连用）不再
possible	*adj.*	可能的
précis, e	*adj.*	明确的
*près de	*loc.prép.*	在……旁边
produit	*n.m.*	产品
qualité	*n.f.*	质量
rapide	*adj.*	快的
rapporter	*v.t.*	带回
revoir	*v.t.*	再看
reine	*n.f.*	王后
*rire	*v.i.*	笑（il rit）
rôle	*n.m.*	角色
rouge	*adj.*	红色的
seulement	*adv.*	只是
*silence	*n.m.*	沉默，不作声
en silence	*loc.adv.*	不出声地，默默地
spécialiste	*n.*	专家
suivre	*v.t.*	跟随
tourner	*v.i.*	转弯
*tout le monde		大家
unique	*adj.*	唯一的
vendeur, se	*n.*	销售者
*veste	*n.f.*	上衣
volontaire	*n.*	志愿者
vouloir	*v.t.*	愿意，想要（变位见本课"语法学习"）

剧情理解

Observez l'action et les répliques
观察剧情和人物对话

1. Qu'est-ce qu'ils ont répondu ? 他们是怎么回答的？

Visionnez avec le son et retrouvez la réponse à chacune des répliques suivantes. 观看影片，找出下面每句话的回答。

1) Julie, tu veux toujours devenir la reine des vendeuses ?
2) Je donne des cours de grammaire au fils du boulanger.
3) J'aimerais bien les voir. C'est possible ?
4) Vous voulez suivre le stage de vente ?
5) C'est un joli prénom. Il est espagnol, n'est-ce pas ?

2. Quelles sont les règles ? 有什么规则？

Retrouvez les règles d'or de la vente. 找出销售的金玉良策。

Il faut..., on doit...

3. Condensez les dialogues. 概述对话。

Résumez chacun des événements importants de cet épisode en une phrase. 用一句话概括本集影片中的每个重要事件。

Observez les comportements
观察人物行为

4. Qu'est-ce que ça veut dire ? 这是什么意思？

1) Julie hausse les épaules et les sourcils. Ces gestes signifient :
   a Pourquoi pas ? b Ça n'a pas d'intérêt.
2) Pilar se désigne de la main droite. Cela veut dire :
   a Moi aussi, j'y vais ; b C'est moi.
3) Pilar et Julie rient. Julie met la main devant sa bouche :
   a pour se cacher ; b pour ne pas parler.
4) Quand l'animatrice désigne Pilar et Julie comme volontaires, la moue de Julie veut dire :
   a Chic, alors, j'adore les jeux de rôles ! b C'est bien ma chance !

5. Comment ils le disent ? 他们是如何表达的？

Trouvez dans les dialogues des énoncés correspondant aux actes de parole suivants. 在对话中找到与下面言语行为相对应的语句。

1) Donner une appréciation.
2) Demander à quelqu'un de faire quelque chose.
3) Exprimer un désir.
4) Exprimer une interdiction.
5) Exprimer une obligation.

1. Qu'est-ce qu'ils veulent ? 他们想要什么?

Trouvez la question. 找出与下面回答相对应的问题。

1) Moi, je veux un café, et toi ?
2) Ils veulent une bonne vendeuse.
3) Oui, elle veut suivre un stage de vente.
4) Non, ils ne veulent pas acheter ces produits. Ils veulent les vendre.
5) Oui, nous voulons commencer tout de suite.

2. Est-ce qu'ils peuvent ? 他们能做到吗?

Regardez les vignettes et dites ce qu'ils veulent faire. Dites s'ils peuvent ou s'ils ne peuvent pas le faire. Dites pourquoi. 观察下面图片，说出他们想做什么，能否做到，并说明为什么。

Exemple : ☞ **– Elle veut participer au concours de beauté.**
– Je ne veux pas être méchant, mais je crois qu'elle ne peut pas. Elle n'est pas assez belle.

3. C'est interdit dans l'avion. 飞机上禁止这样做。

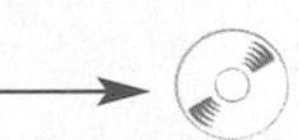

Écoutez et répondez. 听录音，然后回答下列问题。

1) Qu'est-ce que l'homme veut faire ?
2) Pourquoi est-ce qu'il ne peut pas le faire ?
3) Qu'est-ce qu'il doit faire pour pouvoir fumer ?
4) Qu'est-ce que l'hôtesse peut faire pour lui ?

动词vouloir和pouvoir

Vouloir的动词变位

Je **veux**	marcher.
Tu veux	suivre un stage.
Il/elle **veut**	aider ses amis.
Nous **voul**ons	connaître les produits.
Vous voulez	vous reposer.
Ils/elles **veul**ent	faire de la vente.

➪ 比较**vouloir**与**pouvoir**的动词变位：两个动词的词根变化是否相同？两个动词的单数人称变位形式的发音有无变化?

! Je voudrais和**j'aimerais**是表示**je veux**的礼貌、委婉的说法。

Vouloir和pouvoir的用法

- 在回答问句时单独使用，如：
  – Tu **peux/veux** faire les courses ?
  – Oui, je **peux/veux**.
- 后面接动词不定式，如：
  Je **peux/veux** suivre un stage.
- 只有vouloir后面可以接名词，如：
  Je **veux** un foulard.

4. Vous connaissez les réponses ? 你知道答案吗?

Employez un pronom complément d'objet direct dans chacune de vos réponses.
用直接宾语人称代词回答下列问题。

Exemple : Est-ce que Julie suit le stage de vente ?
☞ **Oui, elle le suit.**

1) Qui a montré l'annonce à Julie ?
2) Est-ce qu'elle a appelé les responsables du stage ?
3) À qui est-ce qu'elle a demandé son chemin ?
4) Pilar veut connaître les créations de ses amis artistes ?
5) Est-ce que les deux jeunes femmes peuvent faire le jeu de rôles ?

5. Vous êtes d'accord ! 

你同意啦！

Répondez et acceptez la proposition. 回答并接受对方的建议。

Exemple : Écoute-moi.
☞ **D'accord. Je t'écoute.**

直接宾语人称代词（pronoms COD）

直接宾语人称代词的形式

me	nous
te	vous
le/la/l'	les

直接宾语人称代词的位置

- 相关的变位动词前，如：
  On **vous** écoute.
  – Tu veux la veste ? – Oui, je **la** veux.
- 相关的不定式动词前，如：
  Elle va **m'**appeler.
  Je suis content de **vous** connaître.
- 如果相关动词为复合过去时，直接宾语人称代词则放在助动词前，如：
  Elle **t'**a suivi.

! 在肯定命令式中，直接宾语人称代词放在动词后，用连字符"-"与动词连接；并且要使用重读形式，其中**me**变为**moi**，**te**变为**toi**。例如：
Suivez-**moi** !
Lève-**toi** !

! 代词**le**还可以代替不定式从句，如：
– Vous pouvez **animer des ateliers** ?
– Oui, je peux **le** faire. Je **l'**ai déjà fait.

6. Donnez des permissions. 

给予许可。

Écoutez et répondez affirmativement. 听录音，并作出肯定回答。

Exemple : On peut partir en voiture ?
☞ **Oui, on peut le faire.**

7. *Il faut* + infinitif.

Jouez à deux. Qu'est-ce que qu'il faut :

1) pour devenir agent de voyages ;
2) pour être animateur dans un centre de jeunes ?

两人一组表演对话，说出要达到以上目的必须做什么。

Exemple : **Pour devenir agent de voyages, il faut connaître des langues étrangères.**

表达必须

- Il faut + 动词不定式
  Il faut bien connaître son produit.
- On doit + 动词不定式
  On doit être rapide et précis.

8. Faites l'accord. 过去分词的性、数配合。

– Où avez-vous trouvé... ces foulards ?
– Je les ai trouvé... au supermarché.
– Vous les avez acheté... combien ?
– Je les ai acheté... quinze euros.
– Et ces boucles d'oreilles ?
– Je les ai eu... pour huit euros.
– C'est très joli, vous avez fait... de bonnes affaires !

过去分词与直接宾语人称代词的配合

在复合过去时中，过去分词要与位于助动词前的直接宾语人称代词进行性、数配合。

Cette veste, je **l'**ai prise.

Ces robes, je **les** ai trouv**ées** aux Arcades des Arts.

SONS ET LETTRES · opposition [e]et[ɛ],[ø]et[œ],[o]et[ɔ]

音与字母 · 区分[e]和[ɛ]，[ø]和[œ]，[o]和[ɔ]

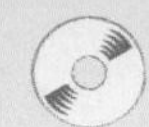

1. Écoutez et répétez. 听录音并跟读。

Faites bien la différence entre la voyelle ouverte et la voyelle fermée. 仔细区分开口元音和闭口元音。

1) Dans tous les cas, le premier mot contient un son :
   a ouvert ;   b fermé.
2) Le deuxième mot se termine par un son de :
   a voyelle ;   b consonne.
3) Les voyelles de la deuxième série sont :
   a ouvertes ;   b fermées.

2. Écoutez et dites quelle est la voyelle différente. 听录音，找出不一样的元音。

3. Écoutez et répétez. 听录音并跟读。

1) Il peut rêver. Elles peuvent se perfectionner.
2) Il veut essayer. Elles veulent étudier seules.
3) Elles veulent faire leur enquête. Il veut le vélo.
4) Il veut aider ses amis. Elles veulent le faire.
5) Elle peut chercher. Ils peuvent s'exercer.

COMMUNIQUEZ

语言交际

1. Visionnez les variations. 看录像，学习下列言语行为的不同表达方式。

Imaginez deux situations. Jouez à deux. 想象下面两种情景中的对话并与同桌表演。

1) Quelqu'un vous demande le nom d'une rue. Dans la première situation, vous connaissez la rue, dans l'autre, vous ne la connaissez pas.
   有人向你询问一条街道的名字。一种情况是你知道这条街，另一种情况是你不知道。
2) Un(e) de vos ami(e)s peint des tableaux. Vous avez envie de les voir. Il/elle ne veut pas les montrer et vous dit pourquoi. Vous insistez.
   你的一个朋友会画画。你想欣赏一下他的作品，但他(她)不愿向你展示，并说明了理由。你坚持要看。

问 路

1) – Excusez-moi, je cherche la rue Collette. Vous la connaissez ?
   – Oui, vous tournez à droite au feu rouge et c'est la première à gauche.
2) – Excusez-moi, Madame, la rue Collette, s'il vous plaît ?
   – Désolée. Je ne sais pas.
3) – Pardon, Madame, vous savez où se trouve la rue Collette ?
   – Je suis désolé(e), je ne la connais pas.
4) – Pouvez-vous me dire où est la rue Collette ?
   – Je regrette, je ne suis pas du quartier.

表达赞赏

1) Finalement, c'est peut-être pas mal !
2) Ça a l'air intéressant !
3) Ça me semble très bien !
4) Ça me paraît très intéressant !
5) Ça n'a pas l'air si mal que ça !
6) C'est très bien !
7) C'est très intéressant.
8) C'est parfait !

准许或拒绝他人的请求

1) – J'aimerais bien les voir. C'est possible ?
   – Pourquoi pas ?
2) – Vous pensez que je peux les voir ?
   – Bien sûr.
   – Non, je regrette, c'est impossible.
3) – Il est possible de les voir ?
   – Mais oui, avec plaisir.
   – Je suis désolée, ce n'est pas possible.

2. Quel est le problème ? 出了什么问题?

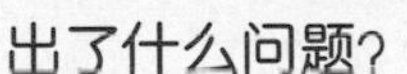

Écoutez les dialogues et répondez aux questions. 听对话录音，并回答问题。

1) Qu'est-ce qu'ils veulent ?
2) Pour quoi faire ?
3) Pourquoi n'est-ce pas possible ?

3. Aidez-la. 帮她一把。

Nous sommes dans un magasin de chaussures. La vendeuse ne connaît pas très bien son métier. Écoutez le dialogue. 我们在一家鞋店，售货员业务不是很熟练。听录音，回答下面的问题。

1) Trouvez les erreurs de la vendeuse.
2) Faites des réponses possibles pour une vendeuse.

4. Qu'est-ce qu'il faut faire ? Qu'est-ce qu'on ne doit pas faire ? 应该做什么? 不应该做什么?

Vous êtes médecin et vous donnez des conseils à la radio. Des auditeurs vous parlent de leurs problèmes. Vous leur dites ce qu'il faut faire ou ne pas faire.
Préparez ces échanges par groupes de quatre à six apprenants. Puis jouez les scènes.
你是医生，通过广播给听众一些建议。4至6人一组，表演医生和听众间的对话。听众说出自己的问题，医生告诉他(她)应该做什么，不应该做什么。

Exemple : **– Passons à l'auditeur suivant. Je vous écoute, Monsieur.**
– Je dors très mal depuis un mois. Je me réveille trois ou quatre fois par nuit.
– Vous avez des problèmes au travail, dans votre famille ?

5. Donnez des conseils d'apprentissage. 给予一些学习方法上的建议。

Jouez avec votre voisin(e). Demandez-lui comment il/elle apprend les dialogues, le vocabulaire, la grammaire, les actes de parole... Posez une question et répondez chacun à votre tour. 与同桌一起表演，问他(她)如何学习对话、词汇、语法、语句等。轮流提问和回答。

Exemples : **Est-ce que tu fais des listes de mots ? Est-ce que tu étudies les pages *Des mots pour le dire* ? Est-ce que tu apprends les mots dans des phrases ?**

ÉCRIT — Les articulations du paragraphe et du texte

笔语 —— 文章和段落的结构

Une cible privilégiée : les plus de 50 ans

目标消费群：50岁以上的老人

Après le « jeune » et la « ménagère de moins de cinquante ans », le marketing a trouvé sa nouvelle cible : le « vieux » de plus de cinquante ans. Un publicitaire, Jean-Paul Tréguer, les a baptisés les seniors. L'idée est venue des États-Unis. Les spécialistes américains pensent que les seniors ne sont plus « un marché à part, mais des parts de marché ».

Les chiffres sont révélateurs : en 2015, un consommateur sur deux sera un senior. Ils représentent déjà 30 % de la population française. Ils sont 850 000 de plus chaque année et ont un revenu annuel de 122 milliards d'euros.

En France, les entreprises leur consacrent seulement 10 % de leur budget marketing, alors que la stratégie de Coca-Cola ou de McDonald passe par la séduction des grands-parents. Cependant, quelques entreprises s'intéressent déjà à ce public comme Renault ou le Club Med. Les magasins Monoprix font 25 % de leur chiffre d'affaires avec les seniors et privilégient, à leur attention, les livraisons à domicile. La part des quinquagénaires dans l'automobile est de 40 %, comme le prouvent les ventes de la Twingo. Petite voiture jolie, facile à conduire, économique, lancée pour les jeunes, elle est achetée à 39 % par les seniors...

D'après *Challenges*, juin 1996.

1. Quelle est la structure du texte ?

文章的结构是什么？

Recopiez et complétez le schéma. 抄写下面提纲，并将其补充完整。

1) a Phrase-clef qui annonce le thème du passage : ...
   b Une nouvelle cible : ...
   c Nom : ...
   d Origine : ...
2) Des chiffres révélateurs.
   a Proportion de la population : ...
   b Revenu annuel : ...
3) La stratégie commerciale.
   a Les pionniers : ...
   b Budget marketing : ... %
4) Preuve finale : ...

2. Vocabulaire. 词汇。

Relevez le vocabulaire technique de la publicité et du marketing. 找出有关广告和市场的专业词汇。

3. À vos stylos ! 练练笔！

Sur le modèle de la structure du texte, inventez un court article sur *une cible privilégiée, les sportifs* (ou sur une autre cible de votre choix.)

Trouvez des idées : quels produits peut-on vendre à un sportif ?

选择一个目标消费群，如运动员等，想象一下可以向他们推销什么商品。模仿文章的结构，写一篇短文。

– Équipement (vêtements et matériel) ;
– aliments et boissons énergétiques ;
– séjours sportifs ;
– billets pour manifestations à des prix spéciaux...

DES MOTS POUR LE DIRE

丰富你的词汇

Orientez-vous dans la ville

在城市里辨别方向

1. Quels sont les différents types de bâtiments ？ 这是什么类型的建筑物?

Relevez sur le plan : 从上图中找到下列几类建筑物的名称：

1) les noms de bâtiments et de lieux publics ;
2) les noms de boutiques et de magasins ;
3) les noms de lieux culturels et de loisirs.

2. Quel est leur genre ？ 名词是阴阳性还是阳性?

Classez les noms du plan selon leur genre (M ou F).
按阴阳性（M/F）给上图中的名词分类。

名词的阴阳性

一般情况下，阴性名词

- 在口语中以辅音结尾，如：ville，vendeuse。
- 以-ie，-ue，-oue，-ée结尾，如：vie，rue，roue，montée。
- 以-sion，-tion结尾，如：nation，tension。

一般情况下，阳性名词

- 在口语中以元音结尾，如：fou, chat。
- 词末辅音字母发音，如：sel, noir, sac。
- 后缀为-age，-ment，如：apprentissage，mouvement。

! musée情况特殊，为阳性名词。

3. Qu'est-ce qu'on fait dans ces lieux ？ 在这些地方人们可以做什么?

1) Dites ce qu'on peut faire dans une ville : marcher, se promener, prendre un taxi...
2) Dites ce qu'on peut acheter dans les magasins d'alimentation et les boutiques du plan.

Conseils aux touristes

Sur le boulevard Sébastopol
vous pourrez voir l'Acropole
boulevard de la Chapelle
le quartier de Whitechapel
boulevard Jourdan
le Vatican
porte de Pantin
le Kremlin
quai de la Mégisserie
Istamboul et Sainte-Sophie
dans la rue de Beaune
le Pentagone
rue Saint-Marc
Saint-Marc
rue de Traktir
le pont des Soupirs
rue des Beaux-Arts
Time Square
avenue de la porte de Montrouge
la place Rouge
et si l'averse se déverse
vous trouverez refuge au Café du Commerce

RAYMOND QUENEAU, *Courir les rues*, © Éditions Gallimard, 1967.

JULIE FAIT SES PREUVES
JULIE 展露才华

Découvrez les situations 情景学习

1. Interprétez les photos. 看剧照回答问题。

1) Qu'est-ce qu'il y a dans la vitrine de la boutique ?
2) Quels objets est-ce que Julie laisse à la vendeuse ?
3) Combien de personnes est-ce qu'il y a dans le magasin lors de la deuxième visite de Julie ?
4) Quel bijou est-ce que la cliente essaye ?

2. Regardez les images. 看画面。

Visionnez l'épisode sans le son et dites si vous avez vu les scènes suivantes. 关掉声音观看影片，说出你是否看到了下面的场景。

1) Une cliente entre dans la boutique.
2) La vendeuse touche un des foulards de Julie.
3) La vendeuse fait des gestes pour expliquer le chemin.
4) Une cliente remarque des boucles d'oreilles et demande la permission de les essayer.
5) Un homme s'approche de la cliente.

3. Quelle est la bonne hypothèse ? 哪种假设合理？

1) Une jeune femme parle à Julie.
   a C'est la patronne.
   b C'est la vendeuse.
2) Julie retourne à la boutique.
   a C'est le même jour.
   b C'est un autre jour.
   Comment le sait-on ?
3) La patronne :
   a est intéressée par les objets ;
   b ne les a pas regardés.
4) La cliente appelle son mari :
   a pour lui demander son avis ;
   b pour lui demander de payer.
5) La patronne sourit à Julie :
   a parce qu'elle la trouve sympathique ;
   b parce qu'elle va faire des affaires avec elle.

Julie, sa petite valise noire à la main, regarde la vitrine du magasin. Elle entre dans la boutique, l'air très assuré.

Julie	Bonjour, Madame.
La vendeuse	Bonjour, Mademoiselle. Un de nos articles en vitrine vous plaît ?

Julie pose sa valise sur la caisse et l'ouvre.

Julie	Tout me plaît, mais je ne veux rien acheter. Je représente de jeunes artistes et je crois que leurs créations peuvent vous intéresser.

Julie sort des bijoux, des foulards...

La vendeuse	Oui, tout ça est très joli, mais ma patronne, Mme Dutertre, a déjà ses fournisseurs. Vous comprenez ?
Julie	Je comprends très bien et Mme Dutertre les choisit avec beaucoup de goût. Mais je pense que ces modèles peuvent lui plaire.

Julie montre quelques objets à la vendeuse.

Julie	Écoutez, je vous laisse deux ou trois choses et vous lui montrez : ce foulard par exemple, et aussi ce collier et cette ceinture.

La vendeuse	Oui. Si ça vous fait plaisir... Mais n'y comptez pas trop[1].
Julie	(avec le sourire) Je suis très optimiste et je crois que j'ai raison. Je vous téléphonerai dans deux ou trois jours.

Julie pose une dernière question à la vendeuse.

Julie	Oh, à propos, excusez-moi, je cherche la parfumerie Le Bain bleu. Je crois que ce n'est pas loin. Vous connaissez ?
La vendeuse	Oui. Je vais vous expliquer.

La vendeuse explique le chemin à Julie.

La vendeuse	Vous allez tout droit, jusqu'à une poste et vous tournez à gauche. Vous faites une centaine de mètres, vous tournez à droite. Il y a une boucherie qui fait le coin de la rue. C'est la rue Censier. La parfumerie est en face d'un garage Renault.
Julie	Merci beaucoup. Au revoir.
La vendeuse	Au revoir, Mademoiselle.

Un autre jour, Julie arrive devant la boutique. Elle entre. Un couple est dans le magasin. La patronne est derrière le comptoir. La vendeuse lui dit quelque chose à l'oreille. Julie se dirige vers la patronne.

La patronne	Vous êtes déjà passée il y a[2] quelques jours, n'est-ce pas ?
Julie	Oui. Je suis Julie Prévost. J'ai aussi téléphoné hier. C'est au sujet d'accessoires[3] créés par de jeunes artistes. Des modèles uniques !
La patronne	(l'air indifférent) Ah oui, oui, en effet. J'y[4] ai jeté un coup d'œil.
Julie	Je vous ai apporté d'autres pièces. Ça vous donnera une idée plus complète de leur travail.

Julie ouvre sa petite valise pour montrer quelques modèles à la patronne. La cliente s'approche.

La cliente	Oh ! Elles sont très jolies, ces boucles d'oreilles. (à Julie) Vous permettez ?

Elle met les boucles d'oreilles, se regarde dans un miroir et appelle son mari.

	(à son mari) Chéri, viens voir ces boucles d'oreilles. Elles me plaisent beaucoup.
Le mari	Moi, je ne les aime pas trop. Ce n'est vraiment pas ton style.
La femme	Comment ça, ce n'est pas mon style ! Elles me vont très bien ces boucles d'oreilles.

La patronne reprend ses réflexes de vendeuse.

La patronne	Madame a raison. Elles lui vont très bien. Et, de plus, c'est un modèle unique, créé par un jeune artiste.
Le mari	(résigné) Et elles valent combien, ces merveilles ?

La patronne hésite un peu.

La patronne	Vous permettez quelques instants ?

Elle se tourne vers Julie, radieuse.

La patronne	(tout sourire) Mademoiselle, vous pouvez m'accompagner dans mon bureau ?

NOTES 课文注释

1 n'y comptez pas trop：别抱太大希望。
2 Il y a + 一段时间，表示一段时间以前，与之相对的是"dans + 一段时间"，表示一段时间之后。例如：J'ai visité le Parc floral il y a quelques jours.（几天前我参观了巴黎花园。）Je vais visiter le musée du Louvre dans une semaine.（我一星期后参观卢浮宫。）
3 巴黎素来被称为时尚之都，人们在日常生活中也追求个性化，经常会佩戴一些小饰物或挂件。因此那些艺术家设计的款式独特的方巾、背包、腰带等非常受欢迎。
4 代词y在这里代替"à ces accessories"。

VOCABULAIRE 词汇表

accessoire	*n.m.* 附件，小装饰
accompagner	*v.t.* 陪同
aller bien à	适合
article	*n.m.* 商品
***assuré, e**	*adj.* 自信的，坚定的
boucherie	*n.f.* 肉店
boucle	*n.f.* 环
boucle d'oreilles	耳环
***caisse**	*n.f.* 收款台
centaine	*n.f.* 百个
chéri, e	*n.* 亲爱的
choisir	*v.t.* 选择
coin	*n.m.* 角落
collier	*n.m.* 项链
complet, ète	*adj.* 完整的
***comptoir**	*n.m.* 柜台
***couple**	*n.m.* 夫妇
croire	*v.t.* 认为，相信
dans	*prép.*（+时间）在……之后
de plus	*loc.adv.* 此外，而且，再者
***dernier, ère**	*adj.* 最后的
***(se) diriger**	*v.pr.* 走向
en effet	*loc.adv.* 的确，确实
exemple	*n.m.* 例子，例证
par exemple	*loc.adv.* 比方说
expliquer	*v.t.* 解释
fournisseur, se	*n.* 供货商，供应商
garage	*n.m.* 修车厂
goût	*n.m.* 审美观，欣赏力，品味
***indifférent, e**	*adj.* 冷淡的，无所谓的
instant	*n.m.* 片刻
intéresser	*v.t.* 使……感兴趣
jeter	*v.t.* 瞟，扫视
jeter un coup d'œil	看一眼，瞥一下
jusqu'à	*prép.* 直到
laisser	*v.t.* 留下
***magasin**	*n.m.* 商店
merveille	*n.f.* 奇迹，奇特的东西
mètre	*n.m.* 米
***miroir**	*n.m.* 镜子
montrer	*v.t.* 给……看
œil	*n.m.*（*pl.* yeux）眼睛
optimiste	*adj.* 乐观的
par	*prép.* 被，由
parfumerie	*n.f.* 化妆品店
patron, ne	*n.* 老板
permettre	*v.t.* 允许，准许
pièce	*n.f.* 件
plaire à	*v.t.ind.* 令……高兴
plaisir	*n.m.* 高兴，愉快
faire plaisir à	使……高兴
poste	*n.f.* 邮局
***radieux, se**	*adj.* 灿烂的；喜悦的
***réflexe**	*n.m.* 反射；反应
***résigné, e**	*adj.* 屈从的
***reprendre**	*v.t.* 恢复
représenter	*v.t.* 代表，代理
style	*n.m.* 风格
sujet	*n.m.* 主题
au sujet de	*loc.prép.* 关于
tout à fait	*loc.adv.* 完全地
tout droit	*loc.adv.* 径直向前
***valise**	*n.f.* 手提箱
valoir	*v.i.* 价值（elles valent）
vitrine	*n.f.* 橱窗

剧情理解

Observez l'action et les répliques
观察剧情和人物对话

1. Qu'est-ce que vous avez compris ?

你看懂了什么?

Visionnez avec le son. Vérifiez vos réponses aux exercices précédents. 观看影片，检查你是否做对了"情景学习"中的练习。

2. Qu'est-ce qu'ils disent ? 他们在说什么?

Retrouvez la réplique et décrivez la situation. 找到每个人物的台词，描写当时的情景。

3. Racontez l'histoire. 讲故事。

Mettez les phrases suivantes dans le bon ordre et faites un résumé de l'épisode. Évitez les répétitions : remplacez des noms par des pronoms. 给下列句子排序来概述本集影片。尽量使用代词以避免重复名词。

a Julie retourne à la boutique quelques jours plus tard.
b Des boucles d'oreilles plaisent beaucoup à une cliente, mais son mari n'est pas d'accord.
c Julie entre dans une boutique, mais la patronne n'est pas là.
d Julie lui montre des bijoux, mais la patronne ne semble pas très intéressée.
e Le client demande le prix.
f La patronne demande à Julie de l'accompagner dans son bureau.
g La vendeuse indique à Julie le chemin de la parfumerie Le Bain bleu.
h Julie a réussi à convaincre la patronne : elle est très contente.
i Julie laisse quelques objets à la vendeuse.
j La patronne est là et Julie peut lui parler.

Observez les comportements
观察人物行为

4. Avez-vous bien observé ? 你仔细观察了吗?

Associez une réplique, un ton de voix et un sentiment. 把与下面四句话相对应的语气和感情连接起来。

1) Je suis très optimiste.	**a** Ton haut et fort.	**e** Volonté de persuader.
2) Ah, oui, en effet.	**b** Ton haut, enjoué.	**f** Irritation.
3) Elles me plaisent beaucoup.	**c** Ton net, ferme.	**g** Indifférence.
4) Comment ça, ce n'est pas mon style !	**d** Ton neutre, détaché.	**h** Enthousiasme.

5. Qu'est-ce que vous dites dans ces situations ?

在这些情况下你会说什么?

1) Vous êtes vendeuse. Vous abordez une cliente.
2) Vous faites un compliment sur un vêtement ou un accessoire.
3) Vous demandez le prix d'un article à la vendeuse.
4) Vous voulez faire attendre quelqu'un un petit moment.
5) Vous essayez d'empêcher quelqu'un d'acheter quelque chose.

DÉCOUVREZ LA GRAMMAIRE
语法学习

1. Quels sont les verbes à complément d'objet indirect ? 哪些动词后面带间接宾语？

1) Relevez les verbes de l'épisode qui peuvent se conjuguer avec un complément précédé de la préposition *à* (COI). 在影片中找出后面带"à + 间接宾语"的动词。

Exemple : **Téléphoner à quelqu'un.**

En connaissez-vous d'autres ? 你还知道其他可以带有同样结构的动词吗？

2) Connaissez-vous des verbes construits avec les prépositions *de* et *pour* ? Lesquels ? 你知道哪些动词与介词de或pour连用吗？

2. Choisissez le bon pronom. 选择正确的代词。

Utilisez un pronom complément d'objet indirect de la 3e personne (*lui* ou *leur*) dans la réponse. 用第三人称的间接宾语人称代词（lui或leur）回答问题。

Exemple : Est-ce que les boucles d'oreilles vont bien à la dame ?
☞ **Oui, elles lui vont bien.**

1) Est-ce que Julie montre des modèles aux patronnes des boutiques ?
2) Est-ce que Julie a laissé des objets à la vendeuse ?
3) Est-ce que la vendeuse a bien expliqué le chemin à Julie ?
4) Est-ce que Julie désire parler à la patronne ?
5) Est-ce que les boucles d'oreilles plaisent au mari de la cliente ?

3. Complétez le dialogue. 把对话补充完整。

Utilisez des pronoms compléments. 用宾语人称代词填空。

– Tu as gardé le contact avec les Durand ?
– Oui, mais il y a deux mois que je ne … ai pas vus.
– Tu ne … as pas écrit ?
– Non, mais ils … ont téléphoné il y a un mois.
– Je … ai souhaité leur anniversaire de mariage la semaine dernière.
– Qu'est-ce qu'ils … ont dit ?
– Rien de nouveau. Ils vont bien et ils … embrassent. Ils … ont demandé de … faire leurs amitiés.

间接宾语人称代词（pronoms COI）

间接宾语人称代词的形式

me	nous
te	vous
lui	leur

间接宾语人称代词的用法

代替"à + 名词"或"pour + 名词"，如：

Vous désirez parler **à la patronne** ?
→ Vous désirez **lui** parler ?
J'ai acheté des fleurs **pour elles**.
→ Je **leur** ai acheté des fleurs.

间接宾语人称代词只指代"人"和"其他有生命的东西"。

! 同直接宾语人称代词一样，间接宾语人称代词也放在相关动词前。

! 同直接宾语人称代词一样，在肯定命令式中，间接宾语人称代词放在动词后，用连字符"-"与动词连接；并且要使用重读人称代词形式，其中**me**变为**moi**，**te**变为**toi**。例如：
Donne-**moi** ce livre.
Achète-**toi** une robe.

4. Quelle est la nature du complément ? 是哪种宾语？

Écoutez et dites s'il s'agit d'un complément d'objet direct (COD) ou indirect (COI). 听录音，并判断听到的是直接宾语（COD）还是间接宾语（COI）。

5. Qu'est-ce que vous en pensez ? 你有什么看法？

Vous n'êtes pas absolument certain que votre opinion soit la bonne. Utilisez *je pense que, je crois que, je trouve que* ou *il me semble que*. 当你不确信自己的观点是否正确时，使用je pense que，je crois que，je trouve que，il me semble que等表达方式。

Exemple : Est-ce que Julie va trouver la parfumerie Le Bain bleu ?
☞ **Je crois qu'elle va la trouver.**

1) Est-ce que les modèles de Julie vont plaire à la patronne ?
2) Est-ce que la patronne choisit bien ses fournisseurs ?
3) Est-ce que la vendeuse va montrer les objets à sa patronne ?
4) Est-ce que la cliente va acheter les boucles d'oreilles ?
5) Est-ce que la patronne va mettre les créations des amis de Julie dans sa boutique ?

6. Dites-le de façon plus directe. 说得更直接些。

Exemple : Je te conseille de lui montrer.
☞ **Montre-lui.**

1) Je te demande de leur expliquer le problème.
2) Je vous prie de lui indiquer le chemin.
3) Je te conseille de leur parler maintenant.
4) Je vous suggère de me téléphoner demain.
5) Je vous recommande de lui montrer ces modèles.
6) Je te conseille de penser à tes parents.

7. Indiquez-leur le chemin. 给他们指路。

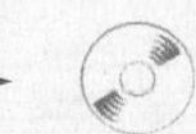

Prenez le plan p. 139. Des gens passent et vous demandent le chemin. Écoutez les questions et donnez des indications.
打开第139页的地图。有一些行人向你问路。听录音中的问题，然后给他们指路。

表达方向

- 介词或介词短语（+名词）：devant, derrière, entre, au bout de, à côté de, autour de, en face de, à gauche de, à droite de
- 副词或副词短语：derrière, devant, au bout, à côté, tout droit, à gauche, à droite, autour, en face

SONS ET LETTRES

音与字母

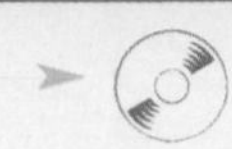

强调重音

法语中的重音（accent tonique），也称重读音，通常落在节奏组的最后一个音节上。这种重音可以起到断句的作用。

法语中还有一种重音，用来强调说话人的主观意愿和感情色彩。这种重音被称作“强调重音”，落在单词的第一个或第二个音节上。例如：

- 表达主观意愿：C'est une règle **ab**solue. ...avec **beau**coup de goût.
- 表达感情色彩：C'est **te**rrible. C'est é**pou**vantable.

1. Y a-t-il un accent d'insistance ? 有强调重音吗？

Écoutez et dites si vous entendez un accent d'insistance dans une des deux phrases.
Si oui, sur quelle syllabe est-ce qu'il porte ?
听录音，判断在听到的两个句子中是否有强调重音。如果有，在哪个音节上？

2. Où est l'accent d'insistance ? 强调重音在哪个音节上？

Écoutez. Dites sur quelle syllabe l'accent porte et répétez la phrase. 听录音，判断重音在哪个音节上，并跟读句子。

COMMUNIQUEZ

语言交际

1. Visionnez les variations.

看录像，学习下列言语行为的不同表达方式。

1) Dites dans quelles situations :
a vous demandez l'avis de quelqu'un ;
b vous faites patienter quelqu'un.
说出在哪种情况下
a 你会征求他人的意见；
b 让他人稍候。

2) Regardez les dessins et imaginez des dialogues. Variez les expressions et donnez des arguments. Jouez les sketches à deux.
看下面的图片，想象两人的对话。与你的同桌一起表演短剧，注意使用不同的表达方法。

征求意见

1) – Regarde, moi, je les trouve très jolies, ces boucles d'oreilles.
– Moi aussi.
– Eh bien, pas moi !

2) – Viens voir, ces boucles d'oreilles sont vraiment faites pour moi.
– Oui, c'est vrai, elles te vont bien.
– Tu trouves ?

3) – Ces boucles d'oreilles, c'est tout à fait mon style, n'est-ce pas ?
– Oui, c'est tout à fait toi.
– Moi, je ne trouve pas.

让他人稍候

1) Vous permettez quelques instants ?
2) Vous pouvez m'attendre un instant ?
3) Excusez-moi, je reviens tout de suite.
4) Excusez-moi, je n'en ai pas pour longtemps.

2. Qu'est-ce que c'est ? 这是什么？

Pensez à un endroit ou à un bâtiment connu de votre ville. Votre voisin(e) vous interroge sur l'itinéraire pour savoir à quoi vous avez pensé. 默想一个你所在城市中的著名地点或建筑。你的同桌问你去那里的路线，根据你的回答来猜你说的是哪里。

> ***Exemple :*** – Quand on sort de l'école, il faut aller tout droit ?
> ☞ **– Non, il faut tourner à droite…**

3. Je peux vous aider ?

找可以帮您吗？

1) Écoutez les deux dialogues. Suivez le chemin indiqué sur le plan et dites ce que cherche la personne. 听两段对话，根据听到的路线，在下图找到问路人要去的地方。

2) Puis, résumez les explications données : la personne s'assure qu'elle a bien compris. 简单复述指路人的解释，以便确信自己听懂了他说的路线。

4. Jeu de rôles. 角色扮演

Êtes-vous un(e) bon(ne) représentant(e) ? Vous voulez vendre l'une de ces séries d'objets à un magasin. Vous argumentez pour que le/la responsable les achète. Il/elle trouve des raisons pour ne pas les acheter ou pour faire baisser le prix. Jouez la scène avec votre voisin(e). 你是一个好的销售代表吗？你想把下图中的一种物品推销给一家商店。你努力说服商店负责人购买，但他(她)找出各种理由拒绝购买或者要求降低价格。与你的同桌一起表演对话。可以使用下面的词语。

beau/laid – inutile – cher – démodé – très moderne – bonne matière/couleur/forme – bon public – original…

La fièvre acheteuse

Toute l'année, les acheteurs se bousculent dans les grands magasins et les supermarchés.

Mais on peut préférer le calme des puces parisiennes de Saint-Ouen et des brocantes régionales, très à la mode depuis quelques années. On a le temps de flâner, de marchander, de chercher l'objet rare et pas cher. Des statuettes, des tableaux, des poupées, des bronzes ou des livres anciens compléteront une collection... ou finiront peut-être dans un grenier...

Le marché aux puces de Saint-Ouen.

Mais d'autres cherchent des solutions plus originales. Cette association ariégeoise, le SEL, le Système d'échange local, a remis au goût du jour un moyen de paiement très ancien : le troc. Pourquoi ne pas échanger un fromage contre des travaux de couture, par exemple ? Ce réseau d'entraide fonctionne bien et simplifie la vie de tous.

Mais cela peut-il vraiment calmer la fièvre acheteuse ?

1. Dans quel ordre ?

1) Dans quel ordre apparaissent :
   a le marché aux puces ;
   b Le SEL ;
   c le grand magasin ?
2) Associez chaque forme d'achat avec un lieu :
   a l'Ariège ;
   b Saint-Ouen (banlieue de Paris) ;
   c Paris ;
   d la province.

2. Et vous ?

1) Y a-t-il des Puces dans votre ville ? Y allez-vous ?
2) Quels objets est-ce que vous aimez ? Est-ce que vous en achetez ?

Magasin Tati.

LES CHAMPIONS DU PETIT PRIX

En 1948, un Tunisien, Jules Ouaki, recrée à Paris un des souks de son enfance. Il ouvre une boutique de vêtements très bon marché. Peu d'employés : les clients cherchent et se servent eux-mêmes.

Il baptise sa boutique Tati, inversion de Tita, le surnom de sa mère ! Tati est devenu une multinationale avec des magasins dans plusieurs pays et une boutique sur la cinquième avenue à New York. Tati compte aujourd'hui 25 millions de clients, vend annuellement 76 millions d'articles et emploie 1 700 personnes.

LES DÉPENSES DES FRANÇAIS (2002)

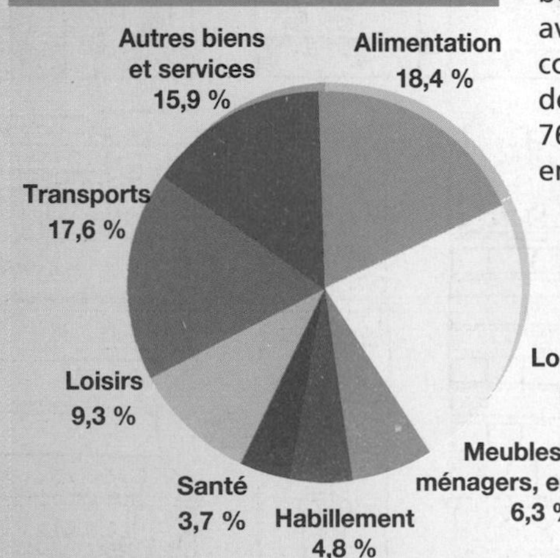

TRANSCRIPTION DES DOCUMENTS AUDIO
录音材料

MÉMENTO GRAMMATICAL
语法概要

TABLEAUX DE CONJUGAISON
动词变位表

LEXIQUE
总词汇表

CONTENU DU MP3
MP3录音内容摘要

TRANSCRIPTION DES DOCUMENTS AUDIO
录音材料

DOSSIER 0

p. 20

4. Vous vous appelez comment ?

– Bonjour, Madame.
– Bonjour, Monsieur.
– Vous vous appelez comment ?
– Pilar Montes.
– Vous êtes espagnole ?
– Oui, et vous ?
– Moi, je suis français. Je m'appelle Lucien Bontemps.

p. 20

1. Comment ça s'écrit ?

Paris – Lyon – Nice – Marseille – Bordeaux – Lille.

3. Épelez votre nom, s'il vous plaît.

– Bonjour. Vous êtes M. Delair ?
– Oui, c'est moi.
– Épelez votre nom, s'il vous plaît.
– Oui. D E L A I R.
– Merci.

p. 21

5. Remplissez la grille.

11, 26, 35, 14, 47, 36, 58, 24, 54, 42, 31, 13, 59, 12, 25, 60, 10, 27, 34, 46, 33, 52, 55, 41, 29, 38, 15, 53, 17, 49, 56, 16, 23, 19, 43, 20, 32, 48, 21, 28, 50, 37, 40, 44, 18, 51, 57, 22, 45, 30.

DOSSIER 1

COMMUNIQUEZ **p. 30**

2. Qui parle ?

1) Salut. Je m'appelle Cyril. Je suis étudiant. J'habite ici.
2) Je m'appelle Françoise Dupont, mais on m'appelle Claudia. Normal, je suis mannequin. Au revoir.
3) Bonjour. Mon nom est Stéphanie Legrand. Je travaille.
Je suis stagiaire. Je suis française.
4) Bonjour. Je m'appelle Henri Dumont. Je suis directeur d'une agence de voyages. Je suis français et j'habite à Paris.

4. Retenez l'essentiel.

– Allô, bonjour Monsieur.
– Bonjour, Madame.
– Vous êtes bien M. Renoir ?
– Oui.
– Monsieur André Renoir, agent de voyages ?
– Mais oui.
– Vous habitez au 4, rue Saint-Martin, à Paris ?
– Oui, mais... excusez-moi, qui êtes-vous ?
– Je suis Mme Forestier, employée de la Banque de Paris.
– Je suis désolé, Madame, mais je n'ai pas d'argent.
– Alors, excusez-moi. Au revoir...

DÉCOUVREZ LA GRAMMAIRE **p. 38**

3. Homme ou femme ?

1) Vous êtes bien M. Dutour ?
2) C'est un garçon heureux.
3) Je vous présente le nouveau locataire.
4) Je vous présente ma mère.
5) Ton ami, le jeune Adrien, va bien ?

6. Ils ont quel âge ?

1) – Françoise, tu as 27 ans ? – Non, 28.
2) – C'est l'anniversaire de Frédéric. Il a 19 ans.
3) – Quel âge a Isabelle ?
– 24 ans, je crois.
4) – Moi, j'ai 26 ans. Et toi, Coralie ?
– 21.
5) – Quentin ? Il a 22 ans, je pense.

COMMUNIQUEZ **p. 40**

2. Retenez l'essentiel.

Dialogue 1

– Allô, c'est toi Paul ?
– Non. Ici, c'est Jérôme.
– Votre numéro, c'est bien le 01 41 13 22 27 ?
– Non. C'est une erreur.
– Je suis désolé.

Dialogue 2

– Allô, Valérie ?
– Oui. Qui est-ce ?
– C'est Sylvie. Tu as le numéro de Corinne ?
– Oui, c'est le 04 37 28 19 32.
– Merci.

3. Trouvez l'annonce.

Conversation 1

L'AGENT IMMOBILIER : Bonjour, Madame Legrand.
MME LEGRAND : Bonjour, Monsieur. Je vous présente mon fils, Charles.
CHARLES : Enchanté, Monsieur.
L'AGENT IMMOBILIER : Très heureux. C'est pour vous, l'appartement ?
CHARLES : Oui, c'est pour moi.
L'AGENT IMMOBILIER : J'ai un petit appartement dans le 12e arrondissement.
CHARLES : Il est vraiment petit ?
L'AGENT IMMOBILIER : Non. Il a une grande chambre, un petit salon, une cuisine et une petite salle de bains.
CHARLES : C'est intéressant.

Conversation 2

H. LABORDE : Allô, l'agence du Parc ?
L'AGENT IMMOBILIER : Oui, Monsieur.
H. LABORDE : Bonjour, Monsieur. Je me présente, Henri Laborde.
L'AGENT IMMOBILIER : Enchanté, Monsieur Laborde.
H. LABORDE : Voilà, je cherche un grand appartement pour ma mère.
L'AGENT IMMOBILIER : Un grand appartement ?

H. LABORDE : Oui, avec un grand salon, deux grandes chambres, une grande salle de bains et une grande cuisine.
L'AGENT IMMOBILIER : Oui... Dans quel quartier, Monsieur Laborde ?
H. LABORDE : Un beau quartier. Vous avez ça ?
L'AGENT IMMOBILIER : Oui, j'ai un grand appartement, très agréable dans le 16e arrondissement.
H. LABORDE : Parfait.

Conversation 3

L'AGENT IMMOBILIER : Bonjour Monsieur, bonjour Madame.
LA FEMME : Bonjour Monsieur. Je suis la fille de M. et Mme Vincent.
L'AGENT IMMOBILIER : Ah oui, votre père est un ami.
LA FEMME : Je vous présente mon mari, M. Coste.
L'AGENT IMMOBILIER : Très heureux de faire votre connaissance, Monsieur Coste.
M. COSTE: Moi aussi.
L'AGENT IMMOBILIER : C'est pour un appartement dans le 14e arrondissement, c'est ça ?
M. COSTE : Oui. Avec trois chambres, un salon, une salle à manger, une cuisine et une salle de bains.
LA FEMME : Deux salles de bains. Ma fille a 17 ans...
L'AGENT IMMOBILIER : Hum... bien sûr.

DOSSIER 2

DÉCOUVREZ LA GRAMMAIRE **p. 48**

1. *Tu ou vous* ?

1) – Quel âge as-tu ?
– 15 ans.
2) – Monsieur Prévost, je vous présente mon ami.
– Enchanté, Monsieur.
3) – Je t'appelle Benoît. D'accord ?
– Mais oui. D'accord.
4) – Où est-ce qu'il habite, votre ami ?
– À Nice.
5) – Denis, c'est bien ton prénom ?
– Oui, c'est bien ça.

5. C'est pour quoi ?

Dialogue 1

– Bonjour, Monsieur.
– Bonjour, Monsieur. Je suis M. Belaval.
– Oui. C'est pour quoi ?
– C'est pour visiter l'appartement. Il est bien à louer ?
– Mais non, Monsieur. Je suis désolé, c'est une erreur.

Dialogue 2

– Bonjour, Mademoiselle.
– Bonjour, Monsieur. C'est pour quoi ?
– C'est pour changer mon billet d'avion.
– Non. Je regrette, Monsieur. Ce n'est pas possible.

Dialogue 3

– Bonjour, Monsieur.
– Bonjour. Vous êtes Mme Lenoir ?
– Non, je suis sa secrétaire. C'est pour quoi ?
– Je suis le nouveau stagiaire. J'ai rendez-vous.
– Ah, bon. Entrez. Mme Lenoir arrive tout de suite.

COMMUNIQUEZ **p. 50**

2. Qu'est-ce qui se passe ?

Dialogue 1

M. DUPRÉ : Bonjour, Madame.
LA FEMME : Bonjour, Monsieur. C'est pour quoi ?
M. DUPRÉ : Je suis le nouveau stagiaire.
LA FEMME : Ah, oui, en effet. Vous êtes M. Christian Dupré ?
M. DUPRÉ : Oui. C'est cela. J'ai rendez-vous avec M. Levasseur.
LA FEMME : M. Levasseur est en retard. Asseyez-vous, je vous prie... Ah, voici M. Levasseur.
M. LEVASSEUR : Oui, qu'est-ce qui se passe ?
LA FEMME : C'est M. Dupré, le nouveau stagiaire.
M. LEVASSEUR : Ah oui, Monsieur Dupré. Entrez dans mon bureau. Asseyez-vous. J'arrive tout de suite.

Dialogue 2

LA FEMME : Tu as rendez-vous ?
L'HOMME : Oui, je passe à l'agence de voyages.
LA FEMME : Pourquoi ?
L'HOMME : Pour changer mon billet pour Madrid.
LA FEMME : Ah bon ! Il y a un problème ?
L'HOMME : Oui, je passe par Bruxelles.
LA FEMME : Tu payes par chèque ou par carte bancaire ?
L'HOMME : Je paie en espèces.
LA FEMME : Tu as ton passeport ?
L'HOMME : Non, mais j'ai ma carte d'identité.
LA FEMME : Et aussi ton billet d'avion ?
L'HOMME : Bien sûr.
LA FEMME : Alors, à ce soir.

3. Retenez l'essentiel.

– Allô. Je suis bien à l'hôtel international ?
– Oui, Monsieur.
– Je voudrais réserver une chambre, s'il vous plaît.
– Oui. Pour quelle date ?
– Pour le samedi 27 mars.
– Attendez. Je vais voir... C'est d'accord, Monsieur. Vous désirez une grande chambre ?
– Oui, de préférence. J'occupe souvent la 25.
– C'est d'accord pour la 25. Vous êtes monsieur... ?
– M. Colin. Michel Colin.
– Épelez votre nom, je vous prie.
– Colin : C O L I N.
– Merci. À bientôt, Monsieur Colin.
– À bientôt. Au revoir, Monsieur.

DÉCOUVREZ LA GRAMMAIRE **p. 58**

2. Singulier ou pluriel ?

1) Écoutez...

① Les nouveaux stagiaires.
② Des bons copains.
③ Le grand appartement.
④ Le beau bureau.
⑤ Les voisins de palier.
⑥ Les belles petites rues.
⑦ Le nouveau fauteuil.
⑧ Les nouveaux collègues.

COMMUNIQUEZ **p. 62**

2. Retenez l'essentiel.

– C'est bientôt l'anniversaire de ta femme.
– Oui, son anniversaire est le 15 novembre, dans un mois.

– Qu'est-ce que tu lui offres ?
– Je ne sais pas encore.
– Tu organises une fête cette année ?
– Oui, mais pas chez nous. Chez des amis. Pour lui faire la surprise.
– Tu invites beaucoup de monde ?
– Une trentaine de personnes.
– Je suis dans les trente ?
– Bien sûr. Comme d'habitude.

3. Conversations.

Dialogue 1

LE JEUNE HOMME : Maryse, qui est la jeune fille dans le bureau de Michel ?
MARYSE : Une stagiaire.
LE JEUNE HOMME : Elle est charmante.
MARYSE : Oui, et elle est très sympa, aussi.
LE JEUNE HOMME : Elle travaille bien ?
MARYSE : Oh, tu sais, pour envoyer le courrier et passer des télécopies...
LE JEUNE HOMME : Ça tombe très bien. J'ai une dizaine de télécopies à envoyer.
MARYSE : Dis donc, ce n'est pas ta stagiaire.
LE JEUNE HOMME : On peut toujours demander.

Dialogue 2

L'HOMME : Hum, ça sent bon le café chez toi.
LA FEMME : Ce n'est pas chez moi, c'est chez ma voisine.
L'HOMME : Et toi, tu n'as pas de café de prêt ?
LA FEMME : Non, je n'ai pas de café.
L'HOMME : Tu prépares une petite tasse à ton copain préféré ?
LA FEMME : Non. Je téléphone à Maria.
L'HOMME : Maria ? Qui c'est ?
LA FEMME : Ma voisine. Tu as envie de café, non ?
L'HOMME : Oui... mais, euh...
LA FEMME : Ne t'inquiète pas. Elle est très sympa. Elle est italienne. Elle est à Paris depuis un mois et elle aime rencontrer des gens.
L'HOMME : Tu es sûre, hein ?
LA FEMME : Oui, oui...

DOSSIER 3

COMMUNIQUEZ **p. 72**

1. Visionnez les variations.

2) Écoutez...
① Pardon, Monsieur, vous avez cinq minutes ?
② Je fais une enquête. Vous avez un moment ?
③ Il est midi. Vous venez à la cafétéria avec moi ?
④ Je joue de la guitare. Vous écoutez un instant ?

2. Des magazines pour tous.

Interview 1

– Vous aimez la musique, Madame ?
– Oui. Mais je ne vais pas souvent au concert.
– Vous allez à d'autres spectacles ?
– Oui, je vais au cinéma.
– Et au théâtre ?
– Non. Pas au théâtre. En fait, je ne sors pas beaucoup. Je regarde la télévision. J'adore la télévision. Je lis, aussi.
– Je vous remercie, Madame.

Interview 2

– Et vous, Monsieur ? Vous lisez ?
– Je lis des journaux. Mais les romans...
– Et vous sortez ? Vous voyez beaucoup de spectacles ?
– Je vais au théâtre pour faire plaisir à ma femme.
– Qu'est-ce que vous aimez d'autre ?
– Je fais de la photo. Ça, j'adore !
– Et qu'est-ce que vous photographiez ?
– Tout. Paris, la campagne, les fleurs, les enfants, les chiens. C'est une passion !

4. Retenez l'essentiel.

CATHERINE : Allô, Sophie. C'est Catherine. Tu vas bien ?
SOPHIE : Oui, mais je suis fatiguée.
CATHERINE : Tes enfants ne vont pas à l'école, le mercredi après-midi ?
SOPHIE : Non, hélas. Mais, le matin, je vais au bureau. Je passe l'après-midi avec les enfants. Je prépare leur goûter, ils ont souvent des copains à la maison. Et le soir, il faut faire la cuisine pour toute la famille.
CATHERINE : Et ton mari t'aide ?
SOPHIE : Pas beaucoup. Il rentre tard. Et toi aussi, avec ton travail et tes trois enfants, ce n'est pas facile.
CATHERINE : Oui, mais Michel m'aide beaucoup. Il fait les courses. Il fait la cuisine. Il accompagne les enfants à l'école le matin.
SOPHIE : Quelle chance ! Tout ce que tu n'aimes pas faire ! Et le week-end, qu'est-ce que tu fais ?
CATHERINE : Ah ! le week-end. C'est différent. Nous allons à la campagne, dans notre maison et nous jardinons. Les enfants ont leurs amis là-bas. Et toi, tu te reposes ?
SOPHIE : Oui, je lis ou je regarde la télévision. On va au cinéma quelquefois avec les enfants...
CATHERINE : Ce week-end, on fête l'anniversaire de Michel. Venez chez nous.
SOPHIE : Oui, avec plaisir !

DÉCOUVREZ LA GRAMMAIRE **p. 80**

4. Quelle est la nationalité ?

1) Vous êtes belge.
2) Elles sont irlandaises.
3) Vous êtes autrichienne ?
4) Il est turc et sa femme est turque.
5) Ils sont allemands.
6) Marie est anglaise.
7) Edith est américaine.
8) Costa est brésilien.
9) Elle est portugaise.
10) Tu es danoise ?
11) Vous êtes grec ?
12) Tu es hollandaise.

5. Repérez les possessifs.

1) Bonjour ! C'est Joseph et Capucine, vos voisins. On rappelle cet après-midi.
2) C'est moi, Lucie. Je pars en week-end. Je n'ai pas de téléphone, mais appelle mes parents.
3) Ici Corinne et Bernard. Voici notre nouvelle adresse : 35, rue des Canettes, dans le 6e.
4) Claude, c'est Pierre. C'est d'accord. Je peux garder tes chiens la semaine prochaine.
5) Sylvie, ne t'inquiète pas pour papa et maman, j'ai leurs cadeaux. Salut.

6) Oui, bonjour, c'est Paul. On ne retrouve plus nos clefs. Est-ce qu'elles sont chez vous ? Rappelle-moi vite sur mon portable.

COMMUNIQUEZ **p. 84**

2. Retenez l'essentiel.

LE POLICIER : Vous connaissez bien M. Vincent ?
L'HOMME : Non, je ne le connais pas bien, mais je le croise souvent dans l'escalier.
LE POLICIER : Et vous, Madame ?
LA FEMME : Moi aussi, je le croise souvent dans l'escalier.
LE POLICIER : Comment est-il ?
L'HOMME : Il est grand et fort.
LA FEMME : Mais non, il est petit et maigre.
L'HOMME : En tout cas, il est brun avec les yeux marron.
LA FEMME : Pas du tout, il est plutôt blond et il a les yeux noirs.
LE POLICIER : Il est habillé comment, d'habitude ?
L'HOMME : Il est en jeans et en blouson.
LA FEMME : Ce n'est pas vrai. Il est toujours en costume cravate avec une belle chemise blanche.
LE POLICIER : Vous parlez bien de M. Vincent, qui habite au quatrième étage ?
L'HOMME : Ah non, je parle de M. Robert. Il habite au troisième.
LA FEMME : Et moi de M. Henri, du deuxième !

DOSSIER 4

DÉCOUVREZ LA GRAMMAIRE **p. 92**

2. Donnez l'heure.

a – Tu as l'heure, s'il te plaît ?
– Oui, il est 4 heures et demie.
b – Tu fais quelque chose, aujourd'hui ?
– Oui, j'ai rendez-vous à 5 heures et quart.
c – À quelle heure y a-t-il un train pour Tours ?
– À 6 h 12.
d – Tu sais à quelle heure arrive son avion ?
– À 7 h 46.
e – Tes amis viennent chez toi à quelle heure ?
– À 9 heures moins le quart.

COMMUNIQUEZ **p. 94**

2. Retenez l'essentiel.

1) – Allô, ici Jean-Pierre. Il y a une grève. Impossible d'aller chez toi. Téléphone-moi quand tu rentres pour prendre un nouveau rendez-vous.
2) – C'est Raoul. Je trouve ton message sur mon répondeur.
Je fais toujours mes courses entre 10 heures et 11 heures le samedi. Désolé. Si tu n'as rien de spécial à faire demain,
voyons-nous dans l'après-midi. Choisis l'heure.
3) – Allô, c'est Jean-Pierre. Tu es toujours absent ! Voilà ma proposition. Rendez-vous à mi-chemin entre chez toi et chez moi, devant le café de Flore à 3 heures, ça va ?
4) – Ici Raoul. C'est d'accord pour demain, mais je préfère 3 heures et demie si c'est possible. Si tu ne rappelles pas, c'est d'accord.

4. Ils ont tous quelque chose à faire !

MARIELLE : Qu'est-ce que tu fais ce matin, Julien ?
JULIEN : Tu sais bien. Je vais au centre culturel.
MARIELLE : Tu prends le métro ou le bus ?
JULIEN : Je prends le métro... enfin, le RER.
MARIELLE : À quelle heure est-ce que tu pars ?
JULIEN : À 8 heures. Et toi, Marielle, tu prends le train à quelle heure ?
MARIELLE : À 9 heures 25. Il met une heure pour aller à Lille.
JULIEN : À quelle heure est ton entretien ?
MARIELLE : À 2 heures.
JULIEN : Et Michel, tu sais ce qu'il fait ?
MARIELLE : Oui, il va voir un client en banlieue.
JULIEN : Il prend sa voiture ?
MARIELLE : Je crois, oui. Il a rendez-vous à 11 heures.
JULIEN : Tu sais où il va exactement ?
MARIELLE : Non. Mais demande-lui, il est dans sa chambre.

DÉCOUVREZ LA GRAMMAIRE **p. 102**

1. Présent ou passé ?

1) Ils ont eu peur.
2) Vous fabriquez des sacs ?
3) Il a déjà donné des cours.
4) Tu animes des ateliers ?
5) À quelle heure est-ce qu'ils arrivent ?
6) Vous avez trouvé ?
7) Tu as aimé le film ?
8) Nous avons passé une bonne journée.

COMMUNIQUEZ **p. 104**

2. Retenez l'essentiel.

– Bonsoir, Laura. Vous allez chanter sur scène dans une heure ?
– C'est ça, à 9 heures, et vous voyez, je suis en train de me préparer.
– Vous êtes née à Lyon ?
– Oui, il y a 23 ans.
– Vous êtes venue quand à Paris ?
– Il y a cinq ans, pour terminer mes études.
– Vous avez déjà chanté sur une grande scène ?
– Oui, je suis passée dans de grandes salles en province.
– Vous n'avez jamais eu peur devant le public ?
– Si, toujours au début, mais, quand on a commencé à chanter, ça va beaucoup mieux.
– Qu'est-ce que vous allez nous chanter ce soir ?
– J'ai composé une dizaine de nouvelles chansons. J'espère qu'elles vont vous plaire...
– J'en suis certaine. Je vous souhaite un grand succès. Au revoir Laura, je vous laisse vous préparer.

3. Un bon sujet.

– Qui est-ce qui t'a reçu au centre culturel ?
– Le directeur et son assistante. Elle m'a fait visiter les ateliers.
– Ils ont beaucoup d'activités ?
– Oui. Il y a beaucoup d'ateliers de théâtre, de musique, de danse...
– Ils ont organisé de nouveaux cours ?
– Oui. Ils ont installé une cuisine. Et, crois-moi, il y a beaucoup d'apprentis cuisiniers !
– Qui est-ce que tu as interviewé encore ?
– Des animateurs et quelques jeunes.

– De quoi avez-vous parlé ?
– Des problèmes du centre et des nouveaux projets d'activités.
– C'est un bon sujet. Tu vas écrire un article ?
– Oui, il va paraître le mois prochain.

DOSSIER 5

DÉCOUVREZ LA GRAMMAIRE **p. 112**

1. Qu'est-ce qu'elles ont fait ?

– Allô ?
– Ah, Claire, tu es là !
– Oui, pourquoi ?
– Parce qu'hier soir tu es sortie.
– Oui. Je suis allée chercher mon amie Élise à la gare de Lyon.
– Elle est arrivée à quelle heure ?
– À 5 heures. Elle est venue en TGV. On est d'abord rentrées chez moi et Élise s'est un peu reposée.
– Et après, vous êtes sorties ?
– Oui, on est allées au restaurant. On est restées à bavarder assez tard.
– Ah, c'est pour ça ! J'ai téléphoné plusieurs fois, mais personne n'a répondu.
– Et pourquoi tu as téléphoné ?
– On est allés danser avec Michel et, comme tu adores danser... Et Élise, elle repart quand ?
– Elle est déjà repartie. Elle a pris le train de 8 heures.
– Vous vous êtes levées de bonne heure !
– À qui le dis-tu !

COMMUNIQUEZ **p. 114**

2. En situation.

Dialogue 1
– Que tu es chic ! Tu as un déjeuner d'affaires, aujourd'hui ?
– Oui. Je vais à la Tour d'argent avec mon patron et un bon client de l'agence.
– Tu as bien de la chance !

Dialogue 2
– Tu vas à un mariage ?
– Non. Pourquoi ?
– Parce que tu as mis ton costume du dimanche.
– Justement, c'est celui de mon mariage. Tu n'aimes pas ?
– Si, si...

Dialogue 3
– C'est une nouvelle robe ?
– Oui. C'est pour la fête d'anniversaire de maman. Qu'est-ce que tu en penses ?
– Elle est très élégante. Tu es très distinguée.

Dialogue 4
– Eh bien, dis donc, tu t'es fait beau, aujourd'hui !
– Pourquoi tu dis ça ?
– Costume, cravate... D'habitude, tu es toujours en jeans.
– Oui mais, ce soir, j'ai un rendez-vous important.
– Il doit être vraiment important...

3. Retenez l'essentiel.

– Taxi ! Bonjour. Je vais à Roissy. Je suis pressé. Je vais chercher quelqu'un.
– Mais oui, Monsieur. Montez.
– On met combien de temps à cette heure-ci ?
– Ça dépend. Aujourd'hui, il y a des travaux sur l'autoroute et des embouteillages. Comptez environ 50 minutes.
– Dépêchez-vous.
– Je vais essayer, mais vous voyez toutes ces voitures... À quelle heure arrive l'avion ?
– À trois heures et demie... et il est déjà trois heures moins dix !
– Les avions ne sont pas toujours à l'heure, vous savez. À quel terminal est-ce que vous allez ?
– Au 2 C. C'est un vol Air France. Il arrive de Rome.
– Nous sommes arrivés, Monsieur, et il est 3 heures 25.
– Je vous dois combien ?
– 33 euros.
– Donnez-moi un reçu, s'il vous plaît, pour 36 euros.
– Voilà, Monsieur.
– Merci... Au revoir.

COMMUNIQUEZ **p. 126**

2. Retenez l'essentiel.

– Qu'est-ce qu'on peut faire cet après-midi ?
– Je ne sais pas. Je ne connais pas bien Paris.
– J'ai quelque chose à te proposer. On va visiter le parc André-Citroën.
– C'est loin ?
– Non, on peut y aller à pied.
– Tu crois ?... Je n'ai pas envie de marcher.
– Tu vas voir. C'est très beau en cette saison. Il y a beaucoup de fleurs.
– Non. J'ai réfléchi. Je préfère faire une promenade en bateau-mouche.
– Ça prend trop de temps : une demi-heure pour aller prendre le bateau, une demi-heure d'attente peut-être, une heure de bateau, une demi-heure pour revenir ici. Tu te rends compte ? On peut faire ça un autre dimanche ? Pas aujourd'hui. Il est trop tard.
– Et ben, moi, je préfère rester ici !

DOSSIER 6

DÉCOUVREZ LA GRAMMAIRE **p. 134**

3. C'est interdit dans l'avion.

– Mademoiselle, est-ce que je peux fumer ici ?
– Non, Monsieur. Je regrette. Ce n'est pas possible. Vous êtes en zone non-fumeurs.
– Je voudrais changer de place, c'est possible ?
– Si vous voulez attendre quelques instants, je vais voir ce que je peux faire...
– Merci.
– Monsieur, il y a encore quelques places libres dans la zone fumeurs, si vous voulez me suivre.
– Merci. Vous pouvez m'aider ?
– Certainement. Je peux porter votre sac ?
– Oui, avec plaisir. Merci, Mademoiselle.

5. Vous êtes d'accord !

1) Voilà une annonce intéressante. Lis-la.
2) L'adresse du stage, note-la.
3) Tu as un plan. Regarde-le.
4) Tiens, voilà un guide de Paris. Ça peut t'aider. Prends-le.
5) Et maintenant, suis-moi.

6) Ce problème est difficile. Aide-nous.

6. Donnez des permissions.

1) Je peux vous suivre ?
2) Je peux me lever ?
3) On peut suivre le stage de vente ?
4) On peut vous écouter ?
5) On peut acheter ce foulard ?
6) Ils peuvent aller jouer dans le parc ?

COMMUNIQUEZ **p. 136**

2. Quel est le problème ?

Dialogue 1

– Excusez-moi, je cherche la rue du Four.
– Je sais qu'elle n'est pas loin, mais je ne suis pas du quartier.
– Ça ne fait rien, je vais demander dans une boutique.
– Vous cherchez quoi, exactement ?
– Une agence de voyages… Europe voyages.
– Ça me dit quelque chose. Je crois que c'est la deuxième à gauche, après le feu rouge. Ah, mais j'y pense ! L'agence a déménagé.
– Vous êtes sûre ?
– Oui, oui, certaine. C'est une banque maintenant.
– Et vous ne connaissez pas leur nouvelle adresse ?
– Ah, non, je suis désolée.

Dialogue 2

– Tu connais les Durand ?
– Mais oui, je les ai rencontrés chez toi l'année dernière.
– C'est vrai. Tu sais où ils habitent ?
– Oui, je crois me souvenir. Je les ai raccompagnés chez eux.
– C'est sur ta route.
– Oui, enfin… si on veut. Pourquoi, il y a un problème ?
– J'ai un paquet pour eux. Si tu peux le déposer ce soir, c'est urgent.
– Ce soir, ça tombe mal. Je ne rentre pas chez moi.
– Bon, tant pis ! Je vais me débrouiller autrement.
– Désolé…

Dialogue 3

– Tu en fais une tête ? Ça va pas ?
– Non. Pas très bien.
– Qu'est-ce qui se passe ?
– Tu sais que je veux suivre un stage de vente.
– Oui, pour aider tes amis. Et alors ?
– Alors, j'ai téléphoné. Le stage est complet !
– Il ne faut pas t'inquiéter ! Des annonces de stage, ça ne manque pas !

3. Aidez-la.

LA VENDEUSE : Bonjour, Monsieur.
L'HOMME : Bonjour, Mademoiselle. Je voudrais essayer ces chaussures noires, en vitrine, à 120 euros.
LA VENDEUSE : Quelle taille faites-vous, Monsieur ?
L'HOMME : Je fais du 44.
LA VENDEUSE : Je suis désolée. Nous n'avons pas ce modèle en 44. C'est une grande taille !
L'HOMME : Vous avez un modèle proche ?
LA VENDEUSE : Oui, mais, à mon avis, ce n'est pas un modèle pour vous.
L'HOMME : Allez les chercher. On verra bien…
LA VENDEUSE : Voilà, Monsieur. Je vous ai apporté ce modèle… et en voici un autre un peu ancien et un peu cher, mais…
L'HOMME : Merci… Elles me vont très bien, ces chaussures.
LA VENDEUSE : Elles vous font un grand pied ! Vous voyez, ce n'est pas un modèle pour vous.
L'HOMME : Hum… Je vais essayer l'autre modèle… Alors ?
LA VENDEUSE : Elles sont un peu trop élégantes.
L'HOMME : Vous êtes une drôle de vendeuse ! Qu'est-ce que vous avez d'autre à me proposer ?
LA VENDEUSE : Dans votre taille, pas grand-chose. Mais il y a un spécialiste des grandes tailles, les Chaussures Legrand à côté d'ici…
L'HOMME : Je vous remercie, Mademoiselle. Oh, un petit conseil. Allez donc suivre un stage de vente…

DÉCOUVREZ LA GRAMMAIRE **p. 144**

4. Quelle est la nature du complément ?

1) Je représente des artistes.
2) Ça vous plaît ?
3) Vous choisissez quel modèle ?
4) Tu as parlé à la patronne ?
5) Elle m'a téléphoné.
6) Ces boucles d'oreilles lui vont très bien.
7) Montrez-lui.
8) Accompagnez-moi, je vous prie.

7 Indiquez-leur le chemin.

1) Excusez-moi. Vous pouvez me dire s'il y a une banque dans le quartier ?
2) La mairie, elle est de quel côté, s'il vous plaît ?
3) Excusez-moi, il y a une boulangerie par ici ?

COMMUNIQUEZ **p. 146**

3. Je peux vous aider ?

Dialogue 1

– Excusez-moi. Vous avez l'air perdu. Je peux vous aider ?
– Oh, oui, merci. Je cherche la Poste. Vous savez où c'est ?
– La Poste ? Prenez la rue Charles-de-Gaulle, juste en face. Allez jusqu'au bout. Elle est assez longue. Vous arrivez à un grand carrefour. Vous tournez à droite. Vous marchez encore environ 50 mètres et vous allez trouver la Poste sur votre gauche. Vous ne pouvez pas la manquer. Ah, vous pouvez prendre le bus, le 23. Il y a un arrêt sur l'avenue en face du parc, à cent mètres d'ici.
– Merci. Je crois que je préfère marcher.
– Alors, bonne promenade !

Dialogue 2

– Excusez-moi. Vous connaissez un bon restaurant près d'ici ?
– Ah oui, le Coq d'or, c'est un très bon restaurant. Il est dans la rue Neuve.
– Ce n'est pas trop loin ? On peut y aller à pied ?
– Non, ce n'est pas loin, mais c'est un peu compliqué. Je vais vous expliquer. Vous voyez l'avenue, là, en face du commissariat ? Vous la prenez. Vous allez jusqu'à un feu rouge, le premier, non, le deuxième. Là, vous tournez à gauche et vous allez toujours tout droit. Vous arrivez sur une place. Vous la traversez. Vous prenez la rue sur votre droite. C'est la rue Neuve, le restaurant est sur votre gauche.
– Merci beaucoup.
– De rien.

MÉMENTO GRAMMATICAL

语法概要

简单句及其变化

1. 简单句的成分

简单句（phrase simple）由主语（sujet）和谓语（prédicat）构成，也可以带有状语（complément）。

语法功能	主语	谓语	状语
词类、短语类别	名词结构	动词＋宾语	（非必需）
例句	Julie	est française.	
	Benoît	travaille	depuis un an.
	Pascal	fait des petits boulots	quand il en trouve.

2. 疑问句（phrase interrogative）

疑问句分为两种。

• **一般疑问句(interrogation totale)**

一般疑问句对整个句子进行提问，回答必须用 oui、si 或 non。

一般疑问句的构成有三种方式：

— 口语中句末语调上升表疑问，如：Pascal fait des petits boulots ?

— 在句首加疑问短语 est-ce que，如：Est-ce que Pascal fait des petits boulots ?

— 主语是代词时，直接将主语和谓语倒装；主语是名词时，名词位置不变，在谓语动词后用代词重复该名词，如：

Fait-il des petits boulots ?

Pascal fait-il des petits boulots ?

! 当主语是第三人称单数代词（il, elle, on），而且动词是以元音字母-e 或-a 结尾时，在倒装的主语和谓语中间要加上“-t-”。例如：

Va-t-il faire du vélo ?

• **特殊疑问句(interrogation partielle)**

特殊疑问句对句子的某个部分进行提问，回答不能用 oui、si 或 non。

特殊疑问句的构成视提问的部分而定，具体情况见下表：

提问部分	陈述句	第一种提问方式	第二和/或第三种提问方式
主语	Personne : ***Pascal*** *arrive.*	***Qui*** *arrive ?*	***Qui est-ce qui*** *arrive ?*
	Chose : ***Les magasins*** *ouvrent.*		***Qu'est-ce qui*** *ouvre ?*
谓语	*Elles* ***jouent au tennis.***	*Elles font* ***quoi*** *?*	***Qu'est-ce qu'****elles font ?* ***Que*** *font-elles ?*
表语	*Il est* ***grand.***	*Il est* ***comment*** *?*	***Comment*** *est-il ?*
直接宾语（COD）	Chose : *Ils boivent* ***du café.***	*Ils boivent* ***quoi*** *?*	***Qu'est-ce qu'****ils boivent ?* ***Que*** *boivent-ils ?*
	Personne : *Il regarde* ***Julie.***	*Il regarde* ***qui*** *?*	***Qui est-ce qu'****il regarde ?* ***Qui*** *regarde-t-il ?*
间接宾语（COI）	*Elle parle* ***à Pascal.***	*Elle parle* ***à qui*** *?*	***À qui est-ce qu'****elle parle ?* ***À qui*** *parle-t-elle ?*
数量词	*Il y en a* ***vingt.***	*Il y en a* ***combien*** *?*	***Combien est-ce qu'****il y en a ?* ***Combien*** *y en a-t-il ?*
钟点	*Il est* ***dix heures.***	*Il est* ***quelle heure*** *?*	***Quelle heure*** *est-il ?*
年龄	*Elle a* ***23 ans.***	*Elle a* ***quel âge*** *?*	***Quel âge*** *a-t-elle ?*
价格	*Ça coûte* ***3 euros.***	*Ça coûte* ***combien*** *?*	***Combien est-ce que*** *ça coûte ?*

提问部分	陈述句	第一种提问方式	第二和/或第三种提问方式
时间	*Ils partent* ***dans huit jours****.*	*Ils partent* ***quand*** *?*	***Quand est-ce qu'****ils partent ?* ***Quand*** *partent-ils ?*
	Il y reste ***huit jours****.*	*Il y reste* ***combien de temps*** *?*	***Combien de temps est-ce qu'****il y reste ?* ***Combien de temps*** *y reste-t-il ?*
地点	*Ils habitent* ***en France****.*	*Ils habitent* ***où*** *?*	***Où est-ce qu'****ils habitent ?* ***Où*** *habitent-ils ?*
方式	*Ils voyagent* ***en avion****.*	*Ils voyagent* ***comment*** *?*	***Comment est-ce qu'****ils voyagent ?* ***Comment*** *voyagent-ils ?*
目的	*Il part* ***pour travailler****.*	*Il part* ***pourquoi*** *?*	***Pourquoi est-ce qu'****il part ?* ***Pourquoi*** *part-il ?*
原因	*Il part* ***parce qu'il est malade****.*		

3. 否定句（phrase négative）

- **对整个句子否定**

用ne...pas或ne...jamais对整个句子否定，如：
Il **ne** fait **pas** les courses. Il **ne** fait **jamais** les courses.

! 如果作直接宾语的名词前有不定冠词或部分冠词，并且否定句表达的是“零数量”（即量上的完全否定），不定冠词或部分冠词需要变为de，如：
Il n'a **pas de** sœur.
Il n'a **pas de** chance.

! 如果否定的不是量，而是名词所表示的事物，则保留不定冠词或部分冠词，如：
Ce n'est pas **un** roman qu'il lit, mais **une** revue.
Ce n'est pas **de la** bière que je veux, mais **de l'**eau.

! 口语中ne经常被省略。

- **对副词否定**

Il arrive **toujours** en retard. → Il **n'**arrive **jamais** en retard.
Il travaille **encore**. → Il **ne** travaille **plus**.
Ils sont **déjà** arrivés. → Ils **ne** sont **pas encore** arrivés.

- **使用泛指代词表达否定**

– Tu entends quelque chose ? – Non, je **n'**entends **rien**. Non, je **n'**ai **rien** entendu.
– Tu vois quelqu'un ? – Non, je **ne** vois **personne**. Je **n'**ai vu **personne**.

- **ne...que表示限定**

Ne放在变位动词前，que放在被限定成分前，如：
Ce représentant **ne** voyage **que** deux jours par semaine.

4. 感叹句（phrase exclamative）

- **通常只需通过语调来表示感叹，如：**

Ces fleurs sont belles !

- **在陈述句句首加感叹词que，如：**

Que ces fleurs sont belles !

- **使用感叹句型quel +（形容词）+ 名词，如：**

Quelles belles fleurs !

5. 强调句（mise en relief）

对主语强调用c'est...qui，对其他成分强调c'est...que。例如：
C'est ton ami **qui** est venu.
C'est à ton ami **que** je l'ai donné.
C'est pour ça **que** je suis venu.

名词结构

名词前					名词	名词后	
tout(e), tou(te)s	le, la, l', les un, une, des	deux trois	dernier(s), dernière(s) premier(s), première(s)	beau(x) bon(ne)s	jour(s) nouvelle(s)	chaud(e)(s) intéressant(e)(s)	de... qui...
	ce, cet, cette, ces du, de la, de l', des un kilo de, un peu de... quelques, certains...						
	quel, quelle, quels, quelles						

名词结构的各种变化，如阴阳性、单复数变化请参看第18，38，39及60页的语法讲解。

动词结构

□ 1. 动词种类

• **及物动词（verbes transitifs）**

及物动词后面可以接宾语：

— 直接宾语（COD），如：Il écoute **les nouvelles.**

— 间接宾语（COI），如：Il s'adresse à **ses amis.**

— 直接宾语和间接宾语，如：Il raconte **l'histoire** à **ses amis.**

动词的宾语可以由下列成分充当：

— 名词，如：Il fait ses **valises.**

— 代词，如：Il **la** regarde.

— 动词不定式，如：Il préfère **partir.**

— 从句，如：Il dit **qu'il veut un chien.**

• **不及物动词（verbes intransitifs）**

不及物动词后面不能接任何宾语，如：Il marche.

某些动词具有两种性质：

— 可作不及物动词，如：Il écoute.

— 也可作及物动词，如：Il écoute de la musique.

• **代词式动词（verbes pronominaux）**

由"自反代词 + 动词"构成，可以表达：

— 自反意义，如：Il **se** rase. (se = COD)

Il **s'**achète un livre. (se = COI)

— 相互意义，如：Ils **se** parlent tous les matins. (COI = chacun parle à l'autre)

• **无人称动词**（verbes impersonnels）

只用在第三人称代词il的后面，如：

Il pleut, il neige, il fait beau, il faut partir. Il est important d'y penser...

□ 2. 动词的时态与语式

1）直陈式（indicatif）

• **现在时（présent）**

— 正在进行的动作或存在的状态，如：Il **parle** à des gens. (En ce moment.)

— 习惯性动作，如：Il **parle** à des gens. (Tous les jours.)

— 普遍真理和事实，如：La parole **est** d'argent, mais le silence **est** d'or.

— 命令, 如：Tu **pars** tout de suite !
— 将来意义, 如：Nous **partons** demain.

- **复合过去时（passé composé）**

— 叙述过去发生的动作，表达完成的意思, 如：Ils **ont acheté** une maison.

- **简单将来时（futur simple）**

— 将来可能发生的事情, 如：Il **fera** beau demain.
— 预言, 如：Les hommes **continueront** de faire des progrès.
— 命令或建议, 如：Tu **finiras** ton travail avant de sortir.

2）命令式（impératif）

— 指令和命令, 如：**Soigne-toi. Sois** sage !
— 建议, 如：**Soyez** attentifs.
— 邀请, 如：**Passez** chez nous dimanche vers six heures.

3）不定式（infinitif）

不定式可以：
— 用作名词, 如：**Partir**, c'est mourir un peu.
— 用作动词补语, 如：Tu préfères **rester** ?
— 用来表示命令, 如：**Mettre** l'appareil sous tension. Ne pas **marcher** sur l'herbe.

4）过去分词式（participe passé）

过去分词可以：
— 用作形容词, 如：Tu es **fatigué** ?
— 用来构成复合过去时, 如：Ils ont **téléphoné**. Ils sont **partis**.

! 用助动词être构成复合过去时，过去分词必须与主语配合, 如：Elles sont venu**es**.

! 代词式动词，只有当代词为直接宾语时，过去分词才与主语配合，其他情况不配合，如：
Elles se sont reconnu**es**. 但：Elles se sont achet**é** des robes.

标点符号

○ **句号** "."（point）用在句末或缩略语中（如M.代替Monsieur）。
○ **省略号** "..."（point de suspension）表示句意可能没有结束。
○ **逗号** ","（virgule）表示句子中间的短暂停顿。
○ **分号** ";"（point-virgule）表示两个分句之间的停顿。
○ **冒号** ":"（deux points）表示下面部分是说明或引文部分。
○ **引号** "« »"或""""（guillemets）框出直接引语或引文部分。
  ! 法文中的"« »"不等同于中文的书名号。一般情况下，法文的书名用斜体标明。
○ **括号** "()"（parenthèses）用来标识文中的评论或批语。
○ **破折号** "–"（tiret）用来表示列举或者直接引语中说话人的转换。
○ **连字符** "-"（trait d'union）用来连接两个单词（vingt-trois）或表示行末单词的移行。

TABLEAUX DE CONJUGAISON

动词变位表

每种动词形式都可分解成词根(radical)和词尾(terminaison)。

TEMPS SIMPLES 简单时态

• 第一组动词danser等

INFINITIF 不定式	Personnes 人称	Radical 词根	INDICATIF 直陈式		SUBJONCTIF 虚拟式	IMPÉRATIF 命令式	PARTICIPES 分词式	
			présent 现在时	imparfait 未完成过去时	présent 现在时		présent 现在时	passé 过去时
DANSER	je	dans-	e	ais	e		ant	é
	tu		es	ais	es	e		
	il/elle/on		e	ait	e			
	nous		ons	ions	ions	ons		
	vous		ez	iez	iez	ez		
	ils/elles		ent	aient	ent			

• 第二组动词finir等

INFINITIF 不定式	Personnes 人称	Radical 词根	INDICATIF 直陈式		SUBJONCTIF 虚拟式	IMPÉRATIF 命令式	PARTICIPES 分词式	
			présent 现在时	imparfait 未完成过去时	présent 现在时		présent 现在时	passé 过去时
FINIR	je	fin-	is	ais	e			i
	tu		is	ais	es	is		
	il/elle/on		it	ait	e			
	nous	finiss-	ons	ions	ions	ons	ant	
	vous		ez	iez	iez	ez		
	ils/elles		ent	aient	ent			

直陈式未完成过去时、虚拟式和分词式现在时以后会学到。

AUTRES VERBES 其他动词

INFINITIF 不定式	INDICATIF 直陈式				SUBJONCTIF 虚拟式	IMPÉRATIF 命令式
	Présent 现在时	Passé composé 复合过去时	Imparfait 未完成过去时	Futur 简单将来时	Présent 现在时	Présent 现在时
Être (auxiliaire)	je suis tu es il/elle est nous sommes vous êtes ils/elles sont	j'ai été tu as été il/elle a été nous avons été vous avez été ils/elles ont été	j'étais tu étais il/elle était nous étions vous étiez ils/elles étaient	je serai tu seras il/elle sera nous serons vous serez ils/elles seront	que je sois que tu sois qu'il/elle soit que nous soyons que vous soyez qu'ils/elles soient	sois soyons soyez
Avoir (auxiliaire)	j'ai tu as il/elle a nous avons vous avez ils/elles ont	j'ai eu tu as eu il/elle a eu nous avons eu vous avez eu ils/elles ont eu	j'avais tu avais il/elle avait nous avions vous aviez ils/elles avaient	j'aurai tu auras il/elle aura nous aurons vous aurez ils/elles auront	que j'aie que tu aies qu'il/elle ait que nous ayons que vous ayez qu'ils/elles aient	aie ayons ayez
Aller	je vais tu vas il/elle va nous allons vous allez ils/elles vont	je suis allé(e) tu es allé(e) il/elle est allé(e) nous sommes allé(e)s vous êtes allé(e)(s) ils/elles sont allé(e)s	j'allais tu allais il/elle allait nous allions vous alliez ils/elles allaient	j'irai tu iras il/elle ira nous irons vous irez ils/elles iront	que j'aille que tu ailles qu'il/elle aille que nous allions que vous alliez qu'ils/elles aillent	va allons allez
S'asseoir	je m'assieds tu t'assieds il/elle s'assied nous nous asseyons vous vous asseyez ils/elles s'asseyent	je me suis assis(e) tu t'es assis(e) il/elle s'est assis(e) nous nous sommes assis(es) vous vous êtes assis(e)(s) ils/elles se sont assis(es)	je m'asseyais tu t'asseyais il/elle s'asseyait nous nous asseyions vous vous asseyiez ils/elles s'asseyaient	je m'assiérai tu t'assiéras il/elle s'assiéra nous nous assiérons vous vous assiérez ils/elles s'assiéront	que je m'asseye que tu t'asseyes qu'il/elle s'asseye que nous nous asseyions que vous vous asseyiez qu'ils/elles s'asseyent	assieds-toi asseyons-nous asseyez-vous
Boire	je bois tu bois il/elle boit nous buvons vous buvez ils/elles boivent	j'ai bu tu as bu il/elle a bu nous avons bu vous avez bu ils/elles ont bu	je buvais tu buvais il/elle buvait nous buvions vous buviez ils/elles buvaient	je boirai tu boiras il/elle boira nous boirons vous boirez ils/elles boiront	que je boive que tu boives qu'il/elle boive que nous buvions que vous buviez qu'ils/elles boivent	bois buvons buvez
Chanter	je chante tu chantes il/elle chante nous chantons vous chantez ils/elles chantent	j'ai chanté tu as chanté il/elle a chanté nous avons chanté vous avez chanté ils/elles ont chanté	je chantais tu chantais il/elle chantait nous chantions vous chantiez ils/elles chantaient	je chanterai tu chanteras il/elle chantera nous chanterons vous chanterez ils/elles chanteront	que je chante que tu chantes qu'il/elle chante que nous chantions que vous chantiez qu'ils/elles chantent	chante chantons chantez
Choisir	je choisis tu choisis il/elle choisit nous choisissons vous choisissez ils/elles choisissent	j'ai choisi tu as choisi il/elle a choisi nous avons choisi vous avez choisi ils/elles ont choisi	je choisissais tu choisissais il/elle choisissait nous choisissions vous choisissiez ils/elles choisissaient	je choisirai tu choisiras il/elle choisira nous choisirons vous choisirez ils/elles choisiront	que je choisisse que tu choisisses qu'il/elle choisisse que nous choisissions que vous choisissiez qu'ils/elles choisissent	choisis choisissons choisissez
Connaître	je connais tu connais il/elle connaît nous connaissons vous connaissez ils/elles connaissent	j'ai connu tu as connu il/elle a connu nous avons connu vous avez connu ils/elles ont connu	je connaissais tu connaissais il/elle connaissait nous connaissions vous connaissiez ils/elles connaissaient	je connaîtrai tu connaîtras il/elle connaîtra nous connaîtrons vous connaîtrez ils/elles connaîtront	que je connaisse que tu connaisses qu'il/elle connaisse que nous connaissions que vous connaissiez qu'ils/elles connaissent	connais connaissons connaissez

INFINITIF 不定式	INDICATIF 直陈式				SUBJONCTIF 虚拟式	IMPÉRATIF 命令式
	Présent 现在时	Passé composé 复合过去时	Imparfait 未完成过去时	Futur 简单将来时	Présent 现在时	Présent 现在时
Croire	je crois tu crois il/elle croit nous croyons vous croyez ils/elles croient	j'ai cru tu as cru il/elle a cru nous avons cru vous avez cru ils/elles ont cru	je croyais tu croyais il/elle croyait nous croyions vous croyiez ils/elles croyaient	je croirai tu croiras il/elle croira nous croirons vous croirez ils/elles croiront	que je croie que tu croies qu'il/elle croie que nous croyions que vous croyiez qu'ils/elles croient	crois croyons croyez
Devoir	je dois tu dois il/elle doit nous devons vous devez ils/elles doivent	j'ai dû tu as dû il/elle a dû nous avons dû vous avez dû ils/elles ont dû	je devais tu devais il/elle devait nous devions vous deviez ils/elles devaient	je devrai tu devras il/elle devra nous devrons vous devrez ils/elles devront	que je doive que tu doives qu'il/elle doive que nous devions que vous deviez qu'ils/elles doivent	不存在
Dire	je dis tu dis il/elle dit nous disons vous dites ils/elles disent	j'ai dit tu as dit il/elle a dit nous avons dit vous avez dit ils/elles ont dit	je disais tu disais il/elle disait nous disions vous disiez ils/elles disaient	je dirai tu diras il/elle dira nous dirons vous direz ils/elles diront	que je dise que tu dises qu'il/elle dise que nous disions que vous disiez qu'ils/elles disent	dis disons dites
Écrire	j'écris tu écris il/elle écrit nous écrivons vous écrivez ils/elles écrivent	j'ai écrit tu as écrit il/elle a écrit nous avons écrit vous avez écrit ils/elles ont écrit	j'écrivais tu écrivais il/elle écrivait nous écrivions vous écriviez ils/elles écrivaient	j'écrirai tu écriras il/elle écrira nous écrirons vous écrirez ils/elles écriront	que j'écrive que tu écrives qu'il/elle écrive que nous écrivions que vous écriviez qu'ils/elles écrivent	écris écrivons écrivez
Faire	je fais tu fais il/elle fait nous faisons vous faites ils/elles font	j'ai fait tu as fait il/elle a fait nous avons fait vous avez fait ils/elles ont fait	je faisais tu faisais il/elle faisait nous faisions vous faisiez ils/elles faisaient	je ferai tu feras il/elle fera nous ferons vous ferez ils/elles feront	que je fasse que tu fasses qu'il/elle fasse que nous fassions que vous fassiez qu'ils/elles fassent	fais faisons faites
Falloir	il faut	il a fallu	il fallait	il faudra	qu'il faille	不存在
Mettre	je mets tu mets il/elle met nous mettons vous mettez ils/elles mettent	j'ai mis tu as mis il/elle a mis nous avons mis vous avez mis ils/elles ont mis	je mettais tu mettais il/elle mettait nous mettions vous mettiez ils/elles mettaient	je mettrai tu mettras il/elle mettra nous mettrons vous mettrez ils/elles mettront	que je mette que tu mettes qu'il/elle mette que nous mettions que vous mettiez qu'ils/elles mettent	mets mettons mettez
Partir	je pars tu pars il/elle part nous partons vous partez ils/elles partent	je suis parti(e) tu es parti(e) il/elle est parti(e) nous sommes parti(e)s vous êtes parti(e)(s) ils/elles sont parti(e)s	je partais tu partais il/elle partait nous partions vous partiez ils/elles partaient	je partirai tu partiras il/elle partira nous partirons vous partirez ils/elles partiront	que je parte que tu partes qu'il/elle parte que nous partions que vous partiez qu'ils/elles partent	pars partons partez
Plaire	je plais tu plais il/elle plaît nous plaisons vous plaisez ils/elles plaisent	j'ai plu tu as plu il/elle a plu nous avons plu vous avez plu ils/elles ont plu	je plaisais tu plaisais il/elle plaisait nous plaisions vous plaisiez ils/elles plaisaient	je plairai tu plairas il/elle plaira nous plairons vous plairez ils/elles plairont	que je plaise que tu plaises qu'il/elle plaise que nous plaisions que vous plaisiez qu'ils/elles plaisent	plais plaisons plaisez

INFINITIF 不定式	INDICATIF 直陈式				SUBJONCTIF 虚拟式	IMPÉRATIF 命令式
	Présent 现在时	Passé composé 复合过去时	Imparfait 未完成过去时	Futur 简单将来时	Présent 现在时	Présent 现在时
Pleuvoir	il pleut	il a plu	il pleuvait	il pleuvra	qu'il pleuve	不存在
Pouvoir	je peux tu peux il/elle peut nous pouvons vous pouvez ils/elles peuvent	j'ai pu tu as pu il/elle a pu nous avons pu vous avez pu ils/elles ont pu	je pouvais tu pouvais il/elle pouvait nous pouvions vous pouviez ils/elles pouvaient	je pourrai tu pourras il/elle pourra nous pourrons vous pourrez ils/elles pourront	que je puisse que tu puisses qu'il/elle puisse que nous puissions que vous puissiez qu'ils/elles puissent	不存在
Prendre	je prends tu prends il/elle prend nous prenons vous prenez ils/elles prennent	j'ai pris tu as pris il/elle a pris nous avons pris vous avez pris ils/elles ont pris	je prenais tu prenais il/elle prenait nous prenions vous preniez ils/elles prenaient	je prendrai tu prendras il/elle prendra nous prendrons vous prendrez ils/elles prendront	que je prenne que tu prennes qu'il/elle prenne que nous prenions que vous preniez qu'ils/elles prennent	prends prenons prenez
Savoir	je sais tu sais il/elle sait nous savons vous savez ils/elles savent	j'ai su tu as su il/elle a su nous avons su vous avez su ils/elles ont su	je savais tu savais il/elle savait nous savions vous saviez ils/elles savaient	je saurai tu sauras il/elle saura nous saurons vous saurez ils/elles sauront	que je sache que tu saches qu'il/elle sache que nous sachions que vous sachiez qu'ils/elles sachent	sache sachons sachez
Suivre	je suis tu suis il/elle suit nous suivons vous suivez ils/elles suivent	j'ai suivi tu as suivi il/elle a suivi nous avons suivi vous avez suivi ils/elles ont suivi	je suivais tu suivais il/elle suivait nous suivions vous suiviez ils/elles suivaient	je suivrai tu suivras il/elle suivra nous suivrons vous suivrez ils/elles suivront	que je suive que tu suives qu'il/elle suive que nous suivions que vous suiviez qu'ils/elles suivent	suis suivons suivez
Venir	je viens tu viens il/elle vient nous venons vous venez ils/elles viennent	je suis venu(e) tu es venu(e) il/elle est venu(e) nous sommes venu(e)s vous êtes venu(e)(s) ils/elles sont venu(e)s	je venais tu venais il/elle venait nous venions vous veniez ils/elles venaient	je viendrai tu viendras il/elle viendra nous viendrons vous viendrez ils/elles viendront	que je vienne que tu viennes qu'il/elle vienne que nous venions que vous veniez qu'ils/elles viennent	viens venons venez
Voir	je vois tu vois il/elle voit nous voyons vous voyez ils/elles voient	j'ai vu tu as vu il/elle a vu nous avons vu vous avez vu ils/elles ont vu	je voyais tu voyais il/elle voyait nous voyions vous voyiez ils/elles voyaient	je verrai tu verras il/elle verra nous verrons vous verrez ils/elles verront	que je voie que tu voies qu'il/elle voie que nous voyions que vous voyiez qu'ils/elles voient	vois voyons voyez
Vouloir	je veux tu veux il/elle veut nous voulons vous voulez ils/elles veulent	j'ai voulu tu as voulu il/elle a voulu nous avons voulu vous avez voulu ils/elles ont voulu	je voulais tu voulais il/elle voulait nous voulions vous vouliez ils/elles voulaient	je voudrai tu voudras il/elle voudra nous voudrons vous voudrez ils/elles voudront	que je veuille que tu veuilles qu'il/elle veuille que nous voulions que vous vouliez qu'ils/elles veuillent	

LEXIQUE

总词汇表

A

à	*prép.* 在（某个地方）	(0)
***aborder**	*v.t.* 靠近某人与其攀谈	(5)
accent	*n.m.* 口音	(6)
accessoire	*n.m.* 附件，小装饰物	(12)
accompagner	*v.t.* 陪同	(12)
accord	*n.m.* 同意	(1)
d'accord	*loc.adv.* 同意	
acheter	*v.t.* 购买	(4)
acteur, trice	*n.* 演员	(0)
activité	*n.f.* 活动	(5)
admirateur, trice	*n.* 赞赏者，钦佩者	(6)
***admiratif, ve**	*adj.* 仰慕的，钦佩的	(5)
***admirer**	*v.t.* 赞赏，赞美	(6)
adorable	*adj.* 可爱的	(3)
adorer	*v.t.* 喜爱	(3)
***adresse**	*n.f.* 地址	(0)
***aérogare**	*n.m.* 航空站，候机大楼	(9)
aéroport	*n.m.* 机场	(9)
agaçant, e	*adj.* 让人烦的	(4)
âge	*n.m.* 年龄	(2)
agence	*n.f.* 代理处	(1)
agence de voyages	旅行社	
***agent**	*n.m.* 代理人，经纪人	(0)
***à haute voix**	*loc.adv.* 大声，高声	(11)
aide	*n.f.* 帮助	(3)
aider	*v.t.* 帮助	(3)
aimer	*v.t.* 爱，喜欢	(4)
air	*n.m.* 神情	(2)
avoir l' air	看起来，好像	
ajouter	*v.t.* 增加	(3)
allée	*n.f.* 小路	(10)
aller	*v.i.* 去	(3, 5)
aller bien à	适合	(12)
allô	*interj.* 喂	(4)
alors	*adv.* 那么	(2)
***ami, e**	*n.* 朋友	(0)
***amical, e**	*adj.*（*pl.* amicaux）友好的	(2)
amitié	*n.f.* 友谊	(6)
amusant, e	*adj.* 有趣的	(1)
***amusé, e**	*adj.* 兴致勃勃的	(2)
an	*n.m.* 年；岁，年龄	(2)
***animateur, trice**	*n.* 组织者；主持人	(0)
animer	*v.t.* 主持，组织	(8)
anniversaire	*n.m.* 生日	(4)
***annonce**	*n.f.* 招贴，广告	(11)
***annoncer**	*v.t.* 报告，通报	(7)
à nouveau	*loc.adv.* 重新	(8)
antivol	*n.m.* 防盗器	(8)
***appareil**	*n.m.* 电话机	(4)
appartement	*n.m.* 公寓	(2)
appeler	*v.t.* 给……打电话；叫某人	(11)
apporter	*v.t.* 带来	(11)
apprendre	*v.t.* 学习	(5)
apprenti, e	*n.* 学员，学徒	(8)
***(s')approcher**	*v. pr.*（+ de）走近，靠近	(5)
à propos	*loc.adv.* 对啦，想起来啦	(3)
après	*prép.* 在……之后	(4)
après-midi	*n.m.* 下午	(9)
argent	*n.m.* 钱	(6)
argumentation	*n.f.* 论据，理由	(11)
arrêter	*v.i.* 停止，停下	(2)
arriver	*v.i.* 到达	(4)
***arrondissement**	*n.m* 行政区；(法国大城市的)区	(1)
article	*n.m.* 商品	(12)
artiste	*n.* 艺术家，艺术工作者	(6)
(s') asseoir	*v.pr.* 坐下	(7)
***assis, e**	*adj.* 坐着的	(1)
***assuré, e**	*adj.* 自信的，坚定的	(12)
***atelier**	*n.m.* 工作室	(6)
attendre	*v.t.* 等待	(9)
attention	*n.f.* 注意，专心	(7)
aujourd'hui	*adv.* 今天	(2)
aussi	*adv.* 还，此外	(1)
	adv. 也，同样	(2)
	adv. 如此，这样	(9)
autobus	*n.m.* 公共汽车(也称bus)	(7)
autour	*adv.* 周围	(8)
***autre**	*adj.* 另外的，别的	(2)
avant	*prép.* 在……之前	(3)
avant de + *inf.*	在做……之前	
avec	*prép.* 和……一起	(3)
avion	*n.m.* 飞机	(9)
avril	*n.m.* 四月	(3)

B

baguette	*n.f.* 长棍面包	(11)
bancaire	*adj.* 银行的	(3)

banlieue *n.f.* 郊区 (6)
banque *n.f.* 银行 (3)
bas *adv.* 在低处 (10)
bassin *n.m.* 盆地 (10)
bâtiment *n.m.* 建筑物 (7)
beau, belle *adj.* (*pl.* beaux）美丽的 (4)
beaucoup *adv.* 很多，非常 (4)
  beaucoup de *loc. adv.* 很多 (8)
besoin *n.m.* 需要 (3)
  avoir besoin de 需要
bien *adv.* 好 (2)
  adv. 的确，确定（用于强调肯定语气） (4)
bientôt *adv.* 马上，不久 (4)
bienvenue *n.f.* 欢迎 (3)
bijou *n.m.* (*pl.* ~x）首饰 (6)
billet *n.m.* 机票，火车票 (3)
***billet** *n.m.* 纸币 (10)
bistrot *n.m.* 酒馆 (10)
blanc, che *adj.* 白色的 (6)
bleu, e *adj.* 蓝色的 (6)
blond, e *adj.* 金黄色的 (6)
bloquer *v.t.* 堵塞 (7)
bois *n.m.* 树林 (10)
bon *interj.* 好 (1)
  Ah bon! 真的！(表示惊奇)
bon, ne *adj.* 好的 (2)
bonjour *n.m.* 你好，早上好 (0)
boucherie *n.f.* 肉店 (12)
boucle *n.f* 环 (12)
  boucle d'oreilles 耳环
boulanger, ère *n.* 面包店师傅，面包商 (11)
bouquet *n.m.* (花)束 (4)
bout *n.m.* 末端；尽头 (10)
  (tout) au bout *loc.adv.* 在最里面
boutique *n.f.* 店铺 (6)
bravo *interj.* 好！真棒！ (4)
brun, e *adj.* 棕色的，褐色的 (6)
bureau *n.m.* (*pl.* ~x）办公室；办公桌 (3)
  n.m. (*pl.* ~x）办公桌 (4)

C

ça *pron.dém.* 这个，那个 (2)
  Ça va ? 你好吗？
  Ç 'est ça. 是这样。
café *n.m.* 咖啡 (3)
cafétéria *n.f.* 自助式快餐馆 (8)
***caisse** *n.f.* 收款台 (12)
calme *adj.* 安静的 (10)
campagne *n.f.* 乡村 (5)
Cannes *n.pr.* 戛纳（法国城市） (0)
capitale *n.f.* 首都 (9)
carte *n.f.* 卡 (3)
casque *n.m.* 头盔 (7)
cause *n.f.* 原因 (8)
  à cause de *loc.prép.* 因为
ceinture *n.f.* 腰带 (6)
célèbre *adj.* 著名的 (0)
centaine *n.f.* 百个 (12)
centre *n.m.* 中心 (7)
chacun, e *pron. indéf.* 每个人 (2)
chambre *n.f.* 房间 (2)
chance *n.f.* 运气 (6)
  avoir de la chance 有运气
chanteur, se *n.* 歌手，歌唱家 (1)
chaque *adj.indéf.* 各个，每个 (10)
chargé, e *adj.* (+de）负责……的 (9)
charmant, e *adj.* 充满魅力的 (4)
château *n.m.* (*pl.* ~x）城堡 (10)
chauffeur *n.m.* 司机 (10)
***chemin** *n.m.* 路 (11)
chemisier *n.m.* 女式衬衣 (6)
chèque *n.m.* 支票 (3)
cher, ère *adj.* 昂贵的 (7)
chercher *v.t.* 寻找 (2)
chéri, e *n.* 亲爱的 (12)
chez *prép.* 在……家，在……那儿 (1)
choisir *v.t.* 选择 (12)
chose *n.f.* 东西，事物 (2, 5)
chut *interj.* 嘘！ (3)
cinéma *n.m.* 电影；电影院 (5)
circulation *n.f.* 交通 (7)
classe *n.f.* 等级 (3)
client, e *n.* 顾客 (3)
coin *n.m.* 角落 (12)
collègue *n.* 同事 (3)
collier *n.m.* 项链 (12)
combien *adv.* 多少 (7)
comme *adv.exclam.* 真是太……了；多么 (1)
  conj. 像……一样 (2)
commencer *v.i.* 开始 (6)
comment *adv.interr.* 怎么样 (0)
commun, e *adj.* 公共的 (7)
complet, ète *adj.* 完整的 (12)
complètement *adv.* 完全地 (7)
comprendre *v.t.* 理解，明白 (3)
compter *v.t.ind.* (+sur）信任 (8)
***comptoir** *n.m.* 柜台 (12)
confortable *adj.* 舒适的 (10)
connaissance *n.f.* 认识 (9)
  faire la connaissance de quelqu'un 认识某人

connaître	*v.t.* 认识	(10)
conservateur, trice	*n.* 看护员	(10)
content, e	*adj.* 高兴的	(7)
continuer	*v.t.* 继续	(2)
contre	*prép.* 反对；冲着	(4)
***costume**	*n.m.* 男式西装	(9)
***couloir**	*n.m.* 走廊	(2)
***couple**	*n.m.* 夫妇	(12)
courage	*n.m.* 勇气	(5)
Bon courage !	加油！	
courrier	*n.m.* 邮件	(4)
cours	*n.m.* 课	(5)
course	*n.f.* 购物	(5)
faire des courses	购物	
***course**	*n.f.* 路程，行程	(10)
couvert	*n.m.* 餐具（此处指餐位）	(9)
cravate	*n.f.* 领带	(6)
créateur, trice	*n.* 设计者，设计师	(6)
création	*n.f.* 创造；作品	(6)
créer	*v.t.* 创作	(6)
croire	*v.t.* 认为，相信	(12)
cuir	*n.f.* 皮革	(6)
cuisine	*n.f.* 厨房；烹饪	(2, 5)
faire la cuisine	做饭，做菜	(5)
cuisinier, ère	*n.* 厨师	(2)
cuisinier en chef	厨师长	
culturel, le	*adj.* 文化的	(7)
curieux, se	*adj.* 好奇的	(9)
côté	*n.m.* 旁，侧	(3)
à côté	*loc.adv.* 在旁边	

D

dans	*prép.* 在……里面	(1)
	prép.（+ 时间）在……之后	(12)
danse	*n.f.* 舞蹈	(8)
danser	*v.i.* 跳舞	(9)
***danseur, se**	*n.* 跳舞者；舞蹈家，舞蹈演员	(8)
de	*prép.* 表示所属关系或引导名词补语	(1)
	prép. 从	(6)
de la part de	*loc.prép.* 以……名义，代表	(7)
de plus	*loc.adv.* 此外，而且，再者	(12)
***debout**	*adv.* 站着	(11)
décorer	*v.t.* 装饰	(6)
(se)décourager	*v. pr.* 泄气	(5)
***découvrir**	*v.i.* 发现	(4)
déjà	*adv.* 已经	(3)
déjeuner	*n.m.* 午餐	(4)
demain	*adv.* 明天	(8)
demander	*v.t.* 要求	(3)
démarchage	*n.m.* 推销	(11)
demi, e	*adj.* 一半的，半个的	(7)
demoiselle	*n.f.* 小姐	(9)
démonstration	*n.f.* 示范表演	(11)
(se) dépêcher	*v.pr.* 赶紧，赶快	(4)
depuis	*prép.* 自从……以来	(5)
déranger	*v.t.* 打扰	(10)
***dernier, ère**	*adj.* 最后的	(12)
derrière	*prép.* 在……后面	(10)
***descendre**	*v.i.* 下来	(9)
désolé, e	*adj.* 感到抱歉的	(5)
deuxième	*adj. num.* 第二	(5)
devant	*prép.* 在……前面	(7)
devenir	*v.i.* 成为	(11)
devoir	*v.t.* 应当；不得不	(6)
difficile	*adj.* 困难的	(2, 11)
dimension	*n.f.* 尺寸，体积	(10)
dîner	*v.i.* 吃晚饭	(9)
dire	*v.t.* 说	(5)
directeur, trice	*n.* 经理	(7)
***(se) diriger**	*v.pr.* 走向	(12)
***discuter**	*v.t.* 讨论	(6)
disponible	*adj.* 可支配的；空闲的	(8)
doigt	*n.m.* 手指	(11)
donner	*v.t.* 给予	(5)
dormir	*v.i.* 睡觉	(9)
douceur	*n.f.* 温和	(11)
en douceur	*loc.adv.* 慢慢地，心平气和地	
droit	*n.m.* 法律	(5)
droite	*n.f.* 右边	(10)
à droite de	*loc.prép.* 在……右边	
dynamique	*adj.* 充满活力的	(8)

E

écouter	*v.t.* 听	(3)
écriture	*n.f.* 写作	(8)
efficace	*adj.* 效率高的	(5)
élégant, e	*adj.* 优雅的，讲究的	(9)
élève	*n.* 学生	(11)
embouteillage	*n.m.* 交通堵塞	(7)
***embrasser**	*v.t.* 吻，拥吻	(2)
emmener	*v.t.* 带（人）去	(3)
emploi	*n.m.* 职业，工作	(7)
employé, e	*n.* 职员	(1)
en	*prép.*（+地点名词）在	(6)
	prép. 乘……交通工具	(7)
en effet	*loc.adv.* 的确，确实	(12)
en général	*loc.adv.* 一般来说	(8)
en moyenne	*loc.adv.* 平均	(8)
en plus	*loc.adv.* 而且	(8)

enchanté, e *adj.* 荣幸的，高兴的 (1)
encore *adv.* 还有 (4)
***énervé, e** *adj.* 恼火的 (3)
enfant *n.* 孩子 (5)
enfin *adv.* 最后；终于；其实（用于明确或更正前面讲的话） (1)
enquête *n.f.* 调查 (5)
ensemble *adv.* 一起 (8)
entendre *v.t.* 听见，听到 (7)
entier *n.m.* 整个，全部 (10)
  en entier *loc.adv.* 完整地
entre *prép.* 在……之间 (7)
entrer *v.i.* 进来 (4)
envoyer *v.t.* 寄 (9)
escale *n.f.*（飞机）中途停靠 (3)
espérer *v.t.* 希望 (4)
essoufflé, e *adj.* 气喘吁吁的 (9)
étage *n.m.* 楼层 (7)
été *n.m.* 夏天 (9)
être en train de+*inf. 正在做 (8)
études *n.f.pl.* 学业 (5)
***étudiant, e** *n.* 学生 (0)
étudier *v.t.* 学习（ 门专业），研究 (5)
euro *n.m.* 欧元 (3)
exagérer *v.t.* 夸张 (8)
excuser *v.t.* 原谅 (2)
  Excuse(z)-moi. 请你（您）原谅我。
exemple *n.m.* 例子，例证 (12)
  par exemple *loc.adv.* 比方说
expliquer *v.t.* 解释 (12)
exposition *n.f.* 展览，陈列 (5, 10)

F

fabriquer *v.t.* 制造 (6)
fac *n.f.* 学院，大学（faculté的缩写，用于口语） (5)
face *n.f.* 脸，面部；（物体的）面 (10)
  en face de *loc. prép.* 在……对面
faché, e *adj.* 生气的 (4)
facile *adj.* 简单的，容易的 (5)
faim *n.f.* 饥饿 (2)
  avoir faim 饿
faire *v.t.* 做 (5)
femme *n.f.* 女人；妻子 (2)
fermer *v.t.* 关闭 (7)
fête *n.f.* 节日 (4)
fêter *v.t.* 庆祝 (6)
feu *n.m.*（*pl.* ~x）信号灯 (11)
***fille** *n.f.* 女孩 (1)
fils *n.m.* 儿子 (11)
finalement *adv.* 总之，最后 (11)
finir *v.i., v.t.* 结束，完成 (6)
fleur *n.f.* 花 (4)
***fleuriste** *n.* 花商 (4)
fois *n.f.* 次 (8)
fou, folle *adj.* 发疯的 (7)
foulard *n.m.* 方巾 (6)
fournisseur, se *n.* 供货商，供应商 (12)
franc *n.m.* 法郎 (3)
***frapper** *v.t.ind.* 敲，打 (3)
  frapper à la porte 敲门
frère *n.m.* 兄弟 (6)
***froncer** *v.t.* 皱 (10)

G

garage *n.m.* 修车厂 (12)
garçon *n.m.* 男孩 (2)
garder *v.t.* 保持；保留 (9)
garer *v.t.* 停车 (8)
gâteau *n.m.* (*pl.* ~x) 蛋糕 (4)
gauche *n.f.* 左边 (10)
  à gauche de *loc.prép.* 在……左边
***gêné, e** *adj.* 不好意思的，尴尬的 (4)
***général, e** *adj.* (*pl.* généraux) 总的, 全面的 (7)
Genève *n.pr.* 日内瓦 (3)
gens *n.m.pl.* 人们 (4)
gentil, le *adj.* 亲切的，客气的 (2)
***geste** *n.m.* 手势 (2)
goût *n.m.* 审美观，欣赏力，品味 (12)
grand, e *adj.* 大的，宽的 (2)
grave *adj.* 严重的 (6)
  Ce n'est pas grave. 没关系。
grève *n.f.* 罢工 (7)
guitare *n.f.* 吉它 (5)

H

habiter *v.t.* 居住 (1)
(s') habiller *v.pr.* 穿衣 (9)
hectare *n.m.* 公顷 (10)
hein *interj.* 嗯 (2)
***hésiter** *v.i.* 犹豫，迟疑 (4)
  hésiter à+*inf.* 对做某事犹豫不决
heure *n.f.* 小时；点钟；时间 (2)
  de bonne heure *loc.adv.* 很早 (9)
  être à l'heure 准时，守时 (7)
heureusement *adv.* 幸亏 (4)
heureux, se *adj.* 幸福的 (2)
  être heureux+*inf.* 很高兴做某事
hier *adv.* 昨天 (9)

hip-hop *n.m.* 街舞 (8)
homme *n.m.* 男人，男子 (2)
***hôte** *n.* 客人 (10)
hôtel *n.m.* 饭店 (10)
humeur *n.f.* 情绪 (8)

I

ici *adv.* 这儿 (1)
idée *n.f.* 想法，主意 (4)
identité *n.f.* 身份 (3)
immeuble *n.m.* 楼房 (8)
important, e *adj.* 重要的 (6)
impressionnant, e *adj.* 给人印象深刻的 (8)
incroyable *adj.* 令人难以置信的 (3)
indemnité *n.f.* 补贴，补偿金 (8)
***indifférent, e** *adj.* 冷淡的，无所谓的 (12)
indiquer *v.t.* 指出 (10)
information *n.f.* 信息，消息 (7)
***inquiet, ète** *adj.* 担心的，担忧的 (9)
(s')inquiéter *v.pr.* 为……担心 (7)
inséparable *adj.* 不可分离的 (4)
insister *v.i.* 坚持 (11)
installer *v.t.* 安装 (8)
instant *n.m.* 片刻 (12)
intensif, ve *adj.* 密集的，强化的 (11)
interdit, e *adj.* 禁止的 (10)
intéressant, e *adj.* 有意思的 (8)
intéresser *v.t.* 使……感兴趣 (12)
***intérieur** *n.m.* 里面 (2)
invitation *n.f.* 邀请 (5)
inviter *v.t.* 邀请 (5)
***ironique** *adj.* 讽刺的，嘲笑人的 (9)

J

jaloux, se *adj.* 嫉妒的 (9)
jamais *adv.* 从不，永远不 (8)
jardin *n.m.* 花园 (5, 10)
jeter *v.t.* 瞟，扫视 (12)
  jeter un coup d'œil 看一眼，瞥一下
jeu *n.m.* （*pl.* ~x）游戏 (5)
  jeu vidéo 电子游戏
***jeune** *n.* 年轻人，青年 (0)
jeune *adj.* 年轻的 (3)
joli, e *adj.* 漂亮的 (1)
jouer *v.i.* 玩 (5)
  jouer à 做（体育运动）
  jouer de 弹奏（乐器）
jour *n.m.* 天，白天 (5)
  tous les jours 每天
journal *n.m.* （*pl.* journaux）报纸 (7)
journaliste *n.* 记者 (0)
journée *n.f.* 一天 (3)
joyeux, se *adj.* 快乐的 (4)
judo *n.m.* 柔道 (5)
jusqu'à *prép.* 直到 (12)
juste *adv.* 正好，只有 (8)
justement *adv.* 恰巧 (7)

L

là *adv.* 那里；这里 (2)
là-bas *adv.* 那边 (3)
laisser *v.t.* 留下 (12)
léger, ère *adj.* 轻微的 (6)
lettre *n.f.* 信 (4)
(se) lever *v.pr.* 起床；站起来 (9)
lever *v.t.* 举起，抬起（身体某部位） (11)
libre *adj.* 空闲的 (10)
ligne *n.f.* 线路 (7)
n.f. 线条，体形 (9)
lire *v.t.* 读书 (5)
lit *n.m.* 床 (9)
locataire *n.* 房屋承租人 (1)
loin *adv.* 远 (6)
Londres *n.pr.* 伦敦 (3)

M

machine *n.f.* 机器 (3)
madame *n.f.* （*pl.* mesdames）夫人，女士 (0)
mademoiselle *n.f.* （*pl.* mesdemoiselles）小姐 (1)
***magasin** *n.m.* 商店 (12)
***main** *n.f.* 手 (3)
maintenant *adv.* 现在 (1)
mais *adv.* 但是 (1)
maison *n.f.* 家；公司 (3)
majeur, e *adj.* 成年的 (9)
mal *adv.* 坏，不好 (11)
  pas mal *loc.adv.* 不错
maman *n.f.* 妈妈 (2)
manger *v.t.* 吃 (2)
mannequin *n.m.* 模特儿 (1)
manteau *n.m.* (*pl.* ~x) 大衣，外套 (6)
marcher *v.i.* 行走 (5)
mari *n.m.* 丈夫 (5)
matin *n.m.* 早晨 (3)
  ce matin 今天早晨
mauvais, e *adj.* 坏的，不好的 (8)
méchant, e *adj.* 恶意的 (4)
médiathèque *n.f.* 多媒体图书馆 (8)

même *adj.indéf.* 相同的，一样的 (2)
ménage *n.m.* 家务 (2)
femme de ménage 女佣
merci *n.m.* 谢谢 (3)
mère *n.f.* 母亲 (2)
mériter *v.t.* 配得上 (4)
merveille *n.f.* 奇迹；奇特的东西 (12)
méthode *n.f.* 方法；教学法 (11)
mètre *n.m.* 米 (12)
métro *n.m.* 地铁 (7)
mettre *v.t.* 戴上，穿上；花(时间) (7)
***(se) mettre** *v.pr.* (+à)开始
mieux *adv.* 更好地(bien的比较级) (8)
minute *n.f.* 分钟 (5)
***miroir** *n.m.* 镜子 (12)
modèle *n.m.* 样品 (11)
moi *pron.* 我（重读人称代词） (0)
mois *n.m.* 月 (5)
monnaie *n.f.* 零钱，硬币 (10)
monsieur *n.m.* (*pl.* messieurs) 先生（缩写为M.） (1)
monter *v.i.* 上楼 (9)
***montrer** *v.t.* 指示（人或物） (1)
montrer *v.t.* 给……看 (12)
moto *n.f.* 摩托车 (7)
mouvement *n.m.* 运动 (7)
musée *n.m.* 博物馆 (5)
musique *n.f.* 音乐 (5)

N

natation *n.f.* 游泳 (5)
nationalité *n.f.* 国籍 (1)
noir, e *adj.* 黑色的 (6)
nom *n.m.* 姓 (1)
nombreux, se *adj.* 许多的 (10)
non *adv.* 不，不是，没有 (0)
nouveau, nouvelle *adj.* (*pl.* nouveaux) 新的 (1)
nuit *n.f.* 夜晚 (9)
***numéro** *n.m.* 号码 (0)
numéro vert (电话)免费拨叫号码 (7)

O

objet *n.m.* 物品，东西 (11)
obligatoire *adj.* 必须的 (3)
(s') occuper *v.pr.* (+de) 照管(人)，负责(事情) (8)
œil *n.m.* (*pl.* yeux) 眼睛 (12)
œuvre *n.f.* 作品 (6)
offrir *v.t.* 赠送，提供 (4)
optimiste *adj.* 乐观的 (12)
or *n.m.* 金子 (11)
***ordinateur** *n.m.* 计算机，电脑 (4)
***oreille** *n.f.* 耳朵 (11)
organiser *v.t.* 组织 (8)
original, e *adj.* (*pl.* originaux) 独特的 (6)
ou *conj.* 或者，还是 (2)
où *adv.interr.* 哪里 (3)
oublier *v.t.* 忘记 (9)
oui *adv.* 是的 (0)
ouverture *n.f.* 开放，开幕 (8)
***ouvrir** *v.t.* 打开 (2)
***(s') ouvrir** *v.pr.* 被打开 (2)

P

pain *n.m.* 面包 (11)
pancarte *n.f.* （硬纸板）布告牌 (9)
***panneau** *n.m.* (*pl.* ~x) 指示牌 (9)
papa *n.m.* 爸爸 (2)
par *prép.* 用 (3)
prép. 从，经过 (7)
prép. 被，由 (12)
parc *n.m.* 公园 (9)
parce que *loc.conj.* 因为 (6)
parents *n.m.pl.* 父母 (6)
parfait, e *adj.* 完美的 (9)
parfois *adv.* 有时 (4)
parfumerie *n.f.* 化妆品店 (12)
Parisien, ne *n.* 巴黎人 (6)
***parler** *v.i.* 说话 (1)
parler *v.t.ind.* (+de) 谈论 (6)
part *n.f.* 份儿，部分 (5)
à part *loc.prép.* 除了……之外
partir *v.i.* 出发，动身 (6)
partout *adv.* 到处 (7)
pas encore *loc.adv.* 还没有，未曾 (8)
***passant, e** *n.* 路人 (5)
passeport *n.m.* 护照 (3)
passer *v.i.* 到……去 *v.t.* 度过 (3)
***passer** *v.i.* 经过 (5)
(se) passer *v.pr.* 发生 (7)
passionnant, e *adj.* 动人的，热烈的，极有趣的 (5)
patient, e *adj.* 耐心的 (4)
patron, ne *n.* 老板 (12)
payer *v.t.* 支付 (3)
paysagiste *n.* 园林设计师 (9)
***pédaler** *v.i.* 骑车 (10)
peinture *n.f.* 绘画 (5)
pelouse *n.f.* 草地，草坪 (10)
pendant *prép.* 在……期间 (5)

penser	*v.t.* 想；认为，以为	(9)
père	*n.m.* 父亲	(2)
périphérique	*n.m.* 环城大道，环城公路	(7)
permettre	*v.t.* 允许，准许	(12)
*personnage	*n.m.*（故事或影片中的）人物	(1)
personne	*pron.indéf.*（与ne连用）没有人……	(8)
persuader	*v.t.* 说明，使信服	(11)
être persuadé de	对……深信	
perturbation	*n.f.* 干扰，混乱	(7)
petit, e	*adj.* 小的	(3)
*petit-déjeuner	*n.m.* 早餐	(7)
peu	*adv.* 少，不多	(7)
peur	*n.f.* 害怕	(8)
avoir peur de	害怕	
peut-être	*adv.* 或许，可能	(2, 11)
photo	*n.f.* 照片，摄影	(5)
piano	*n.m.* 钢琴	(5)
pièce	*n.f.* 证件；房间	(3)
	n.f. 件	(12)
pied	*n.m.* 脚	(7)
à pied	*loc.adv.* 步行，徒步	
place	*n.f.* 座位	(5)
(se) plaindre	*v.pr.*（+de）抱怨	(7)
plaire à	*v.t.ind.* 令……高兴	(12)
plaisir	*n.m.* 高兴，愉快	(12)
faire plaisir à	使……高兴	
plaisanter	*v.i.* 开玩笑	(3)
plaisanterie	*n.f.* 玩笑	(3)
*plan	*n.m.* 地图；计划	(10)
plante	*n.f.* 植物	(10)
plein, e	*adj.* 满的，充满的	(8)
plein de	*loc.adj.* 充满	
plus	*adv.*（与ne连用）不再	(11)
*porte	*n.f.* 门	(1)
*portefeuille	*n.m.* 钱包	(10)
*porte-manteau	*n.m.* 衣架	(7)
*poser	*v.t.* 提出	(1)
poser	*v.t.* 放	(4)
possible	*adj.* 可能的	(11)
poste	*n.f.* 邮局	(12)
pour	*prép.* 至于	(2)
	prép. 为了	(3)
pourquoi	*adv.interr.* 为什么	(3)
pourtant	*adv.* 然而，但是	(9)
pouvoir	*v.t.* 能，可以	(10)
précis, e	*adj.* 明确的	(11)
préféré, e	*adj.* 最喜欢的	(5)
préférer	*v.t.* 更喜欢	(3)
premier, ère	*adj.* 第一的	(3)
*prendre	*v.t.* 拿	(4)
prénom	*n.m.* 名字	(1)
préparer	*v.t.* 准备	(9)
*près de	*loc.prép.* 在……旁边	(11)
présentation	*n.f.* 介绍	(8)
présenter	*v.t.* 介绍	(2)
président, e	*n.* 总统，主席	(9)
pressé, e	*adj.* 匆忙	(3)
prévoir	*v.t.* 预料；准备，预备	(10)
problème	*n.m.* 问题	(3)
produit	*n.m.* 产品	(11)
*profession	*n.f.* 职业	(0)
programme	*n.m.* 行程计划	(9)
*provenance	*n.f.* 来源，出处	(9)
en provenance de	*loc.prép.* 来自……，从……来	
pull	*n.m.* 套头毛衣	(6)

Q

quadricycle	*n.m.* 四轮车	(10)
qualité	*n.f.* 优点	(4)
	n.f. 质量	(11)
quand	*conj.* 当……的时候	(3)
	adv.interr. 什么时候	(4)
quand même	*loc.adv.* 毕竟	(8)
quartier	*n.m.* 街区，一带	(2)
quel, le	*adj. interr.* 哪一类的；什么样的	(1)
quelque	*adj.indéf.* 几个	(5)
quelqu'un	*pron.indéf.* 某人；其中之一	(6)
*question	*n.f.* 问题	(1)
qui	*pron.interr.* 谁	(0)
quoi	*pron.interr.* 什么（que的重读形式）	(1)

R

*raccompagner	*v.t.* 送（某人）到	(1)
*radieux, se	*adj.* 灿烂的；喜悦的	(12)
radio	*n.f.* 无线电广播电台；收音机	(7)
raison	*n.f.* 道理，情理	(2)
avoir raison	有道理	
rangé, e	*adj.* 整齐的，井井有条的	(2)
rap	*n.m.* 说唱乐	(8)
rapide	*adj.* 快的	(11)
rapporter	*v.t.* 带回	(11)
rare	*adj.* 罕见的	(10)
ravi, e	*adj.* 高兴的	(9)
ravissant, e	*adj.* 迷人的，可爱的	(9)
reçu	*n.m.* 收据	(10)
*refermer	*v.t.* 再关上 (il referme)	(2)
*réflexe	*n.m.* 反射；反应	(12)
*(se) regarder	*v.pr.* 互相看	(1)

règle *n.f.* 规则 (8)
régler *v.t.* 解决 (8)
reine *n.f.* 王后 (11)
remercier *v.t.* 感谢 (4)
  Je te remercie ! 谢谢你！
remplaçant, e *n.* 替代者 (3)
remplacement *n.m.* 代替，替换 (7)
remplacer *v.t.* 代替 (9)
rémunération *n.f.* 酬劳 (8)
rencontrer *v.t.* 遇见，遇到 (10)
rendez-vous *n.m.* 约会 (3)
(se) renseigner *v.pr.* 咨询 (7)
rentrer *v.i.* 回来；回家 (9)
repas *n.m.* 餐，饭 (2, 8)
***repasser** *v.t.* 熨，烫 (2)
***répéter** *v.t.* 排练 (8)
répondre *v.t.* 回答 (5)
(se) reposer *v.pr.* 休息 (10)
***reprendre** *v.t.* 恢复 (12)
***représentant, e** *n.* 代表 (0)
représenter *v.t.* 代表，代理 (12)
république *n.f.* 共和国 (9)
réserver *v.t.* 预订 (9)
***résigné, e** *adj.* 屈从的 (12)
responsable *n.* 负责人 (4)
restaurant *n.m.* 餐馆 (2)
reste *n.m.* 其他 (2)
rester *v.i.* 停留，逗留 (9)
retard *n.m.* 迟到 (3)
  être en retard 迟到
retenir *v.t.* 预订（餐位） (10)
***(se) retourner** *v.pr.* 转身 (10)
rêver *v.i.* 做梦；幻想 (8)
revoir *v.t.* 再次看见 (1)
  Au revoir. 再见。（礼貌用语，用于告别）
  v.t. 再看 (11)
rien *pron.indéf.*（与ne连用）没有什么东西或事情 (8)
***rire** *n.m.* 笑 (2)
  v.i. 笑 (11)
risque *n.m.* 危险 (7)
***robe de chambre** 睡裙 (7)
rôle *n.m.* 角色 (11)
rose *adj.* 玫瑰红的 (6)
rouge *adj.* 红色的 (11)

S

sac *n.m.* 包，袋 (6)
saison *n.f.* 季节 (10)
salaire *n.m.* 工资 (8)
***salon** *n.m.* 客厅 (1)
***(se) saluer** *v.pr.* 互相问候，互相打招呼 (1)
salut *interj.* 你好 (0)
samedi *n.m.* 星期六 (2)
***sans** *prép.* 无，没有 (0)
santé *n.f.* 健康 (4)
savoir *v.t.* 知道 (7, 10)
secrétaire *n.* 秘书 (4)
sentir *v.i.* 闻起来 (7)
sérieux, se *adj.* 认真的 (2)
serre *n.f.* 温室，暖房 (10)
service *n.m.* 部门 (4)
seul, e *adj.* 单独的 (2)
seulement *adv.* 仅仅，只有 (5)
  adv. 只是 (11)
si *conj.* 如果 (7)
  adv. 肯定副词，用于肯定回答否定疑问句 (8)
signaler *v.t.* 指出，示意 (7)
***silence** *n.m.* 沉默，不作声 (11)
  en silence *loc.adv.* 不出声地，默默地
sœur *n.f.* 姐妹 (6)
soie *n.f.* 丝绸 (6)
soif *n.f.* 渴 (2)
  avoir soif 口渴
soir *n.m.* 晚上 (3)
soirée *n.f.* 晚间，晚上 (9)
solution *n.f.* 答案，解决方案 (8)
***sonner** *v.i.* 按门铃 (1)
sortir *v.i.* 出去 (6)
  v.t. 拿出来 (10)
souhaiter *v.t.* 祝愿 (3)
***sourcil** *n.m.* 眉毛 (10)
***sourire** *v.i.* 微笑 (1)
sourire *n.m.* 微笑 (6)
sous-sol *n.m.* 地下层 (8)
souvent *adv.* 经常 (5)
spécial, e *adj.* (*pl.* spéciaux) 特别的 (7)
spécialiste *n.* 专家 (11)
sport *n.m.* 体育，运动 (5)
stage *n.m.* 实习 (4)
  n.m. 培训，学习班 (8)
***stagiaire** *n.* 实习生 (0)
style *n.m.* 风格 (12)
succès *n.m.* 成功 (8)
suite *n.f.* 后续 (7)
  à la suite de *loc.prép.* 在……之后
suivre *v.t.* 跟随 (11)
sujet *n.m.* 主题 (12)
  au sujet de *loc.prép.* 关于 (12)

super	*interj.* 太棒了！	(6)
sur	*prép.* 在……上	(4)
	prép. 关于	
sûr, e	*adj.* 肯定的	(1)
bien sûr	*loc. adv.* 当然	(3)
sûrement	*adv.* 肯定地	(2)
surface	*n.f.* 面积	(10)
***surpris, e**	*adj.* 吃惊的，惊讶的	(2)
surtout	*adv.* 尤其	(4)
surveiller	*v.t.* 监视，看管	(8)
sympa	*adj.* 好相处的，热情的（sympathique的缩写）	(1)

T

tard	*adv.* 晚，迟	(4, 6)
taxi	*n.m.* 出租车	(7)
***téléphone**	*n.m.* 电话	(0)
télévision	*n.f.* 电视	(5)
temps	*n.m.* 时间	(4, 7)
	n.m. 天气	(7)
***tendre**	*v.t.* 伸出，张开	(10)
tennis	*n.m.* 网球	(5)
terrain	*n.m.* 场地	(10)
tête	*n.f.* 头；脸	(7)
en faire une tête	板着脸，赌气	
théâtre	*n.m.* 话剧，戏剧；剧院	(5)
timide	*adj.* 腼腆的	(4)
toi	*pron.* 你（重读人称代词）	(0)
***Tokyo**	*n.pr.* 东京	(9)
tomber	*v.i.* 跌下，跌倒	(9)
tomber du lit	比平时起得早	
tôt	*adv.* 早	(9)
toucher	*v.t.* 触，碰；领取	(8)
toujours	*adv.* 一直，总是	(3)
tour	*n.m.* 轮流，轮班	(2)
***(se) tourner**	*v.pr.* (+vers) 转向	(4)
tourner	*v.i.* 转弯	(11)
tous	*adj.indéf. pl.* [tu]所有的，一切的	(4)
	pron.indéf.pl. [tus]大家，所有的人	
tout	*pron.indéf.* 一切，所有的事情	(4)
tout à fait	*loc.adv.* 完全地	(12)
tout droit	*loc.adv.* 径直向前	(12)
***tout le monde**	大家	(11)
(se) tutoyer	*v.pr.* 互相用“你”称呼	(3)
train	*n.m.* 火车	(7)
transport	*n.m.* 交通运输	(7)
travail	*n.m.* 工作	(2)
travailler	*v.i.* 工作，劳动	(1)
***trentaine**	*n.f.* 三十，三十来个；三十岁	(8)
très	*adv.* 非常	(2)
trop	*adv.* 太，过多地	(7)
trouver	*v.t.* 找到	(8)
(se) trouver	*v.pr.* 位于	(10)
tôt	*adv.* 早	(9)

U

unique	*adj.* 唯一的	(11)

V

vacances	*n.f.pl.* 假期	(6)
***valise**	*n.f.* 手提箱	(12)
vallée	*n.f.* 谷地，山谷	(10)
valoir	*v.i.* 价值	(12)
véhicule	*n.m.* 车辆	(10)
vélo	*n.m.* 自行车	(5)
vendeur, se	*n.* 销售者	(11)
vendre	*v.t.* 卖，销售	(6)
venir	*v.i.* 来（vous venez）	(2, 6)
vente	*n.f.* 销售	(6)
verre	*n.m.* 玻璃杯	(6)
	n.m. 玻璃	(10)
***veste**	*n.f.* 上衣	(11)
violon	*n.m.* 小提琴	(5)
visite	*n.f.* 来访	(4)
visiter	*v.t.* 参观	(2)
vite	*adv.* 快速地	(5)
vitrine	*n.f.* 橱窗	(12)
voilà	*prép.* 这是，这就是	(2)
voir	*v.t.* 看见；会见	(4)
voiture	*n.f.* 汽车，轿车	(7)
vol	*n.m.* 偷窃	(7)
***vol**	*n.m.* 航班	(9)
volontaire	*n.* 志愿者	(11)
vouloir	*v.t.* 愿意，想要	(11)
***voyage**	*n.m.* 旅游	(0)
vrai, e	*adj.* 真实的	(1)
vraiment	*adv.* 真正地	(1)

W

week-end	*n.m.* 周末	(5)

CONTENU DU MP3

MP3录音内容摘要

Phonétique

1 Alphabet français
2 [i] [e] [ɛ] [a]
3 [p] [b] [t] [d] [k] [g]
4 [u] [o] [ɔ]
5 [y] [ø] [ə] [œ]
6 [f] [v] [s] [z] [ʃ] [ʒ]
7 [j] [ɥ] [w]
8 [ɛ̃] [œ̃] [ɑ̃] [ɔ̃]
9 [l] [m] [n] [ɲ] [r]

Dossier 0

10 Dossier 0
11 Vocabulaire
12 Exercice 1
13 Exercice 2
14 Exercice 3
15 Exercice 4
16 Sachez épeler exercice 1
17 Sachez épeler exercice 3
18 Comptez exercice 1
19 Comptez exercice 3
20 Comptez exercice 4
21 Comptez exercice 5

Dossier 1

22 Épisode 1
23 Vocabulaire
24 Sons et lettres exercice 1
25 Sons et lettres exercice 2
26 Communiquez exercice 2
27 Communiquez exercice 4
28 Épisode 2
29 Vocabulaire
30 Découvrez la grammaire exercice 3
31 Découvrez la grammaire exercice 6
32 Sons et lettres exercice 1
33 Sons et lettres exercice 2
34 Communiquez exercice 2
35 Communiquez exercice 3

Dossier 2

36 Épisode 3
37 Vocabulaire
38 Découvrez la grammaire exercice 1
39 Découvrez la grammaire exercice 5
40 Sons et lettres exercice 1
41 Sons et lettres exercice 2
42 Communiquez exercice 2
43 Communiquez exercice 3
44 Épisode 4
45 Vocabulaire
46 Découvrez la grammaire exercice 2
47 Sons et lettres exercice 1
48 Sons et lettres exercice 2
49 Sons et lettres exercice 3
50 Communiquez exercice 2
51 Communiquez exercice 3

Dossier 3

52 Épisode 5
53 Vocabulaire
54 Découvrez la grammaire exercice 6
55 Sons et lettres exercice 1
56 Sons et lettres exercice 2
57 Sons et lettres exercice 3
58 Communiquez exercice 1
59 Communiquez exercice 2
60 Communiquez exercice 4
61 Épisode 6
62 Vocabulaire
63 Découvrez la grammaire exercice 4
64 Découvrez la grammaire exercice 5
65 Sons et lettres exercice 1
66 Sons et lettres exercice 2
67 Sons et lettres exercice 3
68 Communiquez exercice 2

Dossier 4

69 Épisode 7
70 Vocabulaire
71 Découvrez la grammaire exercice 2
72 Sons et lettres exercice 1
73 Communiquez exercice 2
74 Communiquez exercice 4
75 Épisode 8
76 Vocabulaire
77 Découvrez la grammaire exercice 1
78 Sons et lettres exercice 1
79 Communiquez exercice 2
80 Communiquez exercice 3

Dossier 5

81 Épisode 9
82 Vocabulaire
83 Découvrez la grammaire exercice 1
84 Sons et lettres exercice 1
85 Sons et lettres exercice 2
86 Communiquez exercice 2
87 Communiquez exercice 3
88 Épisode 10
89 Vocabulaire
90 Sons et lettres exercice 2
91 Sons et lettres exercice 3
92 Communiquez exercice 2

Dossier 6

93 Épisode 11
94 Vocabulaire
95 Découvrez la grammaire exercice 3
96 Découvrez la grammaire exercice 5
97 Découvrez la grammaire exercice 6
98 Sons et lettres exercice 1
99 Sons et lettres exercice 2
100 Sons et lettres exercice 3
101 Communiquez exercice 2
102 Communiquez exercice 3
103 Épisode 12
104 Vocabulaire
105 Découvrez la grammaire exercice 4
106 Découvrez la grammaire exercice 7
107 Sons et lettres exercice 1
108 Sons et lettres exercice 2
109 Communiquez exercice 3

Tests

110 Test 1
111 Test 2
112 Test 3
113 Test 4
114 Test 5
115 Test 6

《普罗旺斯》
布泰吉日(法) 隆戈(法) 编著
978-7-5600-8919-5 16开
2009年9月 33.90元

《布列塔尼》
刘常津 布泰吉日(法) 隆戈(法) 编著
978-7-5600-8982-9 16开
2009年10月 28.90元

《巴黎》
布泰吉日(法) 隆戈(法) 编著
978-7-5600-8831-0 16开
2009年9月 37.90元

旅游阅读学法语

本书是国内为数不多的全方位、多层次展现异域风情的法语阅读读物。包括《巴黎》、《普罗旺斯》和《布列塔尼》三本分册。实景对话、知识介绍、练习测试熔于一炉，体现语言、知识、文化、乐趣的并重。

- 法文行文，汉语标注，配备课文和练习的音频光盘。
- 图文并茂——给游客指导，让读者神游。
- 知识量极为丰富的注释，成就文化之旅，绝不流于走马观花。